Louis DUSSAUT

SYNOPSE STRUCTURELLE
DE L' EPÎTRE AUX HÉBREUX

Approche d'Analyse Structurelle

Préface de Maurice Carrez

1981

Imprimi potest Paris, le 13 octobre 1980
Richard Moriceau, O.F.M. Cap.
Ministre provincial

Imprimatur Paris, le 28 octobre 1980
P. Faynel, vic. ép.

PRÉFACE

*Longtemps délaissée, l'Epître aux Hébreux a repris un intérêt nouveau.
Examinée en elle-même et non plus seulement comme un écrit situé dans
la mouvance paulinienne, sa christologie a attiré l'attention: n'y mon-
tre-t-elle pas comment le Fils de Dieu fait l'apprentissage de son humanité ? ne lui confère-t-elle pas des titres qui nous surprennent :
apôtre, initiateur de notre salut, grand-prêtre de notre confession de
foi ! Sa théologie, son ecclésiologie sont apparues plus originales.
De plus, grâce aux travaux patiemment poursuivis depuis des décennies
par Albert Vanhoye, la structuration de l'Epître a retenu l'attention.*

*Louis Dussaut a pris pour point de départ les hypothèses et les résul-
tats d'Albert Vanhoye et a permis aux études relatives à l'Epître aux
Hébreux de franchir une nouvelle étape en constituant une Synopse structurelle de l'Epître aux Hébreux. Ce petit livre, condensé d'un gros ouvrage auquel Louis Dussaut a consacré son travail durant de longues années, est d'un grand intérêt. Très vite le lecteur s'aperçoit que Louis
Dussaut l'entraîne plus loin que l'acquit des travaux de A. Vanhoye.
Tout d'abord l'idée d'une Synopse : faire saisir d'un seul regard la
division de l'ensemble de l'Epître en sept Colonnes composées chacune de
deux Sections égales. Le jeu de miroir qui s'exerce entre ces Sections
deux par deux apparaît aussitôt. Le regroupement des Colonnes en 2 + 3 + 2
attire l'attention... et l'on pourrait se demander aussitôt s'il n'est
pas dû à une volonté de symétrie de la part de L. Dussaut, mais une étude
approfondie en révèle bientôt la pertinence !*

*Chaque Section (pour mémoire, une demi-colonne) présente un dessin ori-
ginal aux traits parfaitement équilibrés. Comme l'auditeur d'une symphO-
nie perçoit la reprise des divers thèmes à l'intérieur des divers mouvements, le lecteur de la Synopse discerne vite les reprises. Il se sur-
prend à comparer la masse de la première Section (n° 1) avec la dernière
(n° 14) ou de la deuxième Section (n° 2) avec l'avant-dernière (n° 13). Le
même effort de comparaison peut s'appliquer aussi à chacune des Parties
ou à l'Ensemble de l'Epître. Ainsi le lecteur prend goût aux symétries
géométriques et à l'équilibre de leurs correspondances. Sans entrer dans
les détails et pour employer une image, telle la pierre centrale d'un
riche collier brille de mille feux, le centre de la Colonne centrale
(entre les Sections 7 et 8), qui est aussi le centre de toute l'Epître,
attire le regard: cette pierre, ce diamant, c'est " le CHRIST ".*

C'est "une première" que nous offre Louis Dussaut. En effet il permet au lecteur de saisir d'un seul regard toute l'architecture, et (si l'on n'a pas peur d'un mot à la fois étrange et explicite) pourquoi ne pas dire l'architexture de l'Epître.

C'est toute la différence qui sépare d'une concordance. Celle-ci, précieuse pour comparer le sens des mots, brise le texte et le réduit à l'état de mots regroupés par identité, par racine ou par thèmes. Ici, non seulement le texte reste intact; mais il se met à jouer, à développer ses virtualités en totalité, en visualité, en géométrie. La recherche de L. Dussaut se fonde sur une conception du texte qui, loin de l'éliminer pour chercher ailleurs en deçà ou au-delà, le considère comme surface, caractéristique de l'écriture, en contraste avec la conception linéaire du discours, caractéristique de l'oralité.

L'organisation du texte et donc de sa surface trouve son épanouissement naturel et artistique dans une organisation architecturale : c'est-à-dire en une surface géométrisée, géométriquement maîtrisée, qui offre au texte "ses structures, ses corrélations, sa lisibilité". Trait qui correspond d'ailleurs pour une part au support matériel de l'écrit : tablette, feuillet de papyrus ou de parchemin etc. Ce souci topologique caractérise la méthode de recherche : tous ses instruments, fichiers et tableaux, visualiseront les données textuelles.

La méthode de L. Dussaut présente un autre souci caractéristique : exploiter la totalité de la structuration textuelle. Cette globalité est très importante. Non seulement tout le vocabulaire est analysé , rassemblé en Séries de vocables ou de thèmes, mais tout l'ensemble du texte fait l'objet d'une analyse en ses structures successives ou corrélatives - dont à vrai dire une partie seulement sera ici transcrite. Cette globalité a permis à L. Dussaut de déceler une véritable architecture de ces structures. Au lieu d'en rester au hasard de quelque complexité effarante de symétries saisies partiellement, leur ensemble est apparu organisé selon un principe d'ordre à la fois géométrique et hiérarchique : ce que, faute de mieux, L. Dussaut appelle le principe d'écriture en synopse. La contemplation de cette Synopse offre en son "tout visuel" ses quatre niveaux hiérarchiques : ses 14 Sections, ses 7 Colonnes qui les regroupent, ses 3 Parties qui assemblent ses Colonnes (2 + 3 + 2) et enfin l'Ensemble même de l'Epître.

A. Vanhoye avait bien mis en valeur les procédés de structuration, en particulier les inclusions, les symétries et les mots-crochets. L. Dussaut apporte de nouvelles lumières sur les procédés de composition de la littérature biblique : inclusions, symétries, mots-crochets peuvent être au service d'une structure géométrique et de ses niveaux. Les lieux géométriques y sont comme en appel de structures littéraires. Le passage de l'oralité à la visualité permet ainsi au mot-crochet de jouer aussi de la contiguïté spatiale du texte. En mettant en valeur la composition en synopse, L. Dussaut ne discerne pas seulement une structure continue comme certains analystes, mais développant encore des approches de A. Vanhoye il met en lumière une structure d'ensemble avec le jeu complexe de ses niveaux géométriques (Parties, Colonnes, Sections, etc.). Cette composition en synopse constitue un procédé supérieur et optimal de composition littéraire, et singulièrement biblique (à cause du rythme, des répétitions etc. Il serait loisible ici de renvoyer aux travaux antérieurs et plus lointains de Marcel Jousse). L. Dussaut ouvre ainsi une piste fort prometteuse pour l'avenir des recherches structurelles bibliques : la composition en synopse s'avère désormais une hypothèse de travail qui peut épanouir des recherches récentes et inspirer maintes recherches futures.

Sauf de minimes et rares exceptions, L. Dussaut confirme les résultats de A. Vanhoye pris comme point de départ. Mais L. Dussaut réinterprète et dépasse. Ainsi des cinq Parties discernées par A. Vanhoye, composées successivement de 1 + 2 + 3 + 2 + 1 Sections, L. Dussaut en fait trois Parties désormais composées successivement de 2 + 3 + 2 Colonnes de deux Sections chacune. Ces trois Parties décrivent alors trois variantes d'une même Fresque historique. Le progrès se réalise ainsi non par destruction mais par prise en compte vitale de ce que les recherches passées avaient de meilleur. Une question pourtant ? s'agit-il là d'une structure de l'Epître ou de la structure enfin objectivement découverte ? Le fait que L. Dussaut fait progresser les résultats auxquels était parvenu A. Vanhoye laisse à penser que ce pourrait être enfin la structure de l'Epître.

La lecture de ce livre fait attendre avec impatience le suivant. Dans celui-ci L. Dussaut a tenu à maintenir sa recherche au niveau structurel, ne donnant que le minimum de commentaire pour éclairer l'intelligence des structures du texte. Mais son exposé - et principalement dans le gros ouvrage qu'il résume et recentre - fourmille de remarques fraîches de nouveauté. A l'exégèse de concordance, synthétisant thèmes et mots, peut succéder un principe d'argumentation théologique d'importance capitale : la nécessité de se baser sur des structures textuelles. Un exemple typique est celui de l'image du Christ, de "l'Icône Xristique", dont le sceau marque l'unité de la Partie centrale. Cette Icône met en relief d'une part l'Incarnation et le Corps de Jésus Christ, d'autre part sa Passion et son Sang. Y a-t-il meilleure mise en valeur du fait que le sacrifice du Christ inclut toute sa vie et que par suite l'Eucharistie, mémorial de son sacrifice, inclut aussi toute sa vie. L'intérêt exégétique et oecuménique de telles recherches saute aux yeux ! Et - avant de souhaiter que d'autres textes bibliques soient, comme cette Synopse,

présentés en leur structuration et s'offrent à une même lecture contem-
plative -, pressons l'auteur, L. Dussaut, de nous livrer sa contemplation
théologique et exégétique du grand-prêtre Jésus Christ.

Maurice CARREZ

TABLE DES MATIÈRES

===

V - VIII   Préface de Maurice Carrez

3-4   Introduction

5-15   MÉTHODE D'ANALYSE STRUCTURELLE

5   I. La " Synopse " , " modèle pragmatique "
6   II. Le Fichier " sériel " et " situationnel "
8   III. Processus et Programme d'analyse
13   IV. Constructions graphiques et systèmes de codage

17   SYNOPSE STRUCTURELLE DE L'ÉPITRE AUX HÉBREUX

18   Plan - Texte structuré à part

19-53   PREMIÈRE PARTIE

19   § 1er : Première Section (US): 1,1-14
24   § 2 : Deuxième Section (US): 2,1-18
30   § 3 : Unité structurelle de la 1ère Colonne (UC)
33   § 4 : Troisième Section (US): 3,1-4,5
39   § 5 : Quatrième Section (US): 4,6-5,10
43   § 6 : Unité structurelle de la 2ème Colonne (UC)
45   § 7 : Unité structurelle de la 1ère Partie (CS):
     1. Structuration parallèle, 45
     2. Structuration concentrique, 49

54-115   DEUXIÈME PARTIE

54   § 8 : Cinquième Section (US): 5,11-6,20
58   § 9 : Sixième Section (US): 7,1-28
64   § 10 : Unité structurelle de la 3ème Colonne (UC)
66   § 11 : Septième Section (US): 8,1-9,10
73   § 12 : Huitième Section (US): 9,11-28
79   § 13 : Unité structurelle de la 4ème Colonne (UC)
83   § 14 : Neuvième Section (US): 10,1-18
91   § 15 : Dixième Section (US): 10,19-39
96   § 16 : Unité structurelle de la 5ème Colonne (UC)
98   § 17 : Unité structurelle de la IIème Partie :
     1. Structuration parallèle (CS), 98
     2. Structuration concentrique (CC), 108

116-145   TROISIÈME PARTIE

116   § 18 : Onzième Section (US): 11,1-31
122   § 19 : Douzième Section (US): 11,32-12,13
126   § 20 : Unité structurelle de la 6ème Colonne (UC)

128   § 21 : Treizième Section (US): 12,14-29
131   § 22 : Quatorzième Section (US): 13,1-21/25
137   § 23 : Unité structurelle de la IIIème Partie (CS):
                  1. Structuration parallèle, 139
                  2. Structuration concentrique, 142

147-151   CONCENTRIE GÉNÉRALE DE L'ÉPITRE

152-163   SYNOPSE STRUCTURELLE & ANALYSE DU TEXTE

152   1. Les procédés de structuration :
                  des Sections, 152 - des Colonnes, 153
                  des Parties, 153 - de l'Ensemble
156   2. La lecture du Texte
159   3. L'interprétation de l'Ecriture:
                  L'Exégèse, 159 - L'Analyse structurale, 160
                  La Théologie, 161

164   Ouverture

165-190   N O T E S

191-197   BIBLIOGRAPHIE

197   Index des Noms cités
199   Vocabulaire caractéristique des Sections
200   Index des Sigles

INTRODUCTION

La lecture sémiotique " *dispose le texte devant elle
comme s'il était donné dans* la simultanéité d'un
tableau ".

Claude CHABROL ... , *Le récit évangélique*, p. 51

Quelle est diverse l'histoire de la lecture de l'Epître aux Hébreux par le
séculaire groupe-lecteur des exégètes, dont A. Vanhoye traçait naguère les plus
récentes tentatives - oscillant entre, les unes, des plans conceptuels et, les
autres, des plans littéraires. Nombre de ces derniers lecteurs, rejetant l'application d'un schéma littéraire préfabriqué pour s'attacher à la réalité même
du texte, ont mis en évidence avec un inégal bonheur divers procédés littéraires de structuration du texte: H. Cladder, la disposition strophique - Fr.
Büchsel et, après lui, R. Gyllenberg, l'alternance de l'exposé et de la paré-
nèse - F. Thien, les annonces inversées - L. Vaganay, les mots-crochets et les
inversions - A. Descamps, la répétition de mots thématiques.

A leur suite, dans cet ouvrage "La Structure littéraire de l'Epître aux
Hébreux" (1), publié en 1963, A. Vanhoye s'est intéressé, lui, à un *ensemble*
de procédés de structuration: annonces et reprises du sujet, mots-crochets,
genres littéraires, termes caractéristiques, inclusions et structures symétriques parallèles ou concentriques. Grâce à ces indices littéraires, cet exégète
parvient à délimiter plus scientifiquement le Plan de cette Epître. Elle se
composerait de cinq grandes Parties:

"Fait remarquable, cette structure présente une symétrie concentrique
*nettement apparente. Par le nombre des sections, les Parties sont sy-
métriques autour d'une Partie centrale, qui est la troisième. La première et la dernière Partie ne comportent qu'une section; la deuxième
et l'avant-dernière en comportent chacune deux; la troisième en comporte trois. Cette troisième Partie, à son tour, est bâtie autour d'un
centre: sa deuxième section. Avant celle-ci, nous trouvons une exhortation préliminaire et une première section; après, une troisième section et une exhortation finale "* (2).

Cette symétrie dans la structure littéraire est au service de la pensée: il
y a correspondance de contenu entre les éléments symétriques (3).

Cet ouvrage manifestait déjà, au dire du P. St. Lyonnet, combien "la
construction de cette Epître se révèle comme une prouesse à peine imagina-
ble" (4). Le Plan prenait en cette lecture figure de structure. Nombre
d'exégètes se rallieront peu à peu à cette structure (5).

A l'époque de la lecture de cet ouvrage de A. Vanhoye, nous étions personnellement à la recherche de la structure littéraire de l'Evangile de saint

Jean, structure qui nous apparaissait synoptique. Sensibilisé à cette forme de structure, pour rendre visibles les correspondances de symétrie et de contenu signalées par A. Vanhoye, nous avons eu l'idée en avril 1966 de disposer *en Synopse* l'ensemble du texte de l'Epître aux Hébreux.

A la suite de diverses mises au point pragmatiques, le résultat fut surprenant: la justesse d'ensemble des analyses de cet exégète apparaissait visuellement ! Mais aussi un principe de structuration littéraire plus profond: la composition même du texte sous forme de Synopse. Nous obtenions une distribution du texte en sept Colonnes: une Colonne pour chaque Partie, sauf pour la Partie centrale, très développée, qui en couvre trois. Cette distribution présentait les cinq divisions de cette troisième Partie concentriquement disposées autour de la 2ème section, centrale et très développée (8,1 – 9,28), en position ainsi croisée: le Préambule (5,11 – 6,20) avec l'Exhortation (10,19-39) et, inversement, la première section (7,1-28) avec la troisième section (10,1-18).

Cette synopse attirait l'attention sur une *ligne de clivage* au centre de chaque Colonne. Manifeste pour les trois Colonnes de la Partie centrale – les Colonnes 3, 4 et 5 (6) – cette ligne de clivage se soupçonnait décelable en l'une ou l'autre des lignes mineures de séparation de paragraphes, voire de subdivisions repérées par A. Vanhoye. Encore fallait-il la manifester comme élément de structure, d'autant que la division des 2ème et 4ème Parties en deux sections fortement inégales (7) semblait s'opposer absolument à un partage par moitié ! Par ailleurs l'analyse suggéra ensuite – comme pour les trois Colonnes centrales – une structure d'ensemble entre les deux premières et entre les deux dernières Colonnes de la Synopse, c'est-à-dire la réduction de cinq à seulement *trois* Parties.

La Synopse pragmatique faisait ainsi travailler le texte. Elle allait même se présenter comme un instrument de travail inattendu, en confirmant l'intuition d'une nouvelle méthode de recherche textuelle: la Méthode d'Analyse structurelle situationnelle (8). Tout au long de la recherche, toujours en cours, s'effectuera une répercution réciproque entre les niveaux *théorique* et *pratique*. Au terme de l'analyse le résultat sera double:

- au plan de la Méthode: un modèle de compétence, une méthode d'analyse applicable à d'autres textes, la *Méthode d'Analyse structurelle situationnelle* ; et un modèle de compétence, l'application concrète de cette Méthode à l'Epître aux Hébreux.

- au plan du Texte: un modèle de compétence, la forme textuelle d'une surface rédactionnelle géométriquement structurée; et un modèle de performance, la *Synopse structurelle de l'Epître aux Hébreux*.

Ce jour-là la structure du texte présentait la figure idéale d'une surface rédactionnelle géométriquement structurée: l'Epître aux Hébreux disposait son texte devant son lecteur dans *la simultanéité d'un tableau*, sa Synopse structurelle, son ἐφάπαξ visuel. Totalement offerte à la lecture sémiotique, c'est-à-dire pour elle à la lecture théologique.

MÉTHODE D'ANALYSE STRUCTURELLE
SITUATIONNELLE

Nous qualifions notre Analyse de *structurelle* et non pas de *structurale*. Nous entendons indiquer par là une similitude d'objet, à savoir l'étude de structures, et une différence de niveau. Notre analyse vise la structuration du texte au niveau tagmémique, c'est-à-dire de l'ordre des mots et de leurs unités rédactionnelles dans la totalité du texte; cette analyse ne vise pas, immédiatement ou directement du moins, la structure du texte au niveau narratif. Disons en d'autres termes que notre analyse étudie la ou les structures de surface et non pas la ou les structures profondes du texte. Cette analyse tient compte de la forme et du contenu au niveau des structures de surface. Nous constaterons, d'ailleurs, que cette Analyse "structurelle" est toute corrélative à l'Analyse "structurale".

Nous qualifions en outre notre Analyse de *situationnelle* : cet adjectif a valeur d'épithète de nature et souligne le caractère proprement "topologique" de l'analyse des structures. Aussi, plutôt que de chaîne du discours, image visuelle linéaire, préférons-nous parler à propos du texte de "surface rédactionnelle".

Voici les éléments constitutifs de notre Analyse structurelle de l'Epître aux Hébreux:

1. Constitution d'une "Synopse", "modèle pragmatique" du texte.

2. Etablissement d'un Fichier "sériel" et "situationnel" du vocabulaire.

3. Elaboration du processus et du programme d'analyse.

4. Constructions graphiques et systèmes de codage représentatifs des structures du texte.

I. LA "SYNOPSE", "MODÈLE PRAGMATIQUE"

Lorsque nous présentons notre "Synopse structurelle" comme un "modèle pragmatique", nous bénéficions de l'amplitude de jeu de la notion moderne du modèle:

"Le modèle comprend tous les états intermédiaires entre une figuration concrète et une détermination abstraite: les grands modèles théoriques sont des composés de la forme figurative et de la forme mathématique ... Le facteur essentiel est que les constats empiriques puissent être unifiés, les concepts et les arguments théoriques objectivés par des réalisations figurales contrôlées par une forme qui peut être fournie par une géométrie, mais aussi par un calcul algébrique" (1).

Notre étude de la structure de l'Epître aux Hébreux, pour aboutir à un modèle théorique de compétence ou à un modèle scientifique de performance, doit partir d'un modèle concret construit d'après des données expérimentales. Nous l'avons déjà indiqué, notre "modèle pragmatique" provient de la rectification du modèle présenté par A. Vanhoye, le plus élaboré et fondé qui soit jusqu'ici à notre connaissance. Voici comment par approximations successives s'est opéré, ou pour d'autres textes peut s'opérer, cette mise en forme initiale de "Synopse". Elle comportait trois opérations, idéalement distinctes mais concrètement corrélatives: le découpage du texte en stiques, le repérage des unités rédactionnelles, l'équilibrage situationnel de l'ensemble des unités.

Le texte de l'édition critique retenue doit tout d'abord être divisé en stiques ou versets, petits éléments de phrase, pour mettre en relief la structure du texte, ainsi qu'on le pratique désormais dans les textes liturgiques et comme l'a déjà tenté A. Vanhoye pour cette Epître (2). Personnellement, au-delà de la structure des phrases considérées isolément, nous cherchons dans cette division en stiques à mettre en évidence la structure d'ensemble de chacune des unités littéraires. Ces unités, à divers niveaux, nous étaient en fait signalées par l'analyse déjà si minutieuses de notre prédécesseur. Ces unités, il s'agissait précisément de les répartir dans les Colonnes et les Sections de notre Synopse, de les y situer et de les équilibrer réciproquement: de telle sorte que leur distribution dans la surface rédactionnelle soit la figuration géométrique et visuelle de leurs corrélations dans la structure totale du texte. Cette troisième opération, qui correspond à l'intuition primordiale de notre recherche, influence la réalisation des deux autres (3). En réalité ces divisions du texte en stiques s'imposent ou se justifient grammaticalement; dans de rares cas, elles sont purement *techniques*, appelées par l'équilibre corrélatif du texte. Dans ces derniers cas comme dans les autres entre en jeu le *sens artistique*, stimulé par une lente et profonde imprégnation du texte.

Cette distribution équilibrées des unités rédactionnelles et de leurs versets constitue visuellement une "Synopse", qui au début de l'analyse a valeur de "modèle pragmatique". L'ensemble du texte est alors traité géométriquement comme une surface rédactionnelle: rectangulaire dans notre cas, divisée en quatorze Sections regroupées en sept Colonnes, *de densité verbale diverses mais idéalement et graphiquement ou structurellement égales.*

II. LE FICHIER "SÉRIEL" ET "SITUATIONNEL"

L'instrument principal de l'Analyse structurelle est le Fichier, qualifié de *sériel* et de *situationnel* en raison de ses deux caractéristiques de composition et de présentation. Sa réalisation s'effectue en trois étapes: la détermination des "Séries" de vocables; l'établissement d'une "maquette" de fiche; la rédaction enfin de ces fiches suivant la "situation" des occurrences de chaque Série de vocables.

1) la détermination des "Séries" de vocables

L'étude du vocabulaire suppose le choix d'une *édition critique*. Ce qui implique la détermination d'un vocabulaire, d'une accentuation, d'une ponctuation, et aussi de variantes du texte. Cette édition critique fonde toutes les opérations sur le texte: constitution des "Séries", calculs statistiques, numérotation ordinale des occurrences ... Sauf modifications importantes signalées à l'occasion, nous suivons comme notre prédécesseur le texte de A. Merk, *Novum Testamentum Graece et Latine*, Roma, 1957[8] (4).

La liste des vocables est dressée avec l'indication de leur fréquence. Chaque vocable de deux occurrences ou plus forme déjà une "série occurrentielle". La préparation du Fichier consiste tout d'abord à constituer les "Séries Radicales" et les "Séries Thématiques" des vocables. Nous commençons par les premières dont l'élaboration prépare celle des secondes. Les unes et les autres "Séries" présentent leurs problèmes particuliers.

La constitution des "Séries Radicales" s'opère à la suite d'un premier regroupement de vocables en ce que, faute d'un meilleur terme, nous appelons des "séries nominales". Ces dernières sont constituées pour une part de l'ensemble des *formes lexicales* - substantifs, adjectifs, adverbes et verbes - d'un même terme, à partir soit de la racine simple soit d'une racine composée. Les *formes fonctionnelles* donnent lieu pour une autre part à la constitution de "séries" similaires. L'utilité des "Séries Radicales" réside, sous les réserves nécessaires, dans un premier regroupement des vocables de signification semblable ou voisine, notamment d'un grand pourcentage d'hapax. Les "Séries Radicales" permettent ainsi une meilleure perception du vocabulaire d'un auteur et par suite une meilleure comparaison des vocabulaires de deux auteurs.

La détermination des "Séries Thématiques" complète et élargit ce regroupement du sens commencé par les "Séries Radicales". Cette détermination est délicate (5) mais enrichissante pour la découverte des corrélations textuelles. Recouvrant un champ sémantique plus vaste, les "Séries Thématiques" deviennent indispensables lorsque l'Analyse structurelle, parvenue à son terme, doit naturellement s'épanouir à la lumière de l'Analyse structurale.

2) l'établissement d'une "maquette" de fiche

La constitution de la "Synopse", modèle pragmatique du texte, permet de tracer une "maquette" de fiches perforées. Ces fiches comprennent trois espaces avec leur fonction particulière.

Le premier espace, en haut à droite, reste en blanc pour recevoir le sigle et numéro de la Série, puis l'inscription des vocables avec leur fréquence. Sur le deuxième espace en haut à gauche est très schématiquement tracé le rectangle rédactionnel de la Synopse avec ses divisions majeures: les Parties et leurs Colonnes, les Sections et leurs segments. Le troisième espace, le plus important, voit tracé côte à côte verticalement pour les quatorze Sections l'indication de leurs segments intérieurs, mais cette fois-ci avec mention du chapitre, des versets et même de leurs stiques.

Les perforations sont enfin codées.

3) la rédaction des fiches

Nous avons réparti les fiches ainsi préparées comme suit: une fiche pour toute série occurrentielle, radicale ou thématique; une, à l'occasion, pour des séries nominales importantes et nettement distinctes. Tout vocable de deux ou plusieurs occurrences possède donc sa fiche. Les fiches ensuite de "Séries Radicales" récapitulent fréquemment des fiches occurrentielles, voire nominales,

y compris la mention fréquente de un ou de plusieurs hapax. Les fiches de
"Séries Thématiques" présentent au plus haut degré ce caractère récapitulatif. Le ou les vocables sont inscrits dans leur espace, en haut à droite.
Les occurrences du ou des vocables sont siglées très exactement sur le grand
diagramme au lieu du stique qu'elles occupent en fait dans le texte de la
Synopse pragmatique. Il est nécessaire de distinguer les vocables, voire les
usages différents d'un même vocable, par des sigles différents. Ces distinctions, aisées dans les fiches occurrentielles, ne peuvent pas toujours être
reportées sur les fiches sérielles qui les intègrent: ce qui justifie l'usage
simultané de fiches simplement occurrentielles et de fiches proprement sérielles. La siglation de ce grand diagramme est reportée sur le petit diagramme, mais alors sommairement pour la localisation. L'un et l'autre diagramme possèdent leur utilité particulière. Le grand, qui représente la ligne verticale schématique des 14 Sections, visualise les relations verbales
symétriques entre les Sections. En bas de chaque ligne il est utile d'indiquer le *total* des occurrences: aspect statistique qui permet de déceler les
mots caractéristiques. Le petit diagramme, si sommaire soit-il, visualise les
relations symétriques selon la surface même de la Synopse pragmatique. Les
fiches reçoivent enfin de nombreuses indications, graphiques ou textuelles,
relatives à toutes remarques faites sur les vocables ou leurs symétries.

III. PROCESSUS ET PROGRAMME D'ANALYSE

L'analyse utilisera les deux instruments de travail que sont la *Synopse*
ou modèle pragmatique et le *Fichier* sériel et situationnel ou vocabulaire
synoptisé. Nous nous proposons de déterminer les rapports structurels qui
existent dans la surface rédactionnelle que constitue notre Synopse de sept
Colonnes, articulées chacune en deux Sections.

1) Processus d'Analyse structurelle

Il s'agit d'analyser une structure littéraire. Nous devons donc
déterminer les éléments constitutifs de cette structure et les relations d'in-
terdépendance de ces éléments. Les éléments, ce sont évidemment les occurrences des vocables, considérées dans leurs relations à l'intérieur d'une unité
rédactionnelle ou dans leurs corrélations extérieures d'une unité rédactionnelle à une autre. On parlera de *structure* lorsque une suite ou un ensemble
de mots comporte des séries de mots qui présentent entre elles une relation
déterminée de symétrie dans la *surface*, continue ou discontinue, du texte.

Notons-le, cette "relation de symétrie" implique deux composantes, l'une
sémantique (au moins en un sens large) et l'autre *topologique*. La composante
sémantique consiste dans une *isotopie*, telle que la définit F. Rastier: "On
appelle isotopie toute itération d'une unité linguistique" (6). La composante
topologique consiste dans la situation corrélative, dans la surface du texte,
de ces suites ou ensembles isotopiques. Les unités de base de cette référence
topologiques, ce sont les "Sections". En référence aux Sections nous distinguons la *symétrie de vocabulaire* et la *symétrie de situation*.

Le processus d'analyse va consister dans l'exécution d'un petit nombre d'opérations simples, précises, dont la répétition réalisera un "balayage" (comme on dit en télévision) de toute la surface de l'Epître à la lumière successive de chacune de ses unités.

1. la symétrie de vocabulaire

Pour caractériser des relations de symétrie , internes à chaque Section ou corrélatives entre deux Sections, il faut y reconnaître une diversité minimum de parties. Nous l'obtenons par la *trichotomie*, c'est-à-dire par la distinction en chaque Section de trois parties rédactionnelles: nous les appelons des *segments* ou *segments trichotomiques* (7). La distinction des segments fonde les trois principales relations symétriques de vocabulaire, que nous relèverons tout au long de notre analyse.

Entre les segments 1.2.3 (trichotomiques) d'une première Section quelconque et les segments 4.5.6 (trichotomiques) d'une deuxième Section quelconque, il peut y avoir théoriquement 15 combinaisons ou relations de symétrie, internes ou externes, à ces deux Sections.

◆ *Symétries internes à chaque Section:*

Il y a trois combinaisons internes à chacune de ces deux Sections: 1.2 1.3 2.3 et 4.5 4.6 5.6 . Les combinaisons 1.3 et 4.6 expriment la *concentrie* des segments extrêmes des Sections. Les combinaisons 1.2 avec 2.3 et 4.5 avec 5.6 expriment une sorte de *triangulie* interne, c'est-à-dire, comme nous l'expliquerons plus loin, un reflet des extrêmes dans le centre même. En fait l'analyse nous amènera à déceler dans cette symétrie un phénomène ou procédé structurel caractéristique: la *bisegmentalisation* des Sections. Cette bisegmentalisation avec la concentrie du vocabulaire constituent des éléments significatifs importants de l'unité littéraire ou structurelle de chaque Section.

◆ *Symétries corrélatives entre deux Sections:*

Les 9 combinaisons restantes jouent corrélativement entre les segments des deux Sections. Nous pouvons les regrouper de la façon suivante:

- 1.4 et 3.6 forment ce que nous appelons "la symétrie parallèle";
- 1.6 et 3.4 forment ce que nous appelons "la symétrie concentrique";
- 1.5 avec 3.5 et 2.4 avec 2.6 forment ce que nous appelons "la symétrie triangulaire";
- 2.5 constitue ce que nous appelons "la symétrie des centres".

Précisons quelque peu ces différentes formes de symétrie.

a) Symétrie *parallèle* :

Des vocables d'une Section se trouvent en symétrie "parallèle" avec des vocables d'une autre Section, lorsqu'ils se rencontrent sensiblement à la même place dans le plan horizontal de rédaction de chacune d'elles. C'est-à-dire, pour parler globalement, lorsque ces vocables communs se rencontrent dans les deux segments supérieurs, dans les deux segments centraux ou dans les deux segments inférieurs de ces deux Sections. Si nous représentons par une lettre l'*ensemble* des vocables respectivement communs aux divers segments, les deux séries sont parallèles:

a b c : a'b'c'.

b) Symétrie *concentrique* :

Des vocables d'une Section se trouvent en symétrie "concentrique" avec des vocables d'une autre Section, lorsqu'ils se rencontrent sensiblement en ordre *inverse* dans le plan vertical de rédaction de chacune d'elles. C'est-à-dire, pour parler globalement, lorsque ces vocables communs se rencontrent dans les deux segments l'un supérieur de l'une et l'autre inférieur de l'autre, dans les deux segments centraux ou encore dans les deux segments l'un inférieur de l'un et l'autre supérieur de l'autre de ces deux Sections. Si nous représentons par une lettre l' *ensemble* des vocables respectivement communs aux divers segments, les deux séries sont cette fois inverses ou concentriques:

a b c : c'b'a'.

Si les deux Sections sont placées, réellement ou graphiquement, côte à côte, cette symétrie paraît croisée; si elles sont placées, réellement ou graphiquement, l'une au-dessus de l'autre, la symétrie de vocabulaire apparaîtra proprement concentrique (8).

c) Symétrie *triangulaire* :

Notre attention a été attirée par une autre symétrie très caractéristique: un vocable ou un *ensemble* se rencontre ici au centre et là aux deux extrémités; ou, inversement, ici aux deux extrémités et là au centre. Ainsi le même vocable ou le même ensemble, si l'on place les deux Sections côte à côte, se trouve aux trois sommets de l'un des deux triangles inverses que forment ici ou là les trois segments considérés. D'où le qualificatif de triangulaire que nous avons donné à cette symétrie.

Cette triangulie parfaite, plus rare, voisine avec une triangulie composite. Cette dernière consiste en ce que un vocable ou un ensemble du centre de l'une a son symétrique dans le segment initial de l'autre; et aussi si un vocable ou un ensemble du même centre de l'une a son symétrique dans le segment final de l'autre. Et/ou l'inverse.

La triangulie ou symétrie triangulaire, *parfaite* ou *composite,* est dite *simple,* si elle ne joue que d'une unité sur l'autre, ou *réciproque,* si elle joue de chaque unité sur l'autre. Les formules de la triangulie réciproque, parfaite ou bien composite, peuvent s'exprimer comme suit:

a b a : b' a' b' ou bien a bc d : b' a'd' c'.

On le voit, les combinaisons des segments dont nous parlions plus haut correspondent de soi à une triangulie composite réciproque. Mais du fait que les deux formules sont convertibles (9), on peut affirmer sans plus que ces combinaisons expriment une symétrie triangulaire.

d) Symétrie *des centres* :

Volontairement nous avons parlé des segments centraux à l'occasion et de la symétrie parallèle et de la symétrie concentrique: c'était souligner que la symétrie des centres participe à la fois à l'une et à l'autre symétrie, dont les formules sont :

a b c : a' b' c'   et   a b c : c' b' a' .

Dans le tracé des Tableaux il suffit donc d'indiquer une seule fois la symétrie des centres, dans le Tableau de la symétrie ou parallèle ou concentrique.

2. la symétrie de situation

Cette symétrie concerne immédiatement les Sections entre elles comme telles. L'hypothèse d'une composition sous forme de Synopse situe géométriquement chaque Section, et par suite chacun de ses segments, dans la surface rédactionnelle rectangulaire formée par les sept Colonnes du texte. La considération de ces symétries géométriques entre les Sections situera donc leurs diverses symétries/de vocabulaire dans la totalité du texte.

Il y a deux sortes de symétrie de situation :

a) Symétrie *parallèle* :

En raison de leur situation, deux Sections sont dites"parallèles", si elles se trouvent au même niveau horizontal de la Synopse: au niveau supérieur, les Sections impaires et, au niveau inférieur, les Sections paires.

b) Symétrie *concentrique* :

En raison de leur situation, deux Sections sont dites "concentriques", si elles se trouvent géométriquement telles dans la surface rédactionnelle alors considérée (aspect relatif) ou dans la totalité du texte (aspect/absolu). Ainsi la Section 1 est concentrique à la Section 4 dans la 1ère Partie et à la Section 14 dans l'ensemble de l'Epître.

Notons-le, des Sections parallèles peuvent aussi être déclarées concentriques, mais alors par rapport à l'axe central vertical qu'est ici la Colonne centrale. Le contexte doit lever l'ambiguïté possible.

On imagine aisément que la symétrie de vocabulaire manifestera ou renforcera naturellement la symétrie de situation similaire: la parallèle, la parallèle - et la concentrique, la concentrique.

3. les opérations élémentaires d'analyse

Il y a deux sortes d'opérations élémentaires, qui vont être répétées un nombre de fois plus ou moins important. Il est expédient d'utiliser successivement les Fichiers des "Séries Radicales" et des "Séries Thématiques".

✦ *Analyse des symétries internes à chaque Section :*

Du Fichier "Séries Radicales" on extrait les fiches de la Section et on n'en retient que celles de deux ou plusieurs occurrences. Ces dernières sont regroupées selon la distribution de leur vocabulaire, soit dans un seul segment (1, 2, 3), soit en plusieurs selon diverses combinaisons (1.2 2.3 1.3 voire 1.2.3).

Après cette activité de l'esprit de géométrie s'impose l'exercice de l'esprit de finesse: il s'agit d'apprécier entre les occurrences ce que l'on pourrait appeler les "traits distinctifs de symétrie". On s'efforce d'apprécier la signification textuelle de ces co-occurrences et, pour autant qu'on la perçoit valable, de les consigner sur un schéma de la Section.

On complète les observations à l'aide du Fichier "Séries Thématiques".

Les données *statistiques* attirent l'attention sur le vocabulaire caractéristique de chaque Section, comme d'ailleurs de leurs combinaisons.

   * *Analyse des symétries corrélatives entre deux Sections :*

   Du Fichier "Séries Radicales" tout d'abord on extrait les fiches de l'une
des deux Sections en confrontation; puis, de ce paquet de fiches, on extrait
celles qui appartiennent à l'autre Section; enfin, de ces dernières, on ne
retient que celles de deux ou plusieurs occurrences.

   L'ordre utile d'examen des symétries entre les segments de deux Sections
consiste à envisager successivement les Symétries : parallèle (1.4 et 3.6),
concentrique (1.6 et 3.4), triangulaire (1.5 avec 3.5, et 2.4 avec 2.6), et
enfin des centres (2.5). On procède ensuite à la même appréciation de la valeur
significative des co-occurrences et, pour autant qu'on les perçoit valables, on
les consigne sur un schéma confrontant les deux Sections en cause.

   Les vocables symétriques à l'intérieur de chaque Section sont évidemment
une cause de multiplication des corrélations symétriques : ils créent des *symétries reflets*, qui soulèvent un problème particulier d'interprétation.

   Le processus général d'Analyse structurelle consistera donc, une fois
établies la structure interne et l'unité de chaque Section, à déterminer ses
relations structurelles avec toutes les autres Sections du texte. Dans notre
cas il faudra donc analyser en principe - ce qui a été dans la thèse réalisé
en fait - la totalité des 91 combinaisons possibles de situation entre les 14
Sections de l'Epître aux Hébreux (10).

2) Programme concret d'analyse

   A la réflexion on s'aperçoit que les multiples combinaisons possibles
peuvent se regrouper en *Séries de combinaisons*, qui soulignent diverses structures du texte. Nommons, par exemple, les séries de combinaisons : des Sections
Successives (SS), des Colonnes Successives (CS), des Colonnes Concentriques (CC),
puis les nombreuses combinaisons des Parties entre elles.

   De l'énorme travail d'analyse de toutes les Séries de combinaisons nous
ne retiendrons ici qu'une petite partie: elle suffira, nous l'espérons, à justifier la structuration présentée dans notre "Synopse structurelle", sans en
manifester évidemment l'extraordinaire complexité.

   Voici donc les éléments que nous retiendrons et qui correspondent aux
quatre niveaux structurels de l'Epître :

   1. niveau sectionnel, avec l'analyse de l'unité structurelle de chaque
Section. Les péricopes ou unités littéraires, et leur regroupement en *segments*,
sont précisées une à une; puis l'unité structurelle de leur ensemble est manifesté, c'est-à-dire leur symétrie concentrique et triangulaire ou bisegmentale.

   2. niveau colomnal, avec l'analyse de l'unité structurelle de chaque
Colonne. Au terme de l'analyse de deux Sections est déterminée l'unité structurelle de la Colonne synoptique qu'elles constituent à elles deux. Laissant de
côté les symétries parallèle et triangulaire, nous ne retiendrons que la symétrie concentrique entre les segments de ces deux Sections. Une seule exception,
à titre d'exemple: la symétrie parallèle entre les deux Sections - 7 et 8 - de
la Colonne centrale.

   3. niveau partitiel, avec l'analyse de l'unité structurelle de la Partie
formée par les Colonnes - deux pour les Ière et IIIème Parties, et trois pour

la IIème Partie, centrale. Nous nous bornerons ici, pour les Ière et IIIème
Parties: 1. dans la structuration parallèle, à la symétrie parallèle des
Sections parallèles; 2. dans la structuration concentrique, à la symétrie
concentrique des Sections concentriques. Pour la Partie centrale: 1. dans
la structuration parallèle, à la symétrie parallèle des Sections parallèles;
2. dans la structuration concentrique, à la symétrie concentrique des Sections
concentriques – à l'exception, à titre d'exemple, de la symétrie *triangulaire*
entre les Sections concentriques 5 et 10.

4. niveau d'Ensemble, avec l'analyse de l'unité structurelle de toute
l'Epître. De la Concentrie générale de l'Epître nous présenterons seulement
la symétrie concentrique des Sections concentriques des Parties concentriques
I et III – concentrie qui se prolonge dans la concentrie interne à la Partie
centrale.

Même ainsi réduit, espérons-le, cet exposé restera suffisamment suggestif
de la Méthode d'Analyse structurelle et situationnelle.

IV. CONSTRUCTIONS GRAPHIQUES ET SYSTÈMES DE CODAGE

Encore que les nécessités d'édition limitent ici cet aspect, on ne
s'étonnera pas de nous voir souligner en cette Méthode d'Analyse ... *situationnelle*, les questions de *graphique* et en conséquence de *codage*. Ces questions
sont liées à la caractéristique de cette Méthode d'étudier le texte comme une
surface rédactionnelle interprétée *géométriquement :* il faut donc en tracer la
représentation, en coder les éléments et leurs symétries – et, finalement en
tenter une "formalisation".

Langage destiné à l'oeil, la *graphique* bénéficie des propriétés d'ubi-
quité de la perception visuelle. Tandis que tous les systèmes destinés à
l'oreille sont linéaires et temporels, les systèmes destinés à l'oeil sont *spa-
tiaux* et atemporels. Ainsi la graphique.

Lorsque la parole se fait écriture, elle passe du temporel à l'atempo-
rel et de la linéarité à la spatialité. L'écriture joue de cette spatialité.
Au départ même de sa production, en son cours et jusqu'à son terme. La production du texte est prospective et rétroactive: elle se porte au futur du texte
et se reporte au passé du texte. Elle est toujours globale, relecture incessante
de ce qui est déjà écrit pour l'enrichir de ce qui va encore être écrit, réadap-
tant ainsi sans cesse le passé du texte pour le conformer au futur du texte. La
spatialité du texte conditionne cet équilibrage incessant, cette restructuration continuelle de l'écriture, tant que mystérieusement l'auteur ne se décide
pas à l'achever. L'écriture structure une surface rédactionnelle (11).

La graphique est un instrument de recherche. Elle peut favoriser la découverte et l'expression de la structure d'une écriture. C'est pourquoi elle est
utilisée aux divers stades de notre Analyse, pour la construction:
- de la Synopse ou modèle pragmatique;
- des Fichiers sériels et situationnels;
- des divers Tableaux et diagrammes récapitulatifs.

Quelques remarques suffiront sur cette utilisation de la graphique, que
nous ne préciserons pas ici dans le détail.

La construction graphique de la Synopse la fait bénéficier des avantages de l'image visuelle:

"... l'image visuelle accepte tous les niveaux de lecture. Le pinceau visuel peut s'intéresser à la forme d'ensemble résultant de toutes les taches: c'est la lecture d'ensemble. Mais il peut aussi ne s'intéresser qu'à une tache élémentaire: c'est le niveau élémentaire de la lecture. Et entre les deux, il peut s'intéresser à tout groupement de taches: ce sont les niveaux moyens de lecture" (12).

La lecture de la Synopse est toujours localisée et localisante. L'oeil situe toujours instantanément, constamment et globalement, la position de l'unité de lecture, quelle que soit son extension. Cette unité est toujours perçue dans son architecture propre et proportionnée avec les divers ensembles où elle s'intègre: Section, Colonne, Partie ou totalité. Quel que soit le niveau de lecture - élémentaire, moyen ou total - la structure d'ensemble y est toujours présente et totalisante.

Les Fichiers des Séries Radicales ou Thématiques et les divers Tableaux des Séries de combinaisons des symétries sont des formes schématisées de la Synopse: ils facilitent les lectures dont nous parlions, les uns, de la distribution d'un vocable ou d'un thème et, les autres, de la répétition systématique de faits ou de procédés de symétrie littéraire.

On devinera l'investissement de temps, de travail et de ténacité, que met en oeuvre cet aspect *graphique* qui est caractéristique de l'*Analyse structurelle situationnelle,* si l'on songe que les Tableaux à eux seuls dans l'analyse complète récapitulent les résultats de l'analyse de 91 combinaisons de Sections, deux à deux, selon trois symétries de vocabulaire - c'est-à-dire la construction de 273 tableaux, auxquels il faut ajouter les 28 tableaux consacrés à l'unité interne et à la bisegmentalisation de chaque Section !

La graphique intervient aussi dans l'inscription de certains codages: ainsi la mise en évidence de vocables en symétrie ou termes caractéristiques par des artifices typographiques, comme l'ont pratiqué A. Vanhoye ou J. Radermakers (13).

Le codage est l'assignation de symboles pour exprimer une réalité et de règles d'utilisation pour faciliter la brièveté des désignations et la mathématisation de l'analyse. Le codage exprime dans l'écriture, en symboles et en chiffres, ce que la graphique représente dans la surface, en localisation et en taches.

Le codage est nécessaire pour symboliser les éléments des opérations comparatives que requièrent à la fois l'analyse concrète, dans notre cas de l'Epître aux Hébreux (modèle de performance) et la construction théorique d'une Méthode d'Analyse structurelle (modèle de compétence).

Indiquons les codages que nous utiliserons ici.

Pour indiquer les divers éléments de la surface rédactionnelle, nous prenons les sigles suivants: P : Partie; C : Colonne; S : Section; (...) : segment ou unité structurelle en jeu. Les sigles S C P sont précisés par leur nombre ordinal - respectivement de 1 à 14, de 1 à 7 ou de 1 à 3 - placé théoriquement "en exposant"; par exemple: $S^{11} C^4 P^2$.

La référence d'un texte au chapitre et au verset est souvent complétée par sa localisation dans la Synopse au moyen de l'indication de sa Section et au besoin du stique. Ce dernier est précisé selon l'usage, mais adapté à la Synopse, par la suite alphabétique des minuscules a b c ... Par exemple:

    1/1,10b   4/4,6-11   13/12,27c

Ce qui se lit: *Section 1*, chapitre 1, (verset) 10b . Et ainsi de suite.

Enfin, nous siglons ainsi les trois symétries: (=) parallèle; (x) concentrique; (△) triangulaire. S'il est nécessaire de distinguer, nous plaçons ces derniers sigles: "en exposant", pour les symétries de situation; et "en indice", pour les symétries de vocabulaire.

Tels sont les éléments essentiels de la *Méthode d'Analyse structurelle situationnelle*. L'application de cette Méthode nous a permis de découvrir et nous permet de justifier la présentation de notre *Synopse structurelle de l'Epître aux Hébreux*.

Enfin, une remarque capitale. La lecture de notre texte ne prend toute sa force de conviction que par le recours à la *Synopse :* la perception visuelle sur le texte des symétries décrites fait au fur et à mesure prendre conscience de la structure de l'Epître et de sa complexité. Des raisons d'économie ont empêché de reproduire les *Tableaux*, véritables radiographies des symétries du texte, qui visualiseraient le vocabulaire marquant l'un ou l'autre système de symétrie.

SYNOPSE STRUCTURELLE
DE L'ÉPITRE AUX HÉBREUX

Notre *Synopse structurelle de l'Epître aux Hébreux* se présente sous la forme d'une surface rédactionnelle géométrique, composée de sept Colonnes de deux Sections chacune et distribuée en trois Parties de 2 + 3 + 2 Colonnes.

Notre première et troisième Partie, et leurs deux Colonnes, correspondent aux deux premières (1ère et 2ème Parties) et aux deux dernières (4ème et 5ème Parties) du Plan de A. Vanhoye. Notre deuxième Partie correspond à sa 3ème Partie, centrale dans les deux cas, et comprend elle seule trois Colonnes: particularité qui accentue sa situation centrale et son importance.

Du point de vue de l'*Analyse littéraire*, dont notre Méthode assume de soi les résultats, nos unités ou péricopes de base seront généralement semblables à celles de notre prédécesseur. Par contre l'*Analyse structurelle* manifestera souvent une autre redistribution ou regroupement en unités de niveau supérieur - sectionnel, colomnal et partitiel. Ce nouvel équilibre structurel exigera parfois des modifications même dans les unités de base.

Nos développements n'ont pas précisément pour but d'offrir un *commentaire* de l'Epître aux Hébreux. Si commentaire il y a en réalité, il demeure d'allure classique et non pas structural. L'exposé se propose principalement la mise en évidence, nous l'avons dit, de la ou des structures de surface du texte. Cette mise en évidence, certes, apportera souvent des lumières nouvelles sur l'Epître. Par surcroit! L'effort demeurera pourtant plus structurel que théologique.

Ce point de vue structurel justifiera nos références à l'*auteur* du texte, si inconnu soit-il. Nous n'ignorons pas que l'auteur historique assume en son oeuvre des éléments d'oeuvres antérieures ou reflète des convictions de son milieu. S'il n'est pas ainsi l'auteur total de son oeuvre, il reste qu'il en est le structurateur immédiat rédactionnel. L'Analyse structurelle vise ce travail de structuration ou la structure de l'oeuvre: écrire, n'est-ce pas structurer une structure signifiante?

L'Epître aux Hébreux offre cette particularité que chacune de ses trois Parties trace une *Fresque historique*. Les commentateurs ne mentionnaient guère jusqu'ici que la Fresque historique si évidente du chapitre 11, qui se prolonge d'ailleurs avec une évocation de la vie souffrante de Jésus dans une longue description de la vie chrétienne. En réalité les première et deuxième Parties évoquent, elles aussi, les étapes principales de cette Fresque historique. Mais ces étapes y sont dissimulées sous la confrontation du Fils de Dieu ou des chrétiens avec telle situation ou tel personnage historiques. En l'une ou l'autre de ses trois variantes, cette Fresque historique comporte sept traits principaux: la Création et les origines; Abraham et les patriarches: Moïse et l'Exode; David et la palestine; le Fils de Dieu, frère des hommes et Grand-Prêtre; les chrétiens et l'Eglise; et enfin l'Eschatologie.

SYNOPSE STRUCTURELLE DE L'ÉPITRE AUX HÉBREUX

PREMIÈRE PARTIE (He 1,1 - 5,12)

§ 1 - 1ère Section (US) : 1,1-14.
§ 2 - 2ème Section (US) : 2,1-18.
§ 3 ✦ Unité structurelle de la 1ère Colonne (UC).

§ 4 - 3ème Section (US) : 3,1-4,5.
§ 5 - 4ème Section (US) : 4,6-5,10.
§ 6 ✦ Unité structurelle de la 2ème Colonne (UC).
§ 7 ✦ Unité structurelle de la 1ère Partie (CS).

DEUXIÈME PARTIE (He 5,13 - 10,39)

§ 8 - 5ème Section (US) : 5,11-6,20.
§ 9 - 6ème Section (US) : 7,1-28.
§ 10 ✦ Unité structurelle de la 3ème Colonne (UC).

§ 11 - 7ème Section (US) : 8,1-9,10.
§ 12 - 8ème Section (US) : 9,11-28.
§ 13 ✦ Unité structurelle de la 4ème Colonne (UC).

§ 14 - 9ème Section (US) : 10,1-18.
§ 15 - 10ème Section (US) : 10,19-39.
§ 16 ✦ Unité structurelle de la 5ème Colonne (UC).
§ 17 ✦ Unité structurelle de la 2ème Partie (CS).

TROISIÈME PARTIE (He 11,1 - 13,21/25)

§ 18 - 11ème Section (US) : 11,1-31.
§ 19 - 12ème Section (US) : 11,32-12,13.
§ 20 ✦ Unité structurelle de la 6ème Colonne (UC).

§ 21 - 13ème Section (US) : 12,14-29.
§ 22 - 14ème Section (US) : 13,1-21/25.
§ 23 ✦ Unité structurelle de la 7ème Colonne (UC).
§ 24 ✦ Unité structurelle de la 3ème Partie (CS).

PREMIÈRE PARTIE

(1,1 — 5,10)

La Première Partie de l'Epître aux Hébreux couvre les deux premières Colonnes, soit quatre Sections, de notre *Synopse structurelle*. Elle nous offre une première Fresque historique. Y prédominent les thèmes de *la Création et des Origines*, dans une confrontation du Fils de Dieu aux Anges puis de l'assimilation du Fils d'homme Jésus à ses frères les hommes, avec une brève mention d'*Abraham*; ensuite, du thème pérégrinal de *l'Exode et de la marche au désert*, dans la comparaison de Jésus Christ à Moïse, et enfin de *l'entrée dans le Repos*, niée en Josué mais affirmée en Jésus Christ, avec un premier développement sur le *sacerdoce* et une brève mention ecclésiale et eschatologique.

§ 1 : PREMIÈRE SECTION (1,1-14)

Nous y distinguons cinq péricopes structurelles. Vanhoye distingue justement du point de vue littéraire une Introduction générale et un premier paragraphe subdivisé en trois unités, selon les trois formules d'introduction des contrastes affirmés entre le Fils et les Anges: vv. 5-6, 7-12 et 13-14. En fait, le contraste central souligne la distinction de deux péricopes: vv. 7-9 et 10-12, qui permettent l'équilibre structurel de la première Section. La formule statistique de la répartition des 256 occurrences de la Section: 72.43 + 61 + 46.34 - atteste une notable différence entre les unités extrêmes, qui relève le centre statistique au-dessus du centre structurel. Mais la seule constatation que ce centre statistique mettrait en relief les Anges et non le Fils favorise le centre structurel (1).

L' *Introduction* (1,1-4), "l'une des plus remarquables périodes que l'on puisse trouver dans la Nouveau Testament" (2), nous présente la vue universaliste de l'Auteur de l'Epître et son schéma temporel fondamental. Elle en illustre aussi son écriture structurelle.

La péricope est de structure nettement concentrique. Au milieu sont détachés trois stiques concernant l'être et l'action du Fils comme Dieu (1,2c.3ab):
- en plein centre, le Fils rayonne comme éternelle image de Dieu;
- juste avant, son rapport à l'Univers est indiqué en référence aux deux extrêmes du Temps: à son *terme*, le Fils est héritier de tout et, à son *origine*, il est médiateur de sa création;
- juste après, ce même rapport est indiqué en référence à l'*entre-deux* du Temps: Il est soutien dynamique de tout.
De part et d'autre de milieu, en quatre stiques, deux à deux, sont évoquées les deux activités caractéristiques du Fils comme homme:

19

- avant (1,2ab), à "l'extrémité" du temps actuel Dieu a parlé en son Fils;
- après (1,3cd), au terme de son oeuvre de purification le Fils s'est assis à la droite de Dieu.

Enfin, les deux stiques du début (1,1ab) et les deux stiques de la fin (1,4ab) de l'Introduction se réfèrent, les premiers, à l'Ancien Testament où Dieu a parlé aux pères et, les derniers, au Nouveau Testament où le Fils est devenu supérieur aux Anges.

Ainsi, loin d'être indiquées "sans ordre" (3), les phases du rôle cosmique et historique du Fils sont présentées de façon supérieurement structurée. Si l'éternité du Fils rayonne en plein centre structurel, voire numérique (4), de cette Introduction - le rôle cosmique s'exprime selon le schéma structurel des *couples de totalité* (5): la totalité de la temporalité de l'Univers s'exprime en effet, d'une part, en ses deux extrêmes (Héritier/créateur) et, d'autre part, en son entre-deux (providence). Certes ces extrêmes sont inversés! Il y a en cette inversion davantage qu' "un ordre de découverte" (6): c'est le premier exemple d'un trait d'expression caractéristique de cet Auteur de l'Epître. Trait que nous allons retrouver en 2,10ab et 14a en cette seule Colonne. Le phénomène de "développement" d'un pôle de "couple de totalité" se manifeste dans l'expression du rôle historique du Fils; ses deux activités de prédication et de purification sont rattachés à deux "seuils": l'un, du passage de l'A.T. au Christ et, l'autre, du Christ à son Eglise. En relation à l'éternité du Fils et à son action cosmique ou historique sont ainsi manifestées ou évoquées les quatre coordonnées cardinales de l'Histoire et de l'Univers: la Création, l'Incarnation, la Passion/Session, la Fin du Monde.

Ces deux schémas temporels - l'un, vertical, de l'A.T. au N.T., coupé en plein centre par l'autre, horizontal, de la Création à la Fin du Monde - scellent l'Introduction d'une première et mystérieuse *icône christique* !

Au plan verbal la concentrie idéale est marquée au centre par la correspondance entre "héritier de tout" et "portant tout"; puis, de part et d'autre, par l'opposition des deux verbes principaux: Dieu "parla" / le Fils "s'assit" - et ensuite par les deux images "spatiales": "à l'extrémité des jours ..." et "s'assit... dans les hauteurs".

Cette puissante synthèse de l'Introduction s'exprime en un tel rythme qu'elle rend pratiquement indiscernable un éventuel emprunt à un hymne (7).

Le premier de trois contrastes entre le Fils et les Anges constitue la deuxième péricope (1,5-6). Ces trois contrastes sont introduits par trois formules semblables concernant une parole de Dieu adressée aux Anges et ils sont constitués de sept citations présentées comme "parole" de Dieu concernant le Fils ou les Anges (8).

Le premier contraste comprend trois citations. Les deux premières exaltent les relations personnelles du Fils et du Père. L'une, empruntée au psaume royal et messianique Ps 2,7, souligne l'origine même de la filiation: "Mon Fils, c'est toi / Moi, aujourd'hui, je t'ai engendré"; l'autre, tirée de l'Oracle de Natân (1 Ch 17,13 de préférence à 2 S 7,14), atteste une attitude durable: "Moi, je serai pour lui un Père / et lui sera pour moi un Fils". La troisième citation, dont la meilleure référence est Dt 32,43b *gr* du Cantique de Moïse, applique audacieusement au Fils l'adoration des Anges envers le Dieu unique: "Et que se prosternent devant lui / tous les Anges de Dieu". Si la supériorité du Fils sur les Anges est ainsi attestée de toute façon, les commentateurs diffèrent sur le moment où ces textes s'appliquent en faveur du Fils. Ainsi le premier est-il appliqué diversement à la génération éternelle, à l'incarnation ou à la résurrection; et le troisième,à l'incarnation, à la résurrection ou à la Fin du monde. Notons-le, cette dernière interprétation - qui suppose la traduction: "lorsque *de nouveau* il introduit le Premier-né dans le monde - présente aussi l'incarnation comme une introduction dans le monde: ces deux venues que mentionneront ensuite 9/10,5 et 8/9,28. Par souci d'unité, on peut choisir une même interprétation pour ces trois textes: les référer tous les trois à l'incarnation, par exemple, ou à la résurrection pascale, comme Vanhoye (9). A moins d'envisager une sorte de synthèse comme celle de l'Introduction et d'appliquer ainsi la première citation à la temporalité ouverte par la création où aucun des Anges ne s'est entendu déclaré fils, contrairement au Fils, de toute éternité; la deuxième, à la temporalité de la vie historique du Fils, où Dieu se montrera pour lui un Père (cf. 3,6 et 5,8 notamment); la troisième,à la Parousie qui clora la temporalité ouverte par la résurrection (cf. 2,5.8d).

De toute façon la péricope fait inclusion avec le mot "Anges". Les deux premières citations sont étroitement liées: de leurs quatre stiques, le premier et le dernier,concentriques en leurs vocables, exaltent la filiation - tandis que les deux intermédiaires, parallèles en leurs vocables extrêmes, exaltent la paternité. L'unité de ces deux citations est ainsi soulignée par une inclusion sur le nom de "Fils".

Dans le deuxième contraste (1,7-12), les formules d'introduction des citations relatives aux Anges et au Fils sont strictement parallèles et corrélatives: πρὸς μὲν … πρὸς δὲ … Nous isolons, pour en faire notre quatrième péricope, la seconde citation en faveur du Fils (1,10-12). Notre troisième péricope est ainsi formée par le début du deuxième contraste (1,7-9). Comme dans la péricope précédente nous rencontrons ici trois citations, du fait que la première en faveur du Fils est dédoublée.

L'emprunt au Psaume de la création, Ps 104,4 *gr*, dont la mentalité nous est assez étrangère, atteste sous forme impersonnelle que les Anges, à l'instar de manifestations cosmiques, sont au service continuel de Dieu. Par contre l'emprunt au Psaume 45, un épithalame royal, voit curieusement ses deux versets successifs, cités en 1,7-8, séparés - par l'addition de la conjonction *et* - en deux citations ! Ainsi se trouve placée,en plein centre de la péricope, et en fait de cette première Section, l'attestation personnelle par Dieu de la royauté éternelle de son Fils: "Ton trône, Dieu, pour le siècle du siècle". Enfin, en symétrie contrastée avec le service permanent des Anges, le v. 8 du Ps - qui constitue une troisième citation - exalte l'engagement du Fils en toute son existence humaine: "Tu aimas la justice et détestas l'iniquité" - en conséquence de quoi: "c'est pourquoi, ô Dieu, ton Dieu, te donna l'onction / d'une huile d'allégresse de préférence à tes compagnons".

L'unité particulière à notre quatrième péricope (1,10-12) se manifeste de diverses manières. Il s'agit tout d'abord d'une unique citation, la plus longue de la Section et empruntée au Ps 102,26-28: au Fils est attribuée la pérennité du Créateur, en opposition à la caducité de l'Univers créé. Elle témoigne ensuite de retouches rédactionnelles, exemple frappant de la structuration du texte par l'Auteur. Tandis que dans la LXX elle débute par:

"Aux origines la terre, toi Seigneur, tu fondas ..." (avec des variantes) -
ici la citation commence par: "Toi, aux origines, Seigneur ...". La péricope
fera ainsi inclusion avec cette mise en valeur du pronom personnel "Toi ...",
du Fils Seigneur (1,10a.12c). Par ailleurs, dans les vv. 27-28 du Ps qui
opposent l'immutabilité divine à la mutabilité finale de l'Univers, l'Auteur
répète l'image "comme un vêtement" au lieu précis qui va assurer la symétrie
concentrique parfaite de ces versets. A savoir: aux deux extrémités, la mutabilité de l'Univers et la non mutabilité des "années" du Fils; juste après
ou juste avant, une semblable affirmation de la permanence du Seigneur:
"Toi, au contraire, tu demeures" ou "Toi, au contraire, tu es le même"; le
deuxième et l'avant-dernier stiques utilisent la même comparaison du "vêtement", voué au vieillissement ou au changement; enfin, comme il est fréquent
en de tels cas, le stique central reprend la comparaison voisine du "manteau"
qu'on enroule pour le mettre de côté (10).

Notre structuration met en relief cette symétrie parfaite. De plus nous
divisons le premier verset de la citation en quatre stiques, avec les avantages suivants: "la terre" et "les cieux" correspondent ainsi à l'image doublée
"comme un vêtement": "oeuvres de *tes* mains" répond à "*tu* les enrouleras";
enfin, l'affirmation centrale de la péricope devient: "eux périront, mais
toi, tu demeures". Nous avons là dans la coupe plus *technique* que grammaticale des quatre premiers stiques un exemple de la mise en valeur de la structuration du texte, telle que l'entreprend l'Analyse structurelle.

L'unité de cette péricope est sous-tendue par le couple de totalité que
forme l'évocation de toute la temporalité historique de l'Univers, depuis la
Création jusqu'à la Fin du monde, que le Fils traverse et domine (1,11a: δια-
μένεις) immuablement le même.

Le troisième contraste manifestant la supériorité du Fils sur les Anges
constitue la cinquième et dernière péricope de cette première Section (1,13-
14). Son introduction reprend avec de légères modifications la formule interrogative du premier contraste. Le Ps 110,1 d'intronisation royale fournit la
citation, avec l'oracle de Dieu: "Siège à ma droite / de tes ennemis, je vais
faire ton marchepied". Tandis que le Fils Seigneur demeure "assis" en cette
attente du triomphe total, les Anges au contraire restent "envoyés en service" de ceux qui doivent hériter le salut. Temps de l'Eglise, depuis la
Session jusqu'à la Fin du monde !

Unité structurelle de la 1ère Section

Déjà perceptible dans les péricopes, l'effort de structuration est manifeste dans l'ensemble de la Section. L'Auteur assure l'unité structurelle des
Sections par la symétrie réciproque de leurs *segments*, regroupant une ou plusieurs péricopes, selon les symétries triangulaire ou bisegmentale et surtout concentrique . Cette dernière est souvent manifestée par l'équilibre
statistique des éléments structurels.

A vrai dire les Sections de la première Partie nous posent un problème
délicat pour la répartition de leurs péricopes en segments trichotomiques.
Qu'il suffise maintenant d'indiquer que pour les confrontations symétriques
à l'intérieur de la Partie nous choisissons un segment central *réduit* à la
péricope centrale de la Section.

La symétrie concentrique apparaît éminemment dans les péricopes initiale

et finale où elle assure la *clôture* de la Section, (1,1-4) et (1,13-14).
L'expression la plus évidente d'inclusion concentrique est la mention de la
"session à la droite" de Dieu (1,3d et 13b). Ensuite, l'affirmation ici que
le Fils, Dieu "l'a placé (ἔθηκεν) héritier de tout" (1,2c) trouve des équivalences là dans l'action de Dieu qui "place(ra) (ἕως… θῶ)"les ennemis du
Fils en marchepied (11), tandis qu'il envoie "tous" ses Anges au service de
ceux qui doivent "recevoir en héritage le salut" (1,13c.14). Cette concentrie de la "session" est accentuée par la thématique du combat. Elle est
explicite en 1,13cd: "Assieds-toi …, jusqu'à ce que je place tes ennemis
en escabeau de tes pieds"; elle était implicite en 1,3c: "ayant fait la purification des péchés, il s'est assis …": cet aspect de lutte contre le
péché sera d'ailleurs explicité dans la dernière mention de la session (12/
12,1-4). Ce lien entre session et combat est concentrique; il exprime la
liaison temporelle. Ici, le combat passion du Fils, avant la session; là,
le combat de Dieu pour le Fils, après sa session. La concentrie verbale est
ainsi l'expression de la concentrie historique autour du pôle de la session.
Enfin, la "mission" explicite des Anges, qui clôt la Section, forme une inclusion parfaite avec la mission implicite des "prophètes", qui ouvre la
Section.

Cette concentrie se prolonge dans les 2ème et 4ème péricopes. Notons-le,
l'interrogation qui ouvre la 2ème péricope se retrouve, légèrement modifiée
et décalée, au début de la dernière péricope. L'intention de concentrie est
manifeste, si on compare ces deux formulations à celle, semblable mais non
plus interrogative, qui introduit la péricope centrale:
- 1,5a :   Τίνι γὰρ εἶπέν ποτε τῶν ἀγγέλων·
- 1,7a : Πρὸς   μὲν τοὺς ἀγγέλους λέγει·
- 1,13a : Πρὸς τίνα δὲ τῶν ἀγγέλων εἴρηκέν ποτε
Les sujets de ces deux péricopes sont concentriques et complémentaires: ici,
c'est le Fils engendré par le Père, et le Fils envoyé dans la création; là,
c'est la création, oeuvre du Fils, et le Fils existant sans fin contrairement à la création. Cette concentrie des sujets se reflète dans le vocabulaire. Au début ici et là à la fin, voici la correspondance de "mon Fils,
c'est Toi" (1,5b: …εἶ σύ) avec "Toi, le même tu es" (1,12c: σύ … εἶ); au
centre de chaque péricope, voici la correspondance de "lui (αὐτὸς) sera pour
moi un Fils" avec "Eux (αὐτοὶ) périront …"; et encore, à la fin ici et au
début là, voici la correspondance dans l'évocation de l'univers créé et la
seigneurerie du Fils:
- 1,6cd : τὴν οἰκουμένην (γῆν) … προσκυνησάτωσαν αὐτῷ …
- 1,10 : σύ … Κύριε, τὴν γῆν ἐθεμελίωσας καὶ … οἱ οὐρανοί …
La concentrie entre ces deux péricopes et la totalité de temporalité historique signifiée dans la seconde favorise l'interprétation qui voit pareillement une totalité historique signifiée dans la première. Enfin, la forte
concentrie des versets initiaux ici (1,5b-e) a pour concentrique la forte
concentrie des versets finaux là (1,11-12).

N'oublions pas de signaler un élément primordial de l'unité de cette
première Section: tout son contenu est lié au rôle *énonciateur* de Dieu
(1,1b.2b.5a.7a.8a…13a) qui marque toutes les péricopes.

Mentionnons maintenant , élément constant de l'unité des Sections,
le phénomène structurel de la *bisegmentalisation* des Sections. Il s'agit

des correspondances symétriques entre le segment central et, d'une part, le segment initial et, d'autre part, le segment final.

Nous constatons, d'une part, que les segments inital et central (1,1-9) font inclusion avec les vocables: "Dieu - Fils ... / ... Fils - Dieu" (1,1b.2b/ 8a.9b). Il y a une similitude du contenu. Ici et là sont en effet mentionnés: la gloire éternelle du Fils (1,3a.8b: rayonnement de la gloire ou son trône éternel), la rédemption (1,3c.9a: purification des péchés ou haine de l'iniquité) et son intronisation royale (1,3d.9bc: session à la droite de Dieu ou son onction par Dieu). Enfin, la péricope initiale *se termine* sur une comparaison ainsi que la péricope centrale (1,4b: παρ' ... / 1,9c: παρὰ ...): cette comparaison concerne les Anges, en tout ou en partie. Ce vocable "Anges" relie les trois premières péricopes, se trouvant en fonction franche ou équivalente de mot-crochet (1,4a. 5a.6d.7a).

Nous constatons, d'autre part, que les segments central et final (1,7-14) font inclusion avec: "esprits - serviteurs ... / ... en service - esprits" (1,7bc. 14a). A cette même évocation du service permanent des Anges s'oppose le règne actuel du Fils (1,9b.13b). Cette péricope centrale *commence* par une préposition d'adresse ainsi que la péricope finale (1,7a: πρὸς μὲν ... / 1,13a: πρὸς ... δὲ ...): elle concerne les Anges. Par ailleurs, les trois dernières péricopes sont liées par le pronom personnel ou possessif "toi / de toi", désignant le Fils, et en fonction large de mot-crochet (1,9c.10a.12c.13c). Remarquons enfin que ce pronom "toi" fait inclusion de la 4ème péricope, comme le nom "Anges" fait inclusion de la 2ème péricope sa concentrique.

Ces deux bisegments présentent ainsi la même structure.

Toutes ces symétries sont évidemment plus frappantes lorsqu'on peut se reporter à des schémas graphiques ou des Tableaux qui les visualisent!

§ 2 : DEUXIÈME SECTION (2,1-18)

Nous distinguons dans la deuxième Section six péricopes, ainsi réparties: 2,1-4   5-8 ✦ 9-10 ✦ 11-13 14-16 17-18. Le Plan de Vanhoye présente la division suivante, de ce qui est la suite de sa première Partie et sa conclusion: 2ème § (2,1-4) et 3ème § (2,5-16 ou 5-18, si on y inclut sa "conclusion-transition, 17-18); à vrai dire ce 3ème § comprend de nombreuses subdivisions: 2,5-9 (voire 5-8a et 8b-9), 2,10-15.16 (voire 10, 11-13 et 14-15.16), enfin la conclusion 2,17-18. Notre distribution des 314 occurrences autour du segment central *réduit* est parfaitement équilibrée, avec les formules générale ou détaillée: 129 ✦ 50 ✦ 135 ou 65.64 ✦ 50 ✦ 50.51.34 . Centre structurel et centre statistique coïncident (12).

L'évocation précédente de la soumission des ennemis du Fils (1/1,13) préparait la mise en garde de caractère parénétique contre les pécheurs, qui est le sujet de la première péricope (2,1-4). Celle-ci constitue comme une nouvelle introduction, où sont encore confrontés l'AT. et le NT., mais alors les chrétiens sont immédiatement en cause. La grandeur des deux *origines* médiatrices, à savoir des Anges pour la parole transgressée ou surtout du Seigneur pour le salut méprisé, fonde la gravité proportionnée des châtiments anciens ou surtout des châtiments eschatologiques (12bis).

Nombreux sont les vocables concentriques, parfaitement mis en évidence
par Vanhoye (13). Nous le citons avec un léger complément :

προσέχειν	ἡμᾶς	.....	εἰς ἡμᾶς	ἐβεβαιώθη
	τοῖς ἀκουσθεῖσιν	.....	τῶν ἀκουσάντων	
	δι' ἀγγέλων	.....	διὰ τοῦ Κυρίου	
	λαληθεὶς	.....	λαλεῖσθαι	
.....		.....		ἀρχὴν λαβοῦσα
	ὁ λόγος	.....	σωτηρίας	
ἐγένετο βέβαιος		.....		.....
	παράβασις	.....	ἀμελήσαντες	
ἔλαβεν —	μισθαποδοσίαν		ἐκφευξόμεθα	

πῶς ἡμεῖς

Au centre de ce schéma sont disposés les vocables en stricte symétrie
verbale et sur le côté des vocables en dissymétrie. A propos de ces derniers,
notons-le : ἐβεβαιώθη possède cependant un équivalent concentrique en προσέχειν,
d'autant que ces deux verbes sont juxtaposés avec le même pronom "nous"; le
verbe "recevoir" entre dans deux symtagmes dont les éléments sont en concentrie,
à savoir: "reçut rétribution" et "commencement reçu"; enfin les deux vocables
dissymétriques, βέβαιος avec ἔλαβεν et λαβοῦσα avec ἐβεβαιώθη, se trouvent encore concentriques entre eux.

Si importante soit-elle, cette forte concentrie n'intègre pas le développement sur les signes divins (v. 4). Il faut pourtant les intégrer dans l'unité
de la péricope! Voici donc comment nous distribuons l'ensemble du texte:
 - aux deux extrémités, trois stiques: les premiers (2,1abc) d'invitation à
une attention plus grande envers le message chrétien; les derniers (2,4abc)
d'énumération des signes du témoignage de Dieu, qui rendent le message chrétien
plus instant;
 - au centre (2,3a), la mise en garde des chrétiens contre la négligence d'un
tel salut;
 - autour de ce centre, deux stiques de part et d'autre, concernant: les premiers (2,2ab), la grandeur du message, la "parole", transmis "par les Anges" -
notamment ἐγένετο βέβαιος; les derniers (2,3bc), la grandeur actuelle du message,
commencement du "salut", transmis "par le Seigneur" - notamment εἰς ἡμᾶς ἐβεβαιώθη. Ainsi le terme marquant la fermeté, "terme qui doit peser dans la balance
des arguments", se trouve-t-il structurellement en évidence en fin des stiques
du début et de la fin du corps même de la péricope (2,2a et 3c). Mais la fermeté se manifeste dans l'A.T. par le châtiment, tandis qu'elle se manifeste
dans le N.T. par des signes bienfaisants: ce qui accentue l'éventuelle culpabilité des chrétiens et la grandeur de leur châtiment. D'autant qu'ici la Trinité
est en jeu: le Seigneur, Dieu et (l')Esprit saint (2,3b.4ac).

En référence à cette perspective eschatologique, la 2ème péricope (2,5-8)
évoque le mystère de l'homme dans l'Univers dès l'origine, mais encore en relation aux Anges: "Car ce n'est pas à des Anges qu'il a soumis l'*oikouménè* à
venir ". Pour preuve l'Auteur recourt au Psaume de création Ps 8,5-7. On note
l'absence du v. 7a (LXX): "et tu l'établis sur l'oeuvre de tes mains ". Indépen-
demment du fait que le plus ancien témoin P[46], des *mss* importants et des auteurs
grecs ignorent aussi ce verset, l'éventuelle omission pourrait s'expliquer par
le souci de ne pas nier au Seigneur une domination sur l'Univers, que l'Auteur
lui a attribuée dans les mêmes termes comme Créateur, en 1,10. L'idée est par
ailleurs renforcée par l'emploi ici du seul et même terme "soumettre". Quoi qu'il
en soit, la citation actuelle de cinq stiques place au centre la situation de
l'homme par rapport aux

Anges. De part et d'autre, les deux premiers stiques, de même forme et de contenu semblable, expriment l'étonnement de voir Dieu s'intéresser à un être si faible; tandis que les deux derniers stiques, d'expression diverse mais de contenu semblable, soulignent la gloire de l'homme à qui tout est soumis. La citation exprime une opposition entre un état d'abaissement et un état de domination.

La forme grammaticale ne permet pas d'affirmer s'il s'agit de deux états successifs ou simultanés (14), c'est-à-dire de "deux phases dans le déroulement du dessein de Dieu" ou de "deux aspects complémentaires de la condition humaine". Si le récit de Gn 1 favoriserait cette seconde interprétation , encore qu'il ne mentionne aucun abaissement (cf. Gn 1,26.28), l'introduction à la citation et son interprétation immédiate favorisent la première. L'interprétation remarque (2,8bcd) que maintenant "nous ne voyons pas encore que tout lui ait été soumis"; elle reprend la perspective eschatologique de l'introduction.

Autour de cette citation, située en plein centre, nous comptons trois stiques d'introduction et trois stiques d'interprétation (2,5-6a et 8bcd): la péricope fait ainsi parfaite inclusion avec l'idée de "soumission" et de la négation qui l'accompagne.

L'ambiguïté du sujet réel de la citation et de son application à Celui dont l'Auteur parlait dès le début est levée dans la troisième péricope, centrale (2,9-10). Chacun de ses deux versets possède son identité propre dans l'unité de cette péricope, que nous divisons en cinq stiques chacun.

Au v. 9 application est faite de la citation du Ps 8 et de son "couple de totalité", exprimant les deux phases du destin de l'homme. En "Jésus", pour la première fois ainsi nommé dans l'Epître, s'est réalisé ce couple de renversement de situation, d'une phase terrestre d'abaissement à une phase céleste de glorification; les deux participes parfaits marquent fortement cette opposition des deux états: ἠλαττωμένον / ἐστεφανωμένον . Pour la première fois aussi est mentionnée sa *mort* : point critique, du côté de l'abaissement, du renversement de situation; comme avait été mentionnée au début, du côté de la gloire, sa *session*.

Le v. 10 explique que cette introduction de la souffrance, non indiquée dans le Ps 8, est une condition indispensable de la destinée de l'homme: une loi de la Théologie de l'Histoire ! Le couple de totalité de l'action divine dans le monde, couple encore inversé en Dieu *fin* et *origine* de tout, caractérise la vie de Jésus et des "fils": Celui qui est leur origine leur assigne une marche dont le terme est la gloire, dernier mot qui implique une marche dans l'abaissement. L' ἀρχηγὸν - le pionnier, l'initiateur, le chef et auteur - de cette marche a dû, lui le premier, cheminer à travers les souffrances (15).

La division et répartition en stiques met en évidence ces divers couples de totalité. Au centre du v.9 (c), c'est l'état de gloire céleste de Jésus. De part et d'autre, deux stiques relatifs à l'état terrestre d'abaissement mais formant deux à deux des couples de totalité: 2,9ab connote l'incarnation dans l'état d'abaissement ("a été abaissé") et dénote la mort; 2,9de exprime semblablement l'efficacité de la mort de Jésus, dans son origine ("par la grâce de Dieu") (16) et dans son terme ("pour tout homme").

Par ailleurs, au centre du v. 10 (c), c'est encore la gloire, mais alors terme de l'entre-deux de la vie de l'homme - des "fils" - que Dieu achemine ou mène (ἀγαγόντα) à ce terme. De part et d'autre, deux stiques

relatifs à l'état terrestre encore, et formant encore deux à deux des couples de totalité: 2,10ab, de toute l'Histoire (Fin du monde/Création); et
2,10de, de toute la vie de Jésus (origine de l'incarnation, où il est constitué "pionnier" - l'entre-deux de souffrance (17) - le terme où il atteint
la "perfection": couple ἀρχηγὸν/τελειῶσαι, de type "commencer / Achever".

L'unité de cette péricope est marquée par des traits de forte concentrie. Les "couples", initial et final (2,9ab et 10de), concernent la phase
terrestre et "douloureuse",ici de "Jésus" et là du "Pionnier", deux noms
fonctionnels du Sauveur; la "gloire" est pareillement mentionnée au centre
des vv. 9 et 10; enfin, les "couples" intérieurs (2,9de et 10ab) concernent
l'action universelle de Dieu dans l'Histoire humaine.

La solidarité de Jésus avec les hommes est ensuite attestée par trois
citations de l'Ecriture, qui composent la quatrième péricope (2,11-13). Elles
sont introduites par l'énoncé d'un principe fondamental de solidarité, qui
ouvre dans l'Epître le thème de la sanctification: "Le sanctificateur et les
sanctifiés ont tous une même origine (18). Les trois citations évoquent la
confiance en Dieu d'un juste dans la détresse. La première est empruntée au
Ps 22,23. Outre sa forte tonalité ecclésiale - "proclamation" et "eucharistie" au milieu de "l'Assemblée, ἐκκλησίας" - ce Ps 22, si manifestement prophétique de toute la destinée du Christ (incarnation, vv. 10-11; passion,
vv. 2-3.7-9.18-19 notamment; triomphe pascal, vv. 23-25),l'insère dans l'universalité de l'Histoire (passé des "pères", vv. 4-6; et futur des nations,
vv. 28-32). Le changement de διηγήσομαι ("je raconterai") de la Septante en
ἀπαγγελῶ ("j'annoncerai"), par l'assonance avec le mot ἄγγελος ("Ange") maintient la confrontation avec les Anges et suggère une nuance pascale (cf. Mt
28,10 et Jn 20,17-18).
      Les deux autres citations sont liées par un même "et encore, καὶ πάλιν".
Le deuxième usage pourrait intriguer (19). La deuxième citation en effet
offre trois sources possibles: 2 S 22,3 - Is 12,2 - Is 8,17 . Toutes trois expriment la confiance en Dieu, salut dans la détresse, disant: "plein de confiance (je) serai en lui". Quelle que soit sa source, l'Auteur place en tête
de citation un "moi" emphatique et inverse les deux premiers mots, disant:
"Moi, (je) serai plein de confiance en lui". La troisième citation est empruntée à Is 8,18: on est donc tenté de penser que c'est le même texte, au
v. 17 , qui est précédemment cité, comme deuxième citation - donnant à cette
dernière la nuance de solidarité qui semble lui faire défaut. Mais cette solution se heurte à la division, alors apparemment inexplicable, qu'apporte
en ce cas l'addition entre les deux versets de "et encore" !
      L'analyse structurelle offre sans doute une explication. Devançant sur
ce point l'analyse de la concentrie des Sections 1 et 2, c'est-à-dire de
notre première Colonne synoptique, nous remarquerons que cette péricope
(2,11-13) est la concentrique de la péricope (1,5-6). Nous y trouvons pareillement trois citations et leur distinction avec "et encore.../... encore...".
Les trois citations, ici et là, se correspondent successivement, selon la
correspondance globale de l'énonciateur, ici le Père et là le Fils:
      - les premières sont de forme dialogale entre ces deux personnes: "Tu es
mon Fils ..." / "J'annoncerai ton Nom à mes frères";
      - les deuxièmes expriment l'attitude future de l'un envers l'autre, en
deux formes très semblables: "Moi, (je) serai pour lui un père ..." / "Moi,
(je) serai plein de confiance en lui";
      - les troisièmes impliquent, comme les deuxièmes, un autre interlocuteur

et expriment une attitude d'hommage: "Et que se prosternent devant lui -
tous les Anges"/"Me voici, moi et les enfants que m'a donnés Dieu".

La concentrie structurelle de ces deux péricopes s'accompagne d'une réciprocité structurale: la première exprime les relations du Père au Fils, et la
seconde, les relations du Fils au Père. Le vocabulaire de la filiation y est
prédominant: ici, fils, père, premier-né; là, frères et enfants.

L'insertion de Jésus dans l'humanité, en toute son existence depuis sa
naissance jusqu'à sa mort, se précise dans la cinquième péricope (2,14-16).
Les deux stiques du début et de la fin se réfèrent à sa naissance. Ils soulignent, les uns, la condition de faiblesse assumée: "puisque les enfants ont
en commun le sang et la chair" (notons encore l'inversion!), "lui aussi pareillement partagea la même condition" (v.14ab); et les autres, en un dernier
contraste avec les Anges, la descendance prise en charge pour toujours: "Car
ce n'est pas à des Anges qu'il vient en aide - mais c'est à la descendance
d'*Abraham* qu'il vient en aide" (v.16ab). La répétition ici du verbe "venir en
aide" correspond aux deux verbes semblables là "avoir en commun" et "partager".
Cette brève mention d'Abraham, qui rompt l'universalité humaine de ces développements, manifeste l'intention d'isotopie des trois Fresques historiques, dont
Abraham est une étape historique capitale.

Au milieu (vv. 14c-15) est exaltée la valeur libératrice de la "mort"
de Jésus, dont il a dû assumer la crainte comme tout homme "toute la vie",
διὰ παντὸς τοῦ ζῆν (v. 15b). De part et d'autre de la nomination du "Diable",
mentionnée en plein centre, sont indiquées ici la victoire de Jésus sur "celui
qui avait le pouvoir de la mort" (v. 14cd) et, là, la délivrance de "ceux-là
qui, par crainte de la mort, toute leur vie" vivaient dans une situation d'es-
clavage (v. 15). On remarquera la concentrie verbale:

    - par la mort   - réduire à l'impuissance
          celui qui (avait) le pouvoir de la mort
              ... le D i a b l e
          ceux qui ... (par) la crainte de la mort
    - par toute la vie - réduits en esclavage.

L'unité de cette péricope est manifestée par la totalité de la vie évoquée de
la naissance à la mort et par la concentrie des termes de son expression.

Enfin la Section, et donc la première Colonne, s'achève sur une dernière
péricope (2,17-18), qui introduit nommément le thème du sacerdoce. Les deux
stiques du début et les deux de la fin, en référence au thème de la similitude entre Jésus et ses frères, expriment ici la nécessité de cette loi d'assimilation "en tout" (v. 17ab) et, là, le cas particulier de la souffrance:
la similitude y est appliquée à Jésus et aux chrétiens sous le même terme de
"l'épreuve" (v. 18ab).

En évidence, au centre des trois stiques du milieu, se trouve le titre de
"Grand-prêtre"; et, d'une part, ses qualités médiatrices relative au peuple,
la "miséricorde", et à Dieu, la "fidélité" (d'où "accrédité"); et, d'autre
part, son efficience sacerdotale "d'expiation des péchés du peuple" (vv. 17cde).

La lecture connotative de ὁμοιωθῆναι et de βοηθῆσαι (être à la ressemblance et venir en aide: 2,17b.18b) avec Gn 2,18-20, à propos d'*Eve* "aide semblable" à Adam - selon la suggestion de A. Vanhoye (SLEH, p. 81[1]; ou SdC, p.
386s) - maintiendrait ce contexte des *Origines*, qui est caractéristique de
cette Colonne.

Unité structurelle de la 2ème Section

L'analyse nous a amené à distinguer deux péricopes avant le centre, mais trois après ce centre. Outre l'équilibre statistique entre ces groupes, chacun offre des éléments de structuration concentrique interne et corrélative à l'autre.

Concentrie interne à chaque groupe

Dans le premier groupe (2,1-8), dont les péricopes sont semblablement structurées, deux mentions de "témoignage" sont parfaitement concentriques: ce sont elles qui ont attiré notre attention, d'autant que la seconde sert pour la première fois à introduire une citation, au lieu du "dire" habituel (2,4a.6a; cf. 6/7,17a et 9/10,15a). De part et d'autre, suffisamment concentriques, ce sont deux mentions des Anges, en confrontation avec Jésus, explicitement "Seigneur" ou implicitement "Fils d'homme" (2,2a.7a).

Dans le second groupe (2,11-18), autour de la péricope du milieu si parfaitement concentrique (2,14-16), les péricopes initiale et finale présentent des thèmes en parfaite concentrie:

- les stiques extrêmes expriment la similitude de condition, de "sanctification" ou "d'épreuve", entre Jésus et les hommes (2,11a.18ab):

ὁ τε γὰρ   ἁγιάζων καὶ οἱ   ἁγιαζόμενοις

... γὰρ ... αὐτὸς πειρασθείς ... τοῖς πειραζομένοις

- le stique central ici et là exprime une activité cultuelle ou sacerdotale de Jésus: "Au milieu de l'assemblée, je te louerai", ou "Grand-prêtre pour les relations avec Dieu" (2,12a et 17d);
- en remontant pareillement vers le centre nous rencontrons encore: la confiance en Dieu ou auprès de Dieu (πεποιθὼς et πιστὸς, 2,13a et 17c); puis la désignation des fidèles comme "petits enfants" (équivalent de "frères") ou comme "frères" par rapport à Jésus (2,13b - cf.11b.12a - et 17b).

Concentrie entre les deux groupes

Indiquons les éléments, un à un, à partir des extrémités. La mention du péché, faite ici avec "transgression" et "désobéissance" en un contexte de châtiment, est faite là clairement avec "les péchés du peuple" mais en un contexte de pardon (2,2a et 17e). Par ailleurs, à ces deux expressions de l'infidélité ici du peuple correspondent les deux expressions de la fidélité là de Jésus, "miséricordieux et fidèle" (v. 17c).

- le verbe "devenir" rentre dans une semblable structure partielle:

ἐγένετο βέβαιος   ... εἰς ἡμᾶς ἐβεβαιώθη   (2,2a.3c)

ἐλεήμων γένηται   ... εἰς τὸ ἱλάσκεσθαι   (2,17c.e)

- les deux usages ici de "prendre/recevoir"(ἔλαβεν/λαβοῦσα) sont évoqués par les deux usages de "prendre en charge" (ἐπιλαμβάνεται) (2,2b.3b et 16ab); pareillement les deux mentions de "homme" et "fils d'homme" ont les deux mentions de "petits enfants" pour correspondants (2,6bc et 2,13b.14a).
- Mais voici surtout maintenant une symétrie cardinale pour cette Section, en son unité interne et en ses rapports avec la première, que nous caractériserons comme "un syntagme caractéristique", à savoir la constatation: "Car ce n'est pas à des Anges qu'il a soumis l'oikouménè à venir", qui ouvre ici le thème de la condition humaine du Seigneur et de sa seigneurerie sur tout; cette constatation est équivalemment reprise en celle-ci: "Car ce n'est pas à des Anges qu'il vient en aide", qui va conclure ce même thème de la condition humaine de Jésus et de sa victoire sur le Diable (2,5a et 16a). On remar-

quera, par ailleurs, dans cette double évocation ici de la création de l'homme et là de sa victoire sur le Diable, instigateur de la tentation au péché et responsable de son châtiment de mort, une semblable connotation aux *origines* (Gn 1-3) et pareillement à la *fin*, que sera la domination universelle de l'homme ou qu'est universellement la mort (20).

- la mention de "<u>gloire et d'honneur</u>" dont "l'homme" est couronné trouve une correspondance en Jésus qui "<u>ne rougit pas</u>" d'appeler les hommes "ses frères" (2,7b et 11b).

- enfin, en une sorte d'*inclusion interne*, une même expression d'universalité clôt ici et ouvre là ces deux groupes de péricopes: "à lui *tout* soumis" et "*tous* une même origine" - mais selon la complémentarité des points de vue, ici, de la fin et, là, de l'origine (2,8d et 11a).

Ces éléments viennent s'intégrer à ceux de la péricope centrale, si parfaitement concentrique.

Mentionnons finalement la *bisegmentalisation* de cette Section.

Nous constatons, d'une part, que le segment (groupe) initial se reflète dans le segment central. D'abord, "le <u>salut</u>" qui a pris "<u>commencement</u>" (ἀρχὴν) par la prédication du Seigneur est évoqué là dans son titre de "Pionnier" (ἀρχηγὸν) du <u>salut</u>" (2,3ab et 10d: n.b. la concentrie des quatre termes). Ensuite, la citation du Ps 8, faite en 2,6b-7b, est appliquée à Jésus en 2,9ad et 10c: "abaissement par rapport aux Anges" - "couronnement de gloire et d'honneur" - et "fils d'homme" qu'est chacun des "fils" que Dieu "achemine à la gloire". Le "nous", expressif des chrétiens, n'est mentionné qu'en ce bisegment (2,1bc.3ac.5b.8d.9b).

D'autre part, le syntagme du début du segment central: "par (à cause de) la <u>souffrance</u> . de la <u>mort</u>" (2,9c) est repris et expliqué dans le segment (groupe) final: par la triple mention de la "<u>mort</u>" (en 2,14cd.15a) et la mention finale de "ce qu'a <u>souffert</u>" Jésus (en 2,18a; n.b. la concentrie).

On remarquera - trait qui apparaîtra caractéristique - que cette mention de la "souffrance" de Jésus est inclusive du bisegment, comme l'étaient presque les deux vocables de /commencement/ signalés dans le premier segment.

Ces deux bisegments en leurs termes inclusifs sont complémentaires, en couple de totalité: le premier met en évidence le "commencement" et le second, "la souffrance", terme qui est "accomplissement" (cf. v. 10e). Il s'agit du couple de totalité: "commencer/Achever" (cf. v. 10de). Nous retrouvons les deux pôles de la destinée de Jésus Fils: prédication et purification (cf. 1,2b.3c).

§ 3 : UNITÉ STRUCTURELLE DE LA 1ère COLONNE (UC)

Regrettant de devoir laisser de côté les symétries parallèle et triangulaire, nous nous bornerons à manifester la symétrie concentrique qui marque l'unité structurelle de la première Colonne de notre *Synopse*. Après le premier niveau structurel, des Sections, nous abordons maintenant le deuxième niveau structurel, des Colonnes.

Avec ses 570 occurrences cette Colonne est de faible densité verbale. Le déséquilibre que produit la petite péricope finale de la 1ère Section rejaillit sur la confrontation avec la deuxième, indépendamment de leur différence statistique de 256 et 314 occurrences. Rappelons leurs formules globales: 115 + 61 + 80 et 129 + 50 + 135.

L'unité de la première Colonne est manifestée au plan verbal par l'emploi presque exclusif de "*Anges*", vocable qui scande presque tout le développement des deux Sections (21). Ce vocable entre dans les deux *syntagmes caractéristiques* et concentriques qui marquent l'une et l'autre Section, à savoir pour l'instant:
- "Car auquel des Anges a-t-il jamais dit: …";
- "Car ce n'est pas à des Anges qu'il vient en aide …" (1,5a et 2,16a).
Outre la référence aux "Anges", en fait *quadripolaire* (22), la particule marquante est "car …", élément caractéristique avec la négation de ce syntagme concentrique dans la Section 2.

La concentrie est fort marquée, en outre, entre les péricopes extrêmes (1,1-4) et (2,14-16.17-18):
- ici, "<u>Dieu</u> parla en un Fils" aux chrétiens, qui pour eux est, là, "Grand-prêtre pour leurs rapports avec <u>Dieu</u>" (1,2b et 2,17d);
- "la <u>purification des péchés</u>" qu'a, ici, effectuée le Fils est rappelée, là, dans sa capacité de "faire <u>expiation des péchés</u> …" (1,3d et 2,17e);
- en suite de quoi le Fils "<u>devient</u>", ici, supérieur aux Anges, comme il "<u>devient</u>", là, miséricordieux et fidèle Grand-prêtre (1,4a et 2,17c);
- sa "<u>puissance</u>" de soutien des créatures, ici, se présente, là, une "<u>puissance</u>" de soutien des chrétiens dans l'épreuve (1,3b et 2,18b).

Nous avons déjà dû détailler la très forte concentrie que présentent les <u>trois citations</u> de (1,5-6) avec les trois citations de (2,11-13) Voir p. 27. Nous pourrions y ajouter la semblable évocation de l'universalité, ici, des Anges qui doivent adorer le Fils et, là, des hommes que doit sanctifier Jésus (1,6d et 2,11a: πάντες a valeur d'*inclusion interne*, et prolonge la concentrie de "tout" en 1,2c.3b et 2,17a).

Encore que la concentrie soit moins parfaite, le "Nom" hérité de Dieu par le Fils - selon la réciprocité caractéristique des deux Sections - a pour réciproque le "Nom" du Père annoncé par Jésus à ses frères (1,4b et 2,12a).

Ajoutons enfin de nombreux termes en concentrie relatifs à la /filiation/ et qui, du fait qu'on les trouve aussi dans les deux segments centraux, manifestent en réalité la concentrie plus large des deux bisegments initial et final de cette Colonne. Mentionnons ici "Fils", inclusif du bisegment (1,2b.8a), "Père" et "Premier-né" encore avec "Fils" (1,5-6a); et là, "beaucoup de fils" et "(ses) frères", pareillement inclusif du bisegment (2,10c.17b), "petits enfants" encore avec "frères" (2,11-12a. 13b.14a). Remarquons qu'ici la "filiation" prédomine à propos du Fils de Dieu mais, là, à propos des fils des hommes.

La "purification" ou "expiation" des péchés, dont nous avons relevé la stricte concentrie, participe à cette concentrie bisegmentale, puisque les segments centraux contiennent aussi ce thème: ils exaltent ici "l'amour de la justice et la haine de l'iniquité" exercés par le Fils et, là, "la mort" que Jésus "pour tous a goûtée" (1,3c.9a et 2,9de.17e).

De plus la péricope centrale de chaque Section (1,7-9) et (2,9-10) commence par une semblable confrontation du Fils ou de Jésus avec les Anges:
- "Et pour les Anges il a cette parole … Mais pour le Fils …";
- "Celui qui a été abaissé de peu par rapport aux Anges, Jésus …".
La mention ici du "<u>trône</u>" puis de la "royauté" (1,8bc) a pour correspondant, en un même contexte d'intronisation, la constatation que Jésus est désormais "<u>de gloire et d'honneur couronné</u>". Le lien causal entre l'activité terrestre

de Jésus et sa glorification est ici et là explicité:
- "Tu aimas la justice et détestas l'iniquité,
   C'est pourquoi, ô Dieu, ton Dieu te donna l'onction ...";
- "Nous constatons Jésus *à cause de* la mort qu'il a soufferte,
   couronné de gloire et d'honneur ..." (1,9ab et 2,9bc).

Rappelons que la paternité divine, exaltée ici en la personne du "Fils",
s'étend là à la "multitude de fils", dont Jésus est constitué le Pionnier
(1,8a et 2,10c) - multitude qu'évoquait déjà ici, au moins avec les Anges,
les "compagnons" du Fils glorifié (1,9c).

Relevons maintenant la concentrie entre les péricopes finales de la
première Section (1,10-12 et 13-14) et les péricopes initiales de la
deuxième Section (2,1-4 et 5-8). Et voici de nouveau le syntagme caractéristique concernant les Anges:
- "Et auquel des Anges a-t-il jamais dit: assieds-toi ... jusqu'à ce que...";
- "Car ce n'est pas à des Anges qu'il a soumis *l'oikouménè* à venir"
Moins marquée verbalement, cette concentrie (1,13a et 2,5a) est sûre en raison du contexte qui développe l'idée de soumission à venir au Seigneur.

Comme précédemment, en effet, les deux groupes que forment ces péricopes présentent un trait de structuration symétrique semblable. Les deux
syntagmes aux extrémités du premier groupe, évoquant un début et une fin
- "aux origines (κατ'ἀρχὰς) , Seigneur, tu fondas la terre", et "mettre
tes ennemis en escabeau de tes pieds" (1,10a et 13d) -, ont pour correspondants parallèles ces deux syntagmes aux extrémités du second groupe
- "... à l'origine parlé (ἀρχὴν λαβ.) par le Seigneur", et "tout soumis sous
ses pieds" (2,3b et 8a).

L'aspect eschatologique de cette soumission est explicité dans la mention de "ceux qui doivent hériter ce salut" (1,14c: τοὺς μέλλοντας) ou là
de "*l'oikouménè* à venir" (2,5: τὴν μέλλουσαν). Ce "salut", au service duquel les Anges sont ici déclarés envoyés (1,14c), est ensuite rappelé, après
la médiation des Anges sous l'A.T., comme l'oeuvre du Seigneur (2,3a).

Dans ces deux groupes, comme précédemment, les deux péricopes concentriques (1,10-12)et (2,11-13) comprennent une seule citation mais longue,
au lieu de trois:ces deux longues citations concernent le Fils de Dieu et
l'univers ou bien le Fils d'homme et l'univers.

Avec cette Section commence notre deuxième Colonne synoptique. Elle correspond à la II ème Partie du Plan proposé par A. Vanhoye: ce Plan comporte deux Sections A et B, fort inégales: 3,1 - 4,14 et 4,15 - 5,10. La Section A offre une structure concentrique de ses diverses subdivisions: A (3,1-6), B (3,7-11), C (3,12-19) ✦ (4,1-5) ✦ C' (4,6-11), B' (4,12-13), A' (4,14). La Section B est plus lâche. En réalité, si des éléments de cette structuration sont impressionnants, ils ne sont pas prédominants au point d'offusquer la structure fondamentale que nous avons décelée dans toute l'Epître. Ce Plan chevauche sur les 3ème et 4ème Sections, c'est-à-dire la deuxième Colonne de notre Synopse. Personnellement, nous distinguons en notre troisième Section cinq péricopes: 3,1-6 7-11 ✦ 12-14 ✦ 15-19 4,1-5. La répartition statistique des 379 mots offre une formule équilibrée: 92 + 74 ✦ 51 ✦ 67 + 95. Ces formules envisagent un segment central *réduit*, alors que le segment central *complet* comprendrait l'unité littéraire (3,7-19) (23).

La Fresque historique se poursuit par l'évocation de l'Exode et de la marche au désert. Un contraste entre la fidélité de Jésus et la fidélité de Moïse constitue la première péricope (3,1-6). La structure en est nettement concentrique: autour du centre (vv. 3-4) de l'argumentation, basée sur la prédominance du constructeur sur sa maison (24), nous trouvons la suite concentrique:

chrétiens - Jésus - Moïse ✦ .... ✦ Moïse - Christ - chrétiens.

Les chrétiens doivent, d'une part: "considérez (κατανοήσατε) l'Apôtre *et* le Grand-prêtre de notre confession"; et, d'autre part: " la franchise *et* la fierté de l'espérance maintenons (κατάσχωμεν)" (3,1bc et 6bc). Notons: la paronomase initiale des deux verbes, que l'on retrouvera dans la péricope finale; la correspondance des deux titres de Jésus avec les deux qualificatifs de notre espérance; la mise en évidence du "nous" chrétien.

Ensuite, la comparaison entre Jésus et Moïse est ici amorcée et là achevée (3,2ab et 5ab-6a) entre Moïse et Christ. Notons: la parfaite concentrie et complémentarité entre "Jésus" et "Christ"; la parfaite concentrie des deux mentions de "Moïse (fidèle) en toute sa maison" (vv. 2b et 5a: ὡς καὶ Μωϋσης... et καὶ Μωϋσης... ὡς...). Compte-tenu de l'argumentation du centre, l'amorce et l'achèvement de la comparaison doivent être interprétés comme un tout. Le même qualificatif de "fidèle/accrédité" (25) est donné explicitement ici à Jésus et là à Moïse, et corrélativement mais implicitement ici et là au deuxième de ces personnages. Les deux référents de cette fidélité, du côté de Dieu et du côté des hommes, sont ici simplement indiqués: l'un, "Celui qui l'institua", à propos de Jésus; et l'autre, "en toute sa maison", à propos de Moïse. Ils seront là explicités l'un et l'autre à propos de Moïse, "(fidèle) en toute sa maison / comme serviteur" et à propos du Christ, "comme Fils / sur sa maison".

Entre ces deux extrêmes concentriques, le centre prépare la transformation. L'articulation de ses quatre propositions se présente ainsi. La supériorité de Jésus sur Moïse, suggérée précédemment, est clairement affirmée comme "une gloire supérieure" (v. 3a); une raison en est donnée: "le constructeur de la maison est plus honoré que la maison elle-même (v. 3b). L'ambiguïté de cette dernière raison est ensuite levée: on serait tenté de penser, en effet, que Jésus est le constructeur. En fait, l'Auteur énonce d'abord un principe général: "toute maison a un constructeur", c'est-à-dire que le référent "maison" implique un autre référent, "le constructeur", ces deux référents que nous signalions plus haut (v. 4a); enfin, l'Auteur précise que ce référent, "le constructeur de tout, c'est Dieu" (v. 4b). L'ambiguïté ainsi levée, encore reste-t-il à justifier l'application du premier principe à Jésus (v. 3a). C'est ce que fait, nous l'avons vu, le début de l'extrême final: c'est la supériorité de la relation de Jésus à ces deux référents - au Constructeur et à la Maison - par rapport à Moïse, qui justifie sa "gloire supérieure" à ce dernier.

L'utilisation des deux sens de "maison", construction et peuple, va s'expliquer par le thème de "l'entrée dans le repos", sous la double image du repos de Dieu au terme de la création et du repos du Peuple de Dieu au terme de l'Exode.

La fidélité des chrétiens est, en effet, ensuite sollicitée par le recours à *la spiritualité de l'Exode*, du séjour au désert. L'Auteur l'emprunte au Ps 95,7d-11, dont la longue citation constitue la deuxième péricope de cette Section (3,7-11). Son intérêt réside en ce fait que l'Exhortation, de signification permanente, qui l'ouvre: "Aujourd'hui, si vous entendez sa voix / n'endurcissez pas vos coeurs" - cette exhortation fait appel à une totalité historique: le séjour au désert. Cette totalité s'exprime selon le schéma des couples de totalité.

Pour ce faire, l'Auteur modifie légèrement le texte des LXX. Au lieu de ἐδοκίμασαν (με) καὶ εἴδοσαν, il met ἐν δοκιμασίᾳ. Καὶ εἶδον ...; après "quarante ans", il insère un "διό, c'est pourquoi (je me suis emporté)"; il remplace enfin ἐκείνη par ταύτη, et εἶπα par εἶπον. Ces changements aboutissent au résultat suivant.

L'Exhortation évoque tout d'abord un épisode du *début* du séjour au désert: à "Massah et Méribah", dévorés de soif, les israélites doutent de la providence divine (cf. Ex 17,1-7) (vv. 8bc-9a); la référence explicite dans le Ps *hébreu* est plus voilée dans le Ps *grec*, où "le jour de la tentation" peut avoir la valeur récapitulative et typique des infidélités du peuple au début du séjour (Mara, Massah et Méribah, exploration en Canaan: Ex 15,22-27; 17,1-7; Nb 13-14, notamment 14,20-38) (26).

L'*entre-deux* des quarante ans du séjour est ensuite rappelé. Les modifications du texte des LXX placent en tête de phrase: "Et ils virent mes oeuvres", et en étendent la constatation aux "quarante ans": "les oeuvres dont ils s'agit ne sont plus les miracles de la sortie d'Egypte, mais toute la série des corrections divines, qui, au cours de la traversée du désert, ont répondu aux murmures d'Israël (cf. Nombres 14,29-30 rappelé en Héb. 3,17)" (27). A ces "quarante ans" d'incrédulité correspond parfaitement la remarque: "toujours ils s'égarent de coeur" (vv. 9b-10ab).

Enfin, référence est faite à un épisode qui, bien qu'au début relatif du séjour (cf. Dt 9,1 avec 14,22), concerne doublement la *fin*, l'entrée en Terre promise: l'envoi des éclaireurs, la rébellion du peuple et son châtiment par Yahvé: "... J'ai juré dans ma colère: (onverra bien) s'ils entreront dans mon repos" (cf. Nb 14,21-23 ...30) (vv. 10c-11ab).

Il n'y a donc pas de raison pour se perdre "en conjectures" (28): les modifications du texte sont au service du schéma du couple de totalité, expression du séjour au désert: *Sortie* d'Egypte - *Entrée* en Terre promise. Ce couple sera explicité en 3,16-19. Notre structuration en *tercets* met en évidence ces quatre traits significatifs de la péricope: exhortation permanente - début - entre=deux - fin. Nous poursuivrons cette structuration jusqu'en 3,19, puisque les deux péricopes suivantes mettent pareillement en jeu ce même couple de totalité.

Voici maintenant le lieu où notre structuration va se distinguer de celle de A. Vanhoye. Cet exégète a établi de façon impressionnante la structuration et l'unité du passage 3, 12-19. Pourtant nous montrerons que ce passage intègre deux péricopes structurelles - (3,12-14) et (3,15-19) - dont la distinction s'impose dans l'unité littéraire supérieure de cette troisième Section. Cas exemplaire d'affinement de la structuration progressive d'un texte.

La structure du passage a causé dans le passé beaucoup d'embarras. Comme Vanhoye, qu'il suffise de citer les remarques de C. Spicq:

> "*Les modernes, dit-il, se donnent beaucoup de peine pour articuler ces versets (15-19) avec le contexte immédiat. Les Pères grecs considéraient les vv. 16-19 comme une parenthèse. Il est certain qu'en bonne logique, cette section aurait dû venir immédiatement après la citation (v. 11), avant la leçon morale qui sera d'ailleurs poursuivie 4,1 sv. Beaucoup d'exégètes pensent que c'est plutôt le v. 14 qui doit être traité comme une parenthèse et que ἐν τῷ λέγεσθαι devrait être rattaché directement au v. 13. Mais il n'y a pas beaucoup plus de difficulté à le relier à κατάσχωμεν du v. 14 (...) Il est vraisemblable qu'avant d'aborder son dernier point, l'auteur s'aperçoit qu'il n'a pas commenté littéralement son texte et que ses applications aux contemporains risquent de n'être pas comprises. D'où cette exégèse historique soulignant que le sort de la génération du désert est dû à son incrédulité*" (29).

A l'encontre de ces solutions de fortune, Vanhoye propose une structuration dont la clarté et les preuves emportent la conviction. En voici l'essentiel:

> "*Une inclusion entre 3,12 et 3,19 nous fonde à voir dans ces huit versets une première unité littéraire: en 3,19 nous retrouvons le verbe βλέπειν et le substantif ἀπιστία qui ont été employés en 3,12. Ἀπιστία nous le savons, ne reparaît pas ailleurs dans l'Epître.*
>
> *Dans tout ce passage, on ne retrouve de la citation du psaume, à côté de multiples allusions, qu'une seule reprise textuelle. Celle-ci est en 3,15 et sa place mérite d'être remarquée: elle se situe au centre du passage. Avant elle, nous lisons trois phrases (dont chacune couvre un verset); après elle, nous lisons trois interrogations. Et les trois interrogations correspondent aux trois phrases, mais dans l'ordre inverse.*
>
> *Si l'on veut savoir ce que signifie, dans la première phrase, se détacher du Dieu vivant (3,12), il faut se reporter à la dernière interrogation (3,18-19), qui révèle le double aspect de cette attitude: 1) être indocile, 2) se voir refuser l'entrée dans le repos de Dieu.*
>
> *Si l'on cherche un commentaire de la tromperie du péché (3,13), dont parle la deuxième phrase, on le trouvera à la deuxième interrogation (3,17), qui évoque la colère de Dieu contre ceux qui péchèrent et leur fin déplorable: leurs cadavres jonchèrent le désert.*
>
> *Enfin, si l'on veut se convaincre que la persévérance est nécessaire et que les participants du Christ doivent garder ferme jusqu'au bout leur*

assurance initiale *(3,14)*, *il suffit de parcourir la première interrogation (3,16) et de songer à ceux qui suivaient* Moïse *lors du beau début de la sortie d'Egypte et qui, après avoir reçu instruction* (ἀκούσαντες), *en vinrent cependant à aigrir Dieu" (30)*.

Peut-on encore affiner cette structuration dont la symétrie concentrique est si parfaitement manifestée ? Tout en y ajoutant quelques détails, notre structuration en *tercets* renforce tout d'abord et visualise excellemment cette symétrie concentrique. Ensuite nous remarquons que les deux séries concentriques de tercets sont, .ici plus explicitement qu'en (3,7-11), ordonnées selon le graphisme des couples de totalité. Le couple "Sortir-Entrer" est cette fois complet dans la série des vv. 16-19 : elle mentionne, en effet, "ceux qui *sortirent* d'Egypte", l'entre-deux des "quarante ans", et l'impossible "*entrer* dans le repos". La série des vv. 12-14 signifie pareillement une totalité de temps : le v. 12 met en garde contre la fin redoutable de la vie chrétienne que serait l'apostasie; le v. 13 considère, lui, l'entre-deux qu'est "l'Aujourd'hui" permanent de la vie; le v. 14 parle explicitement du "commencement" de cette vie (avec d'ailleurs encore la mention, mais heureuse cette fois, de son terme) !

Mais on doit surtout souligner une importante distinction entre les vv. 12-14 et les vv. 15-19. Ces premiers versets concernent les *chrétiens*; les derniers concernent les *israélites*. En fait, le v. 14 exprime aussi à lui seul la totalité de la vie chrétienne, avec le couple du type "Commencer-Achever", puisque les chrétiens doivent "le début de l'assurance jusqu'à la fin maintenir". En conséquence par cette idée de fin, il est aussi concentrique au v. 12 qui évoque l'apostasie. Par suite le v. 13 voit sa valeur centrale accentuée: il contient effectivement l'essentiel de la citation de la parole de Dieu: éviter l'endurcissement du coeur pendant l'Aujourd'hui permanent de la vie, où Dieu fait entendre sa voix. Par ailleurs, si le v. 15 peut à la rigueur compléter la pensée du verset précédant, la mention "comme dans l'aigrissement" - moins évidente pour les chrétiens (on ne la retrouve pas en 4/4,7d) - introduit manifestement le commentaire: "lesquels, en effet, ... aigrirent ? " qui se poursuit aux versets 16-19. En conséquence nous considérons les vv. 15-19 comme une péricope structurelle distincte de celle que forment les vv. 12-14. L'analyse de l'unité structurelle de cette Section confirmera cette distinction: la péricope (3,15-19) est la concentrique de la péricope (3,7-11)!

La Section prend fin avec une cinquième péricope (4,1-5). Elle met en relief, la mentionnant quatre fois, *"l'entrée dans le repos"* . Les deux thèmes que synthétise cette expression y sont explicités: au thème de l'*Exode*, qu'achève "l'entrée" dans la Terre promise - l'Auteur adjoint, l'universalisant, le thème de la *Création*, qu'achève le "repos" du septième jour. La péricope se subdivise ainsi en deux développements: chacun présente une forte symétrie concentrique, que A. Vanhoye a parfaitement décelée (31). Voici cette symétrie selon notre structuration:

```
4    - (Nous) ...
     -        ENTRER dans son repos
     -                     rester en retrait
2    -                     reçu la bonne nouvelle
     -   ne profita pas    la parole entendue
     -                     pas fusionné
3    -        Nous   ENTRONS dans le repos
     -        ...                        → → →
```

```
  → → →    -   S'ils ENTRERONT dans mon repos
           -                   oeuvres
    4      -                   septième
           -   se reposa au    septième jour
           -                   oeuvres
    5      -                   ...
           -   S'ils ENTRERONT dans mon repos
```

Cette très forte structuration met donc en évidence d'abord les chrétiens
avec des verbes au présent, comme l'inattendu "nous entrons" en correspondance
avec "craignons"; puis les israélites, avec des verbes au futur irréel de la
citation "(S'ils) entreront ...". Ce présent "nous entrons" est à interpréter
comme le pôle final du couple de totalité "Sortir-Entrer", pôle qui possède
alors la *valeur prégnante*, expressive de toute la temporalité terrestre de
la marche pérégrinale. Nous trouverons au terme de l'Epître le pôle
initial cette fois, mais avec la même *valeur prégnante*: "Sortons vers Lui ..."
(14/13,13a).

Cette abondance des mentions de "l'entrer dans le repos" conduit Vanhoye
à considérer cette péricope comme le centre de sa section A: tout en s'en distinguant, notre structuration justifiera aussi l'importance reconnue à cette
péricope.

Unité structurelle de la 3ème Section

La forte concentrie des péricopes structurelles, de parfait équilibre
statistique, confirme leur distinction et leur unité sectionnelle.

La similitude structurelle et idéale est manifeste entre les deux péricopes initiale et finale, (3,1-6) et (4,1-5). Des particules semblables, de
part et d'autre de leur centre, les structurent concentriquement:

- ici : ὡς καὶ (Μωϋσης) ...   καὶ (Μωϋσης) ... ὡς (3,2b.5ab);
- là : καὶ ... καθάπερ   οὕτως καὶ ...   (4,2a.4ab).

Les deux péricopes commencent par une invitation où alternent le "nous" et
le "vous" des chrétiens:
   - "Considérez l'Apôtre ... de notre confession ...   (3,1bc);
   - "Craignons que ... quelqu'un d'entre vous ... "   (4,1ac).
La totalité du mystère de la révélation est ici et là évoquée en son *origine*,
l'*attitude* humaine et son *terme* eschatologique; et, en chaque élément, sont
confrontés l'A.T. et le N.T.! Ainsi, le *terme* étant dès l'abord rappelé,
"vocation céleste" ou "promesse d'entrer (dans le repos)", 3,1a ou 4,1ab , —
sont mentionnés ensuite l'*origine* de la révélation: ici, "l'Apôtre de notre
confession, Jésus" et "Moïse, serviteur en témoignage des choses à dire",
3,1bc et 5b; et là, "nous avons reçu la bonne nouvelle", comme ceux-là "la
parole-qui-se-fait-entendre", 4,2ab. Puis, c'est l'*attitude* temporelle humaine
de "fidélité", ici, des messagers, de "Jésus" et de "Moïse" (πιστὸς: 3,2a.5a)
- ou de "foi", là, des auditeurs, tant des anciens (μὴ... τῇ πίστει: 4,2c) que
des chrétiens (οἱ πιστεύσαντες: 4,3a).

Par ailleurs, le thème de la *Création* est pareillement fortement souligné, avec les deux sens possibles d'univers cosmique ou d'économie religieuse.
Ici, c'est avec l'image de "la maison" et le rappel que "Celui qui a <u>tout</u> édi-
fié, c'est <u>Dieu</u>"; là, c'est avec la mention explicite de "la fondation du
monde" et du repos de "Dieu, le septième jour, de <u>toutes</u> ses oeuvres" (3,4b
et 4,3d.4) (32).

Les deux péricopes s'achèvent comme elles commencent: sur une perspective eschatologique: ici, maintien de l'espérance ou, là, entrée dans le repos (3,6bc: si... nous maintenons; ou 4,5: s'ils entreront...) (33). De ces quatre mentions "quadripolaires" de l'eschatologie, deux sont aussi concentriques: le maintien de l'espérance avec le maintien de la promesse (3,6c avec 4,1a).

La mise en évidence maintenant de la similitude structurelle et idéale entre les péricopes (3,7-11) et (3,15-19) va justifier la distinction que nous avons faite de deux péricopes à l'intérieur de l'unité littéraire de (3,12-19). Qu'il suffise de constater que les quatre tercets de la péricope (3,7-11) se retrouvent équivalemment dans les quatre tercets de la péricope (3,15-19): leur correspondance est *parallèle*. Sous réserve cependant du transfert de quelques termes qui, placés concentriquement entre eux, vont "marquer" la situation concentrique de ces deux péricopes.

Ainsi, les premiers tercets (3,7-8a et 15) comprennent l'exhortation générale avec son introduction (34). Les 2èmes tercets commencent la référence aux événements de l'Exode, précisément au *début* du séjour: ici, à l'épisode précis de Massah et Méribah ou à des épisodes qui l'incluent et, là, à "ceux qui sont sortis d'Egypte". Les 3èmes tercets concernent l'*entre-deux*: ils mentionnent ici et là les "quarante ans" du séjour" et "l'emportement" de Yahvé; mais la mention "dans le désert", faite ici dans le 2ème tercet et là dans ce 3ème, forme avec les deux autres mentions une suite *concentrique*, à savoir :
- ici : "dans le désert"   / "quarante ans" / "je me suis emporté"
- là : "il s'est emporté" / "quarante ans" / "dans le désert".

En outre, le péché s'exprime ici par "toujours ils s'égarent de coeur" et là par "ceux qui péchèrent"; la liaison entre ces deux nuances,de l'égarement et du péché,se retrouve au centre même dans le syntagme "la tromperie du péché" (3,10b.13c.17b). Les 4èmes et derniers tercets se rapportent au *terme* du séjour: c'est "l'entrer dans le repos", à vrai dire négatif, puisqu'ici c'est la menace et là la constatation de *n'y pas* entrer (3,10d-11 et 18-19).

Entre ces deux péricopes, la péricope (3,12-14) s'affirme donc en sa place centrale: comme ces deux autres, elle se réfère à cette typologie de la spiritualité de l'Exode, mais tandis que les deux autres concernent les israélites, elle, concerne les chrétiens.

La symétrie *triangulaire ou bisegmentale* corrobore ces données sur l'unité structurelle de cette troisième Section, pour autant que nous prenons un segment central *réduit* à la péricope centrale.

La correspondance entre les péricopes initiale et centrale du bisegment initial est impressionnante. La condition chrétienne y est décrite presque avec les mêmes mots. Salués du même titre de "<u>frères</u>", leur attention est sollicitée sur leur condition: "<u>considérez</u>" ou "<u>Voyez à</u> (veillez à)...": ici, déclarés "<u>participants</u> d'une <u>vocation</u> céleste" et, là, "<u>participants</u> du <u>Christ</u>"; au reste, cette "vocation" se retrouve dans la "<u>proclamation</u>" permanente de l'Aujourd'hui et, à l'inverse, le "<u>Christ</u>" avait été déjà précédemment cité en un même contexte de fidélité (3,1ab.6a et 3,12a.13b.14a). Enfin, les deux péricopes s'achèvent sur la même exigence de persévérance: "<u>si</u> (la pleine assurance et la fierté de l'espérance) (+ var. jusqu'à la fin) <u>nous mainte-nons</u>"; ou bien: "<u>si</u> (notre position initiale jusqu'à la fin) <u>nous maintenons</u>" (3,6bc et 14bc). On pourrait considérer cette répétition du verbe "maintenir" comme l'équivalent du verbe "voir/veillez à" signalé en 3,12a et 19 !

Pareillement la correspondance entre les péricopes centrale et finale du bisegment final est nettement marquée. Toutes deux s'ouvrent sur une semblable mise en garde:
- "Prenez garde ... qu'aucun de vous (voire: qu'aucun d'entre vous) ...":
  Βλέπετε ... μή ποτε ... ἔν τινι ὑμῶν (μή ... τις ἐξ ὑμῶν)... ἀποστῆναι
- "Craignons ... que quelqu'un d'entre vous ...":
  Φοβηθῶμεν ... μή ποτε ... τις ἐξ ὑμῶν ... ὑστερηκέναι (3,12a.13b et 4,1a).
Et chaque fois il s'agit du péché d'apostasie loin de Dieu. Elles mentionnent, par ailleurs, ici l'origine chrétienne (3,14a: γεγόναμεν) et le "chaque jour" de la vie chrétienne; et là, l'origine créatrice (4,3d: γενηθέντων) et "le septième jour" du repos divin. Notons-le, la précision ici du "jour après jour" prend valeur d'allusion au jour après jour des six jours de la création, dont le septième est celui du repos.

§ 5 : QUATRIÈME SECTION (4,6 - 5,10)

Nous distinguons encore cinq péricopes: 4,6-11 4,12-13 ✦ 4,14 - 5,4 ✦ 5,5-6 5,7-10. Rappelons, par contre, que la Section A du Plan de A. Vanhoye se prolonge dans notre 4ème Section: ... C' (4,6-11), B' (4,12-13) et A' (4,14); s'y ajoute une Section B, ainsi subdivisée: introduction (4,15-16), première subdivision (5,1-4) et seconde subdivision (5,5-10). En plus de la différence dans le regroupement des péricopes, se signale une différence notable: l'isolement ou non du verset 4,14. La répartition des 352 occurrences manifeste un notable déséquilibre: 96 + 51 ✦ 112 ✦ 36 + 57 (35).

L'apparence de continuité dûe à l'utilisation de la même citation du Ps 95, 8a et au rappel de l'infidélité des israélites cache une rupture: le lieu n'est plus le désert mais la Palestine; le guide n'est plus Moïse mais Josué; l'énonciateur n'est plus l'Esprit-Saint mais David ! La permanence de la promesse d'entrer dans le repos s'explique par le fait que la Terre promise n'était pas le véritable repos, mais une image du repos du Dieu créateur, où entre chaque homme après la semaine créatrice de sa vie. Tel est l'objet de la première péricope (4,6-11) (35bis).

A. Vanhoye a décelé les éléments de structuration concentrique qui placent au centre la citation: "Aujourd'hui, si vous entendez sa voix ..." (4,7cd). Le tableau que nous en donnons ci-dessous en fera saisir le bien-fondé, et les raisons qui nous obligent à une structuration globale qui, au contraire, place au centre structurel la constatation que Josué n'a pas amené les israélites dans le repos véritable. Affirmation capitale qui dévalorise la Terre promise (4,8ab). En réalité, l'idée centrale de la péricope demeure l'*entrée* dans le *repos*: la première est signalée quatre fois (4,6ab.10a.11a), et le second quatre fois explicitement (4,8a.10ab.11a) et deux fois équivalemment (4,6a et 9a: "repos sabbatique"). C'est pourquoi cette idée se retrouve aux deux extrémités de la péricope et au centre de notre structuration.

Voici donc la concentrie verbale décelée par Vanhoye (SLEH, p. 99), retranscrite selon notre structuration d'ensemble:

```
 6  -     Il reste donc concédé que certains y entrent -
 7  -     et ceux qui ... n'entrèrent pas - pour cause d'indocilité
    -                              jour
    -        disant - après tant de temps -
    -
    -              ( citation )
 8  -

 9  -        parlerait - après cela - jour
10  -     Il reste donc concédé un repos sabbatique ... -
    -     Celui qui entra dans son repos

11  -     Hâtons-nous donc d'entrer dans ce repos-là
    -                    - le même exemple d'indocilité
```

Au schéma de Vanhoye nous avons seulement ajouté le v. 11a : "Hâtons-nous d'entrer dans ce repos-là (pour ne pas tomber dans ...)", qui joue mieux dans la concentrie: il fait inclusion avec son verbe "entrer" et "indocilité" (doublet occurrentiel) de toute cette péricope (4,6ab et 11ab).

Un *Eloge de la Parole de Dieu*, de saveur sapientielle (cf. Sg 7,22-8,1), forme une deuxième péricope (4,12-13). Elle fait inclusion sur le mot "parole, λόγος" : la parole à qui il faut répondre et dont il faudra répondre. Une certaine concentrie est décelable. Au centre, la fonction judicative de la Parole (4,12d); avant, sa fonction exécutive (4,12bc); après, sa fonction informative (4,13ab): ce seraient les trois fonctions du jugement, mais une fois encore présentées en *ordre inversé* (36). Notons la totalité d'existence aussi exprimée: la "créature" (origine) se trouve toujours sous le regard de Dieu (entre-deux), qui finalement la jugera (fin).

Notre segment central comprend deux unités littéraires, qui présentent une forte concentrie entre elles, (4,14-16) et (5,1-4). Avec ce segment commence un premier développement sur le sacerdoce du Christ, ou plus exactement une "annonce-résumé". Déjà annoncé à la fin de la première Colonne et au début de cette Colonne (2,17d et 3,1b), ce thème du sacerdoce se poursuivra dans le segment final (5,5-10): c'est-à-dire qu'il s'étend dans le "bisegment" final de cette Colonne (37). Voici la première unité:

```
4 14  "Ayant donc un Grand-prêtre éminent, qui a traversé les cieux,
        Jésus, le Fils de Dieu, maintenons la confession de foi.
  15        Nous n'avons pas, en effet, un Grand-prêtre
            incapable de compâtir
              à nos faiblesses;
            il a été éprouvé en tous points
            à notre ressemblance, mais sans pécher.
  16   Avançons-nous donc avec pleine assurance vers le trône de la grâce
        afin d'obtenir miséricorde et de trouver grâce pour l'aide opportune"
```

Les deux versets extrêmes (vv. 14 et 16), de deux stiques chacun, se correspondent manifestement: les deux injonctions sont parfaitement concentriques, "maintenons" et "avançons". Cette dernière idée de marche était déjà évoquée dans "la traversée" des cieux, ainsi que l'idée de "montée/hauteur" qui fait correspondre "cieux" et "trône". Par ailleurs , au personnage "Grand-prêtre" correspond l'exercice de la "miséricorde" (cf. 2,17). Ce dernier thème est développé dans le verset central (v. 15), dont les coupes visualisent la symétrie avec la seconde unité (5,1-4) (38).

5 "Tout grand-prêtre, en effet, pris d'entre les hommes,
   est établi en faveur des hommes pour leurs rapports avec Dieu.
     Son rôle est d'offrir des dons et des sacrifices pour les péchés.
2 Il est capable de comprendre ceux qui ne savent pas et s'égarent,
     car il est, lui aussi, atteint de tous côtés par la faiblesse,
3 et à cause d'elle, il doit, de même que pour le peuple,
     ainsi aussi pour lui-même, offrir pour les péchés.
4 On ne s'attribue pas à soi-même cet honneur,
     on le reçoit par appel de Dieu, comme ce fut le cas pour Aaron."

La concentrie est fortement marquée. L'unité s'ouvre et se ferme sur la fonction, "grand-prêtre", et son premier dignitaire, "Aaron". La double nécessité d'une *origine humaine* et d'une *vocation divine* est exprimée dans les deux premiers et dans les deux derniers stiques: si le grand-prêtre "est pris, λαμβανόμενος" parmi les "hommes", nul ne "prend, λαμβάνει" cet honneur; car, pour être médiateur entre les "hommes" et "Dieu" (v. 1b), il faut y être "appelé par Dieu" (v. 4b). Sont ensuite mentionnés, de part et d'autre : "l'offrande (de dons et de sacrifices) pour les péchés" (vv. 1c et 3b); puis les bénéficiaires pécheurs, "ceux qui ignorent et s'égarent", c'est-à-dire "le peuple" (vv. 2a et 3a), et le grand-prêtre lui-même - du fait qu'eux et lui participent à cette même pitoyable réalité qu'est la "faiblesse" humaine (centre, v. 2b).

Ces deux unités du segment central comportent des éléments semblables. Entre la confrontation aux deux extrémités de "Jésus" et d' "Aaron", apparaissent les notations parallèles suivantes: ici, "Grand-prêtre", "capable-de-compatir" (συμπαθῆσαι)", "aux faiblesses", et "recevoir" (λάβωμεν); et là, "grand-prêtre", "de commisération capable" (μετριοπαθεῖν), de "faiblesse", "prendre" (λαμβάνει). Mais déjà une différence fondamentale a été soulignée entre ces deux sacerdoces: si tout grand-prêtre offre "pour les péchés du peuple *et de soi-même*" (5,1c-3b), Jésus Grand-prêtre est, lui, déclaré *sans péché* (4,15d).

Le segment final (5,5-10) présente une structure, au dire de A. Vanhoye, "plus difficile à déterminer: les correspondances s'y entre-croisent d'une manière complexe" (39). Nous y distinguons deux péricopes (5,5-6) et (5,7-10) dont le seconde est fortement liée à la première par le pronom personnel relatif ὅς ... (lui qui ...).

La péricope (5,5-6) atteste la vocation divine du Christ au sacerdoce. On y décèle une symétrie concentrique, dont voici les éléments:" le Christ - devenir Grand-prêtre - le parlant - ... - il dit - prêtre pour l'éternité - Melchisédech ".

A l'affirmation que "le Christ" ne s'est pas arrogé de "devenir Grand-prêtre" correspond la parole divine d'investiture: "Tu es prêtre pour l'éternité" à la manière de "Melchisédech" (5,5ab et 6bc). La confrontation du Christ à Melchisédech exalte ainsi l'*origine* de son sacerdoce *sans fin*. La parole d'investiture forme argumentation avec la parole de filiation: "Tu es mon Fils, ... ". Car, si l'investiture consacre au sacerdoce, la filiation fonde son caractère unique; depuis le début de l'Epître la filiation divine est le fondement-maître de toute l'argumentation : prééminence sur les Anges (première

Colonne) et prééminence sur Moïse (au début même de cette Colonne, notamment: "le Christ, lui, comme Fils", 3,6a). A tel point que le sacerdoce de Melchisédech sera ensuite exalté pour autant qu'il "est assimilé au Fils de Dieu" (6/7,3c) (40).

La dernière péricope (5,7-10) va enfin expliciter, d'une part, l'aspect de "faiblesse", et d'autre part, l'efficacité de "salut" réalisé par le sacerdoce du Christ. Cette péricope présente une notable symétrie concentrique, que nous pensons rendre par la structuration suivante.

Au centre donc comme précédemment la *filiation*, mais présentée dans la pédagogie de la souffrance (v.8). de part et d'autre, deux petites unités de cinq stiques, concernant: l'une, la vie terrestre et, l'autre, la vie céleste du Christ prêtre. Leurs centres sont complémentaires: Celui qui prie d'être "sauvé de la mort" devient cause de "salut éternel" (vv. 7c et 9c: σῴζειν et σωτηρίας). Par ailleurs correspondent, ici, "prières et supplications" avec "cri et larmes"; et, là, "ceux qui obéissent" avec "proclamé" (ὑπακούουσιν et προσαγορευθεὶς). Bien plus, ces termes ici et là se correspondent: "prières et supplications" avec "proclamé", qui impliquent un caractère officiel (41); "cri" et "obéissance", qui soulignent pareillement l'audition. S'il y a pareillement deux participes ici et là, on peut relever que "et exaucé" et "et mené-à-l'accomplissement" sont parfaitement concentriques; le premier comme le second concernent la fin de la vie du Christ: l'exaucement - libération de l'angoisse de la mort ou de la mort elle-même (42) - comme l'accomplissement se réalisent dans le passage vers l'au-delà.

Le segment final (5,5-10) offre donc une synthèse christologique, mais sacerdotale, comparable à celle de Ph 2,6-11: préexistence et incarnation - vie terrestre - accomplissement céleste. Une inclusion marque d'ailleurs l'unité de ce segment: le Christ, qui au début ne s'arroge pas de "devenir Grand-prêtre" mais en reçoit investiture de son Père, se voit à la fin "proclamé par Dieu Grand-prêtre ...". Ainsi "Grand-prêtre" fait inclusion précisément comme *investiture initiale* et *accomplissement final*.

Unité structurelle de la 4ème Section

Les péricopes initiale et finale (4,6-11) et (5,7-10) opposent chacune le temps de la vie terrestre et son terme dans l'au-delà. Elles mettent en évidence les thèmes du *jour*, de la *voix* et de l'*écoute*. Au "jour Aujourd'hui" de la vie des chrétiens correspondent "les jours de sa chair" de la vie du Christ (4,7a.8b et 5,7a). A la dernière invitation adressée aux chrétiens "d'écouter sa voix" et d'éviter l'exemple "d'indocilité" des israélites (4,7c et 6b.11b) correspondent les supplications du Christ apprenant dans la douleur "l'obéissance, τὴν ὑπακοήν", son "exaucement, εἰσακουσθεὶς" et son efficace de salut pour "ceux qui lui obéissent, τοῖς ὑπακούουσιν..." (5,7-9 passim). Ce "cri" du Christ vers Dieu et son "exaucement" par Dieu se trouvent ainsi en réciprocité aussi structurale avec la "voix" de Dieu et l'"écoute" souhaitée du fidèle. Cette correspondance donne aux supplications et au cri du Christ valeur émouvante de la voix de Dieu, et à son obéissance valeur éminente du modèle à imiter.

Les péricopes suivante ou précédente (4,12-13) et (5,5-6) exaltent toutes deux l'efficacité de la *Parole de Dieu*: ici, vis-à-vis des hommes en général et, là, vis-à-vis du Christ en particulier. Ici et là sont évoquées *l'origine* divine et *la fin* de la destinée humaine: ici, des hommes dans l'appellation de "créature", qui devront "rendre compte" à la Parole (4,13); là, du Christ dans l'appellation de "Fils, aujourd'hui engendré", dont le sacerdoce est déclaré "pour l'éternité" (5,5d.6b). On notera le rapprochement verbal:

ὁ λόγος ...   ... πρὸς ὃν ἡμῖν ὁ λόγος
ὁ λαλήσας πρὸς αὐτόν ...   ... λέγει (43).

Relevons les marques de la *bisegmentalisation* de cette Section.

Nous constatons des éléments de concentrie entre les segments initial et central, (4,6-13) et (4,14-5,4). Tout d'abord deux termes caractéristiques, à savoir: "quelques uns, τινας" et "peuple (de Dieu)" ont pour pendant "peuple" et "quelqu'un, τις" (4,6a.9a et 5,3a.4a). Ensuite, la jonction des deux péricopes de chacun des segments présente la similitude suivante:

- ici: "Empressons-nous donc ... afin que ... / ... car ... la parole de Dieu ..."
- là : "Avançons-nous donc ... afin que ... / ... car ... rapports avec Dieu ..."

(4,11ab.12a et 4,16ab 5,1ab). Par ailleurs, les premières péricopes ici et là font inclusion avec la conjonction "donc, οὖν" (4,6a.11a et 4,14a.16a).

La symétrie entre les segments central (4,14-5,4) et final (5,5-10) est très marquée. Tout d'abord, de symétrie parallèle, au début et à la fin de ces segments, à savoir :

- ici: <u>Grand-prêtre</u> - <u>Jésus</u> - <u>Fils</u> (de Dieu) ...   (4,14ab...
  ... <u>appelé par Dieu</u> - (comme) <u>Aaron</u>.   5,4b);
- là : <u>le Christ</u> - <u>Grand-prêtre</u> - (mon) <u>Fils</u> ...   (5,5ab ...
  ... <u>proclamé par Dieu</u> - (selon) <u>Melchisédech</u>.   5,10ab).

De symétrie concentrique, ensuite, encore plus marquée. Aux deux extrémités Jésus ou le Christ est déclaré "<u>Grand-prêtre</u>", avec référence à sa condition céleste (4,14a: "qui a traversé les cieux" et 5,10b.9a: "mené à l'accomplissement"). Puis, à la mention de sa "<u>compassion</u>" et de ses épreuves correspond la mention de sa "<u>passion</u>" (4,15bd et 5,8). Ensuite, l'opposition entre ici "l'<u>offrir</u> des dons et des sacrifices" par le grand-prêtre et là par Jésus "des prières et des supplications ... ayant <u>offert</u>", cette opposition souligne le passage du rituel au pleinement personnel - tandis que "capable de commisération" à pour pendant, mais à propos de Dieu, "capable de sauver" (5,1c.2a et 5,7abc). Enfin, la connexion des deux segments est fortement marquée: "pas à soi-même (s'attribuer) cet honneur, mais (le recevoir ...) comme précisément Aaron" ✦ "Ainsi précisément le Christ pas à soi-même (s'est attribué) la gloire, mais (l'a reçue ...)" (5,4-5). Cette forte cohésion du sujet, *la fonction sacerdotale,* et de la structuration confirme la division de A. Vanhoye qui, sauf malheureusement le verset 4,14 , présente ces deux segments comme la section B de sa deuxième Partie.

§ 6 : UNITÉ STRUCTURELLE DE LA 2ème COLONNE (UC)

Cette Colonne est la plus équilibrée au plan statistique, puisqu'elle dépasse à peine la moyenne avec ses 731 occurrences et possède des Sections presque égales avec 379 et 352 occ. Ces Sections comportent cinq péricopes, avec un seul déséquilibre segmental à la fin de S^4. Rappelons leurs formules:

92 + 74 ✦ 51 ✦ 67 + 95   et   96 + 51 ✦ 112 ✦ 36 + 57 .

Pour autant que nous nous bornons à la symétrie concentrique et prenons en S³ un segment central *réduit* à (3,12-14), voici les éléments de concentrie qui manifestent l'unité structurelle de cette deuxième Colonne.

La concentrie des péricopes extrêmes (3,1-6) et (5,7-10) est fortement marquée par la fonction de Jésus d'être "Grand-prêtre" ou la qualité du Christ d'être "Fils". A ces dénominations d'ici correspondent là les constatations que le Christ a souffert "bien que Fils" et a été proclamé "Grand-prêtre …" (3,1b.6a et 5,8a.10b).

Tandis que les relations de Jésus et de Moïse envers Dieu s'expriment ici comme une "fidélité", les relations du Christ envers Dieu et des chrétiens envers le Christ s'expriment là comme une "obéissance". On notera la similitude structurelle des deux péricopes, où les stiques centraux sont enserrés ici par la répétition de "*Et* Moïse … *Et* Moïse" - et là, par l'équivalence participiale de "*Et* exaucé … *Et* mené à l'accomplissement …" (3,2b.5a et 5,7e.9a).

Pour autant qu'on les inclut dans les deux segments extrêmes, les péricopes (3,7-11) et (5,5-6) participent à la concentrie générale. Elles exaltent *la Parole de Dieu*. Ici, dans la longue citation du Ps 95,7d-11; et là, pour l'investiture sacerdotale du Fils (avec deux mentions du *dire:* "comme le dit … et j'ai dit … " / "Celui qui lui a parlé … comme il dit …" (44). Surtout est mis en relief un *Aujourd'hui* dans un contexte de filiation ou de génération: ici, "l'Aujourd'hui" où Dieu fait entendre sa voix, comme jadis à la "génération" des "pères" (notamment 3,7.9a.10b); là, "l'Aujourd'hui" de la "génération" du "Fils" de Dieu (5,5d). Même évocation d'une totalité de durée.

La terrible réalité du *péché* est mise en évidence dans les péricopes centrales (3,12-14 réduite) et (4,14 - 5,4) en sa singularité universelle ou en sa multiplicité individuelle. Ce sont les seules mentions en cette Colonne (cf. cependant 3,17b), hors les syntagmes équivalents. Le péché ici "abandon du Dieu vivant" par "la tromperie du péché" (3,13c) apparaît là un renversement du mouvement sacrificiel, puisque le grand-prêtre - et éminemment Jésus Grand-prêtre "sans péché" - est établi "pour les relations avec Dieu" par l'offrande de dons et de sacrifices "pour les péchés" (4,15e 5,1bc.3b). Est évoquée pareillement la *vocation*: ici, celle de tout chrétien tant que dure l'appel de l'Aujourd'hui (3,13b: ἄχρις οὗ… καλεῖται); là, celle de tout grand-prêtre au sacerdoce (5,4b: καλούμενος).

Au-delà des deux segments du centre, voici maintenant les péricopes (3,15-19) et (4,12-13). L'idée dominante est encore *la Parole de Dieu*. Mais, alors que précédemment cette Parole était citée en général et là appliquée au Christ, elle paraît maintenant appliquée aux israélites et là citée en général. Dans ce contexte nous rencontrons les correspondances successives: du "parler" de Dieu et réciproquement de la "parole" à lui rendre (3,15a et 4,13c); du "coeur" à ne pas endurcir ou réciproquement du "coeur" scruté par la parole (3,15c et 4,12d); des "squelettes" tombés en châtiment dans le désert ou des "articulations et moelles" divisées en jugement pénétrant (3,17c et 4,12c); de "l'impuissance" à entrer dans le repos ou de "l'énergie" de la Parole de Dieu (3,19 et 4,12a).

Enfin, voici la stupéfiante correspondance entre les péricopes finale et initiale (4,1-5) et (4,6-11), dont la structuration semblable comporte de si nombreux éléments en symétrie parallèle ou concentrique. En plus du remarquable équilibre statistique (95 et 96 occ.), relevons les traits principaux de cette structuration. L'idée prédominante est celle de *l'entrer* dans *le repos:*

quatre occurrences pour l'un et cinq pour l'autre, ici et là. Ce thème se trouve aux deux extrêmes et au centre. Mais, en ce dernier, il est affirmé ici que "nous entrons dans le repos, nous les croyants", tandis que là il est nié que "Josué leur ait donné le repos (4,3 et 8). Avant le centre sont mentionnés: la permanence de la promesse d'entrer dans le repos, la semblable annonce de "la bonne nouvelle" (45), l'incrédulité des israélites à la parole entendue. Après le centre est mentionné "le repos de Dieu de toutes ses oeuvres" en référence au "septième jour" ou là le repos du fidèle (voire du Christ?) de "ses oeuvres comme Dieu des siennes" en référence au "repos sabbatique".

Ce fort parallélisme est souligné par la concentrie des extrêmes:

- "Craignons donc ... d'entrer dans le repos, afin que ne semble quelqu'un ... "
- "Empressons-nous donc d'entrer dans ce repos, afin que quelqu'un ne tombe ... "

Ces deux péricopes, si puissamment liées entre elles, se situent au centre de la deuxième Colonne: elles en garantissent la concentrie et l'unité interne, ainsi que l'unité des deux Sections qui la composent.

§ 7 : UNITÉ STRUCTURELLE DE LA 1ère PARTIE (CS)

Jusqu'ici nous avons abordé deux niveaux de l'analyse structurelle de cette Epître: le niveau des Sections et le niveau des Colonnes. En voici un nouveau: le niveau où se manifeste l'unité structurelle propre à une Partie. Pour cette 1ère Partie, comme pour la 3ème Partie, qui ne comptent l'une et l'autre que deux Colonnes synoptiques,cette manifestation se fait par l'intermédiaire des symétries entre les Colonnes Successives (CS). L'unité de ces Parties est un des points importants qui distinguent notre structuration de celle de A. Vanhoye, puisque nous réduisons à *trois* ses cinq Parties.

Notre démonstration se bornera ici aux symétries suivantes:
1. dans la structuration parallèle, à la symétrie parallèle des Sections parallèles, soit $(S^{1=3})$ et $(S^{2=4})$;
2. dans la structuration concentrique, à la symétrie concentrique des Sections concentriques, soit $(S^{1 \times 4})$ et $(S^{2 \times 3})$.

1. Structuration parallèle

Remarque générale. Chacune des quatre Sections comporte cinq unités – à condition de considérer (2/2,14-18) comme une seule unité, ainsi que (4/5,7-10), qui toutes deux sont situées en fin de Colonne. On remarque alors que les huit unités, c'est-à-dire les 2èmes et 4èmes de chaque Section, qui entourent les quatre centres des Sections, comportent des *citations* de la Parole de Dieu - sous réserve qu'en C^2, il s'agit en S^3 d'une citation concernant l'Exode (2è unité) puis de son application à la génération mosaïque (4è unité) et, en S^4, d'un "Eloge de la Parole de Dieu" (2è unité) puis de deux véritables citations (4è unité).

Symétrie parallèle (1=3)

Les deux premières unités (1,1-4) et (3,1-6) servent d'introduction à leur Colonne. Toutes deux possèdent une structure concentrique très forte, et mettent en relief la *gloire* et la *création*. Ces deux introductions ouvrent un parallèle: ici, entre un "Fils" et les prophètes ou les Anges et, là, entre Jésus Christ comme "Fils" et "Moïse". Parallèle très appuyé:

- "d'autant (τοσούτῳ) supérieur aux Anges devenu
  que (ὅσῳ) bien différent du leur (παρ' αὐτοὺς) il a hérité d'un Nom";
- "D'une plus grande gloire que Moïse (παρὰ) il a été trouvé digne,
  pour autant (καθ' ὅσον) que d'un plus grand honneur que la maison est
    doté Celui qui l'édifia" (1,4ab et 3,3ab).

Très habilement l'Auteur disjoint "gloire" d'avec "honneur", qui formaient syntagme en 2,7b.9c et, en joignant la "gloire" à Jésus, il évoque le Fils ici présenté comme "rayonnement de la gloire" de Dieu (1,3a et 3,3a). Le Fils était aussi déclaré ici Celui "par qui (Dieu) a fait les siècles" et qui maintient "tout" par sa parole (1,2c.3b), comme là est exaltée sa relation avec "Celui qui a tout construit, Dieu" (3,3b.4b). Le "parler" de Dieu, ici, par les prophètes et par le Fils (1,1-2) se retrouve, là, dans le rôle de Moïse "témoin des choses à dire" et dans le rôle de Jésus "Apôtre ... de notre confession" (3,1bc.5b). Par ailleurs, le rôle du Fils ici de "purificateur des péchés" s'explicite là dans son titre de "Grand-prêtre" (1,3c et 3,1b). Enfin, le "nous" chrétien, simplement signalé ici, est amplifié là aux deux extrêmes de la péricope (1,2b et 3,1.6). Ces deux introductions s'achèvent sur l'annonce des développements successifs: ici, la supériorité du Fils sur les Anges; là, le maintien de la fidélité par les chrétiens (1,4 et 3,6bc).

Les deuxièmes unités (1,5-6) et (3,7-11) sont constituées de *citations*, trois ici et une longue là, de la Parole de Dieu. Elles mettent en relief un *Aujourd'hui* en référence à la *filiation* puis à une *entrée*, à cette nuance près qu'il s'agit ici du Fils et là des fidèles. Ici, "l'Aujourd'hui" est celui de la "génération (γεγέννηκα)" du "Fils", le "Premier-né", envers qui Dieu se reconnaît "Père" et qu'il "introduit" (εἰσαγάγῃ) dans l'*oikouménè*. Ce dernier terme indique le monde habité et connote donc le peuple de Dieu qui est là, mais dans la première unité, si fréquemment qualifié de "maison" (οἶκος: 3,2b.5a.6ab). Là, "l'Aujourd'hui" est celui de l'appel permanent de Dieu à la fidélité: il est lié à l'évocation de "vos pères", terme déjà mentionné ici mais dans la première unité (1,1b), et aussi de "cette génération" (τῇ γενεᾷ ταύτῃ), à qui Dieu jura "qu'ils n'entreraient pas (εἰ εἰσελεύσονται) dans son repos". L'introduction ici dans l'*oikouménè* future s'explicite là comme l'entrée dans le repos de Dieu.

Les troisièmes unités (1,7-9) et (3,12-14) constituent les segments centraux *réduits*. Outre le contraste entre ici l'intimité et la fidélité du Fils à Dieu et là le danger d'apostasie d'avec Dieu, se rencontre un rapprochement caractéristique. Ici est exaltée la "chrismation" (ἔχρισεν) du Fils de préférence à ses "compagnons" (μετόχους); et là, la dignité des chrétiens devenus "compagnons du Christ" (μέτοχοι τοῦ Χριστοῦ) (1,9bc et 3,14a).

Les quatrièmes unités (1,10-12) et (3,16-19) sont constitués de *citations*, une longue ou trois extraits, de la Parole de Dieu. On notera leur semblable lien logique ou littéraire avec leur unité précédente: nous avons dû semblablement expliquer comment et pourquoi elles s'en distinguent. Elles se correspondent idéalement en ce sens que la dégradation ici de l'univers et l'immutabilité du Seigneur trouve une image là dans l'effondrement de la génération sclérosée dans le désert et le repos impertubable du Créateur où elle ne ne parvient pas à entrer. Outre la marque mineure de l'universalité (πάντες) des créatures ou des israélites (1,11b et 3,16b), voici une marque majeure dans l'expression de la durée: ici, "tes <u>années</u> ne tourneront pas court" et, là, "les quarante <u>années</u>" du séjour au désert qui tournent court par la mort (1,12c et 3,17a).

En plus de la mention d'une parole divine passée (εἴρηκεν, en 1,13a et 4, 3b.4a), seule l'idée de repos, ici implicite du Christ en sa session et là explicite de Dieu après la création, offre une correspondance entre les unités finales (1,13-14) et (4,1-5). Cependant, comme pour le segment initial des deux premières péricopes, ainsi pour le segment final des deux dernières, on peut noter la correspondance *croisée*: ici, la particule de négation emphatique "n'est-ce pas" (οὐχὶ: doublet) se retrouve là dans l'avant-dernière péricope (1,14a et 3,17b); à l'inverse, les "<u>oeuvres</u>" créatrices de Dieu mentionnées là l'étaient déjà ici en celles du Fils dans l'avant-dernière péricope (1,10c et 4,3d.4c). Enfin, "hériter le salut" ici, c'est là "entrer dans le repos".

Symétrie parallèle (2=4)

Les deux premières unités ou péricopes (2,1-4) et (4,6-11) confrontent les fidèles de l'A.T. et du N.T. dans leur double attitude possible envers la parole de Dieu. Celle-ci - un "<u>parler</u>" (λαλεῖν: 2,2a.3b et 4,8b) et une "<u>paro</u>-le" (λόγος: 2,2a) ou une "voix" (φωνή: 4,7c) - se fait "<u>entendre</u>" (2,1b.2b.3c et 4,7c). Les expressions de l'infidélité sont ici et là variées: "transgression et désobéissance" (παράβασις καὶ παρακοὴ: 2,2b) ou bien "endurcissement" et "indocilité" (μὴ σκληρύνητε...ἀπείθεια : 4,7d et 6b.11b). La "juste rétribution" des fautes - ici, "reçue" par les anciens et à laquelle les chrétiens ne sauraient "échapper" (2,2b.3a) - trouve un exemple là dans le fait pour les israélites et dans le danger pour les chrétiens de "ne pas entrer dans le repos" (4,6.10a.11). L'argumentation est basée sur un *a fortiori*, que souligne au centre de chaque péricope l'usage semblable de εἰ γὰρ ... πῶς ἡμεῖς ... ou bien de εἰ γὰρ αὐτοὺς ... οὐκ ἂν ... (2,2a.3a et 4,8): si les chrétiens sont ici exhortés à une attention plus grande sous menace d'un plus grand <u>châtiment</u>, la raison en est là explicitée dans la grandeur du "repos" qui leur est promis, celui-là même du Créateur, sans comparaison avec celui de la Terre promise aux israélites.

Les deuxièmes unités (2,5-8) et (4,12-13) sont constitués l'une d'une *citation* et l'autre d'un Eloge de *la Parole de Dieu*: elles présentent une description complémentaire de la situation de l'homme devant Dieu, *créateur* et *fin eschatologique*. Le Psaume de la création Ps 8,5-7 inspire visiblement la description de la Parole de Dieu. Tous deux exaltent la présence de l'homme sous le regard de Dieu, son créateur:

- "Qu'<u>est</u>-ce que l'<u>homme</u> ... pour que tu portes <u>tes regards</u> sur lui ?";
- "Il n'<u>est</u> pas de <u>créature</u> qui échappe à <u>sa vue</u>".
    2,6bc: τί ἐστιν ἄνθρωπος   ... ὅτι ἐπισκέπτῃ αὐτόν
    4,13b: οὐκ ἐστιν κτίσις ἀφανὴς ... τοῖς ὀφθαλμοῖς αὐτοῦ

L'idée de soumission de l'univers à l'homme se complète dans celle de la soumission de l'homme au regard de Dieu:

- "<u>Tout</u> tu lui as <u>soumis</u> sous ses pieds";
- "<u>Tout</u> est nu (à ses yeux, tout est) <u>subjugué</u> par son regard".
    2,8a : πάντα ὑπέταξας   ὑποκάτω   τῶν πόδῶν   αὐτοῦ
    4,13b: πάντα δὲ γυμνὰ κ. τετραχηλισμένα τοῖς ὀφθαλμοῖς αὐτοῦ (46).

La perspective eschatologique indiquée ici dans "l'*oikouménè* à venir", l'est
là dans "le compte à rendre" (2,5 et 4,13c).

Par ailleurs, la première unité (2,1-14) offre des vocables en harmonie
avec l'Eloge de la Parole de Dieu. Le parler de Dieu est exprimé ici et là
comme "<u>parole</u>" (2,2a et 4,12a); ici, Dieu témoigne de sa parole par des
"<u>puissances</u>" (2,4b: δυνάμεσιν) et, là, "la Parole de Dieu est <u>énergique</u>"
(4,12a: ἐνεργὴς); enfin, ici ce témoignage de Dieu comprend "de l'Esprit-
Saint des <u>parts</u>" et, là, la parole atteint jusqu'au "<u>partage</u> de l'âme et
de l'<u>esprit</u>" (2,4c et 4,12c: καὶ πνεύματος ἁγίου μερισμοῖς - μερισμοῦ ψυχῆς
καὶ πνεύματος). A l'inverse, la deuxième unité (2,5-8) utilise une expression
qu'on retrouve là dans la première:"au sujet duquel nous parlons" et "au sujet
d'un autre (jour)il parle" (2,5b et 4,8b)

Avec les troisièmes unités, les segments centraux dont le premier est *réduit*
(2,9-10)et (4,14 - 5,4), commence un parallélisme des Colonnes des plus marqués de l'Epître: il marque en fait les deux bisegments finaux. L'un et l'autre segments comprennent donc deux petites unités, de semblable structure, à
savoir: (2,9 et 10) *(4,14-16 et 5,1-4). Dans les deux premières petites unités, en référence aux chrétiens ("nous constatons ..." - "Ayant ... tenons ferme"),
"<u>Jésus</u>" (τὸν... ἠλαττωμένον - τὸν υἱὸν τ.θ.) est le sujet:il s'agit de ses
rapports avec Dieu en faveur des hommes; les secondes unités, sous forme explicative (cf. "<u>Car</u>...")et générale, développent le contenu des premières, et
Dieu y est en évidence.

Ainsi, dans un contexte implicite ou explicite du sacerdoce tout d'abord,
les expressions concentriques, ici, de la ou des "<u>souffrances</u>" (πάθημα - παθη-
μάτων:2,9b.10e)de "<u>Jésus</u>" ou du "Pionnier", ont pour correspondantes les expressions concentriques, là, de la "<u>compassion</u>" ou de la "<u>commisération</u>"
(συμπαθῆσαι - μετριοπαθεῖν :4,15b et 5,2a)de "<u>Jésus, Grand-prêtre</u>" ou de "tout
grand-prêtre" . La précision ici que Jésus a goûté la mort "par <u>grâce</u> de Dieu
- <u>pour tout homme</u>" (2,9e: χάριτι θεοῦ - ὑπὲρ παντὸς) s'explicite là dans la
fonction sacerdotale, où l'on est établi "<u>en faveur des hommes</u>" (5,1b: ὑπὲρ
ἀνθρώπων) par vocation divine, et dans l'invitation à s'approcher "du trône
de la <u>grâce</u>, afin... de trouver <u>grâce</u>" (4,16ab: τῷ θρόνῳ τῆς χάριτος... χάριν
εὕρωμεν). D'ailleurs, le thème *royal* qu'évoque là ce "<u>trône</u>" était préparé ici
par la vision de Jésus "de gloire et d'honneur <u>couronné</u>" (2,9d et 4,16a); et,
inversement, cet "<u>honneur</u>" (τιμή) ici royal et final sera là sacerdotal et
initial (2,9d et 5,4a). Enfin, le thème de la *marche* y est aussi fortement exprimé. Le "<u>Pionnier</u>" du salut des nombreux fils que Dieu "<u>conduit</u>" à la gloire
et qui nous est déclaré ici "mené à l'accomplissement" (τὸν ἀρχηγὸν - ἀγαγόντα
- τελειῶσαι), nous est présenté là "Grand-prêtre éminent, qui a <u>traversé</u> les
cieux" et vers le trône duquel nous devons "<u>avancer</u>" (διεληλυθότα - προσερχώμεθα: 2,10 et 4,14a.16a).

Les quatrièmes unités (2,11-13) et (5,5-6) sont encore constituées par
des *citations* de la Parole de Dieu, trois ici et deux là, qui toutes concernent les relations de Jésus/Christ avec Dieu Père en référence aux hommes,
dont il doit devenir solidaire. Aussi y abondent les pronoms personnels, "<u>Moi</u>"
et "<u>Toi</u>"; mais leurs sujets sont inversés: ici, le Fils parle à/de son Père,
tandis que là le Père le reconnaît comme son Fils et Prêtre. On remarquera
au début une semblable attitude d'humilité, ici de Jésus, qui "<u>ne rougit pas</u>"
d'appeler les hommes ses frères ou, là du Christ, qui "<u>ne s'attribua pas la</u>
<u>gloire</u>" de devenir prêtre (2,11b: οὐκ ἐπαισχύνεται; 5,5ab: οὐχ ἑαυτὸν ἐδόξα-
σεν).

Les cinquièmes unités achèvent ce fort parallélisme. Elles se composent en fait ici de deux péricopes et là de deux petites unités. Les nombreux rapprochements de la péricope (2,14-16) avec l'unité (5,7) justifient l'isolement de cet unique verset à l'intérieur de sa péricope. Ici et là sont soulignés l'angoisse de la mort au cours de la vie humaine et sa délivrance. Ainsi la solidarité de Jésus avec les hommes s'exprime ici comme une participation "au sang et à la <u>chair</u>" et à "la crainte de la mort <u>tout au long de la vie</u>" (2,14a.15); là en contexte sacerdotal , elle est décrite comme l'offrande, "<u>aux jours de sa chair</u>", "de prières et de supplications - avec grand cri et larmes", sous l'emprise de la crainte de la mort (47). Mais, alors qu'ici est relevé le triomphe de Jésus, qui "par sa mort (réduit) à l'impuissance '<u>Celui qui détenait le pouvoir de la mort</u>'" (2,14cd), là est accentué la détresse du Christ, qui prie '<u>Celui qui pouvait le sauver de la mort</u>' (5,7c). On notera l'étonnante similitude de ces deux dernières expressions.

Enfin, la péricope (2,17-18) et l'unité (5,8-10) manifestent comment le "souffrir" de Jésus contribue à son rôle de"Grand-prêtre". Le principe de similitude totale à ses frères impose à Jésus la participation à la souffrance: ici, "par son <u>souffrir</u>", personnellement "<u>éprouvé</u>", il peut "porter secours" (47) "<u>à ceux qui sont éprouvés</u>" (2,18: ἐν ᾧ πέπονθεν - πειρασθείς - τοῖς πειραζομένοις); là, "par son <u>souffrir</u>", personnellement "<u>obéissant</u>", il est devenu cause de salut "pour <u>ceux qui lui obéissent</u>" (5,8ab.9b: ἀφ' ὧν ἔπαθεν - ἔμαθεν ... τὴν ὑπακοήν - τοῖς ὑπακούουσιν). Ainsi la souffrance est-elle bénéfique à Jésus et aux chrétiens: d'une part, ici, il est *devenu* "Grand-prêtre", mais "miséricordieux et fidèle"; et là, il est proclamé "Grand-prêtre", mais qui " a appris l'obéissance" - d'autre part, ici, il fait "expiation des péchés du peuple" et, là, il est *devenu* "cause de salut éternel".

Le très fort parallélisme de ces bisegments finaux est marqué par une inclusion identique avec la personne de "<u>Jésus</u>" et sa fonction de "<u>Grand-prêtre</u>" (2,9b.17d et 4,14b 5,10b). Les deux Colonnes font ainsi inclusion avec l'activité du Fils, Jésus/Christ, puisqu'elles commencent toutes deux par une confrontation qui exalte son activité au-dessus de celle des Anges ou de Moïse.

2. Structuration concentrique

Avant d'en venir au détail attirons l'attention sur un fait marquant. Le vocabulaire de la *filiation/parenté* marque fortement l'ensemble des Sections de cette Partie. Sauf "fils d'homme" en 2/2,6c , ce vocabulaire est situé dans les *bisegments extrêmes*, initiaux ou finaux, des deux Colonnes. Avec cette particularité, signe caractéristique de la clôture de cette Partie, que les mentions du "Fils" - hormis "comme Fils" en 3/3,6a qui opère comme élément d'inclusion de C^2 - ne se trouvent, ici et là en trois lieux, que dans le bisegment initial (4 occ.) et le bisegment final (3 occ.). A l'inverse, c'est - outre la mention de leur filiation adoptive en 2/2,10c - uniquement dans les bisegments final ou initial de ces Colonnes, que les chrétiens sont déclarés "frères" en relation à Jésus ou au Christ.

Symétrie concentrique (1x4)

Les unités initiale et finale (1,1-4) et (5,7-10) mettent en évidence le "Fils" en ses relations, d'un côté, avec Dieu son Père et, de l'autre, avec les hommes comme rédempteur. L'identité des articulations phrastiques sur le

rôle du Fils est frappante: "...en un Fils ..., lui qui étant ..." et "... lui...,
bien qu'étant Fils ..." (1,2b.3a: ἐν υἱῷ - ὃς ὤν; 5,7a.8a: ὃς - ὤν υἱός). La
temporalité s'exprime par le pluriel "les jours": ici, celle du temps chrétien,
"à l'extrémité des jours que voici"; et là, celle de la vie du Christ, "aux
jours de sa chair" (1,2a et 5,7a) (49). Celui ici "par qui (Dieu) a fait les
siècles, αἰῶνας" est là devenu "cause de salut éternel, αἰωνίου" (1,2c et 5,9c)
(50). Pourtant, alors qu'au début était exaltée la parole de puissance du Fils,
"portant tout par la parole de sa puissance, δυνάμεως", à la fin est évoqué le
cri puissant qu'en sa faiblesse le Christ lance vers "Celui qui peut, δυνάμενον, le sauver de la mort" (1,3b et 5,7). En réalité, la rédemption est ici
et là mentionnée: ici, "ayant fait purification des péchés" et, là, "prières
et supplications ... ayant offert, ... il a appris par ce qu'il a souffert l'
obéissance" (1,3c et 5,7-8); puis, en conséquence, son exaltation: ici, "il
s'est assis à la droite de la Majesté ..., devenu supérieur aux Anges" et, là,
"mené à l'accomplissement ..., devenu cause de salut" (1,3d.4a et 5,9ac). Bref,
est proclamé la supériorité ici de son "Nom" et là de son "sacerdoce" (1,4b et
5,10).

Les unités suivante ou précédente (1,5-6) et (5,5-6) sont constituées de
citations de la Parole de Dieu. Elles proviennent du Père et concernent son
Fils. L'une d'elles, un des plus évidents et importants rapprochements de
l'Epître, est littéralement la même citation du Ps 2,7 en 1,5bc et 5,5d:

"Mon Fils, c'est toi - Moi, aujourd'hui, je t'ai engendré".

Cette citation est en liaison avec une autre de contenu cultuel: ici, l'adoration   du Fils par les Anges; là, l'investiture sacerdotale du
Fils (1,6 et 5,6). De plus, deux expressions de là sont reprises à l'Introduction: Dieu y est désigné "le Parlant, ὁ λαλήσας" comme montré ici "parlant,
λαλήσας" (5,5c et 1,1b); et pareillement là, le Fils ne s'arroge pas "la gloire" du sacerdoce mais la reçoit de Dieu, lui qui Fils était déjà déclaré ici
"rayonnement de sa gloire" (5,5ab et 1,3a): en réalité, la gloire filiale
fonde la gloire sacerdotale.

Les unités centrales ou segments, ici *réduit*, centraux (1,7-9) et (4,14-
5,4) offrent de fortes marques de concentrie. Sont ainsi confrontés, ici, le
service liturgique des Anges et l'oeuvre rédemptrice du Fils; là, à l'inverse,
la vie sacerdotale de Jésus et l'activité liturgique de tout grand-prêtre.
Du "Fils" - ici déclaré "Dieu" ou de "Jésus"là déclaré "Fils de Dieu" (1,8a.
9b et 4,14b: les deux seules fois en cette Partie désigné avec l'article "*le*
Fils") - est évoquée l'activité rédemptrice: "(son) amour de la justice et
(sa) haine de l'iniquité" ici ont pour correspondant là "(sa) compassion à
nos faiblesses" et "(son) épreuve en tout mais sans péché", en référence à
la "faiblesse" ou aux "péchés" des grands-prêtres ou du peuple, "ceux qui
ignorent et s'égarent" (1,9a et 4,15 avec 5,2-3). Enfin, marque importante,
en plein centre, ici et là, est mentionné son *"trône"*: "trône éternel" ici
ou là "trône de la grâce" (1,8b ou 4,16a).

Au-delà ou en-deçà des centres, les quatrième ou deuxième unités (1,10-12)
et (4,12-13) sont constituées d'une longue *citation* ou de l'Eloge de la *Parole
de Dieu*. Toutes deux synthétiques, cosmologique ou anthropologique, elles considèrent la *création* jusqu'à l'*eschatologie*. Il s'agit, ici, des "oeuvres" des
mains du Fils"Seigneur" et, là, de "la créature" dépendante de "l'active" parole de Dieu (1,10c: ἔργα et 4,12a: ἐνεργὴς). La Fin du monde décrite ici

comme un "changement" apparaît là comme un "jugement". Renforçant ce rapprochement, on notera que l'image du "vêtement" (trois fois), à propos du changement, se poursuit là dans l'image de la "nudité" (γυμνά) de la créature aux yeux de Dieu, à propos du jugement (1,11b.12ab et 4,13).

La concentrie entre les unités finale et initiale (1,13-14) et (4,6-11) n'est pas marquée. Elle reste idéale. A l'attente de la soumission de ses ennemis, après la rédemption laborieuse, correspond la promesse du "repos", après les oeuvres de cette vie. Les deux verbes "s'asseoir" et "se reposer" résument cette similitude.

Symétrie concentrique (2x3)

Les première et dernière unités (2,1-4) et (4,1-5) constituent une mise en garde des chrétiens, qu'accentue l'exemple du châtiment des israélites. La similitude se manifeste par une suite de termes souvent parallèles. Une mise en garde d'abord: "C'est pourquoi il nous faut davantage adhérer aux choses entendues, de peur que nous nous perdions" ➔ "Craignons donc de peur que, demeurant la promesse ..., quelqu'un (paraisse) être-resté-en-retrait" (2,1 et 4,1). La crainte de perdition est liée à la permanence de la fidélité, ici, à maintenir par les chrétiens et, là, maintenue dans la promesse de Dieu. La semblable transmission d'un message divin aux chrétiens comme aux israélites infidèles motive notre crainte: "Car si la parole parlé par les Anges (δι'ἀγγέλων) ... comment nous ... (le salut) parlé par le Seigneur ..." - "Car nous aussi avons reçu-la-bonne-nouvelle (εὐηγγελισμένοι) comme ceux-là ..." (2,2a.3b et 4,2a). Il s'agit ici et là d'une "parole" destinée à "l'écoute" de l'intelligence et du coeur: ici, "parole" et "refus d'écouter" (2,2ab: ὁ λόγος - παρακοὴ) ou, ici, "parole à écouter" (4,2b: ὁ λόγος τῆς ἀκοῆς). L'aspect négatif de l'infidélité des israélites s'exprime ici par "trangression" et "refus-d'écouter" (2,2b: παράβασις καὶ παρακοὴ) et là par "ne leur profita pas, ne s'étant pas uni par la foi à ..." (4,2bc: οὐκ ὠφέλησεν ... μὴ συγκεκ.). L'emploi en ce contexte de la même forme participiale aoriste, ici, de τῶν ἀκουσάντων, où elle indique clairement des "auditeurs", incline à traduire, là, τοῖς ἀκούσασιν, pareillement par "auditeurs" plutôt que par "message entendu" (2,3c et 4,2c).

En plein centre de ces deux unités, voici une invitation à la fidélité des chrétiens par l'évocation des deux termes opposés de la fin eschatologique: ici, le châtiment auquel nous ne pourrions "échapper" ("nous en sortir"!), si nous "négligions" le salut; et, là, "le repos" dans lequel "nous entrons", si nous maintenons notre foi:
- 2,3a: πῶς ἡμεῖς ἐκφευξόμεθα ... ἀμελήσαντες
- 4,3a: εἰσερχόμεθα γὰρ εἰς ... οἱ πιστεύσαντες

Au-delà de ce centre, un début est évoqué: ici, de la révélation chrétienne (2,3b: ἀρχὴν λαβοῦσα λαλεῖσθαι) et, là, de la création cosmique (4,3d: ἀπὸ καταβολῆς κόσμου). La mention précisément ici du "Seigneur", titre premièrement attribué au Fils créateur (1/1,10a), favorise ce rapprochement. En fait, en liaison avec ces deux débuts, sont ensuite mentionnées des oeuvres de Dieu: ici, des oeuvres de puissances détaillées (2,4: "signes et prodiges ...") ou là, les oeuvres de la création récapitulées (4,4a: "toutes ses oeuvres"). Cette activité divine, remarquons-le enfin, est ici et là introduite par un "génitif absolu" (2,4a et 4,3d).

Les deuxième et quatrième unités (2,5-8) et (3,15-19) constituées de *cita-tions* ne comportent aucune concentrie notable. Signalons cependant une symétrie chevauchante en 2,6a et 4,4a où, les deux seules fois dans l'Epître, une citation est référée à "quelque part, που".

Les correspondances entre les unités centrales, segments centraux *réduits* ici et là (2,9-10) et (3,12-14), sont des plus évidentes: Jésus et les chrétiens sont confrontés dans un même contexte de *marche* ou d'*Exode*. L'exposé fait appel à une même considération des chrétiens: "... nous le voyons, Jésus, ..." et "Voyez, frères, à ..." (2,9b et 3,12a: βλέπομεν et βλέπετε). Ensuite, l'exemple ici proposé de Jésus qui "par la grâce de *Dieu* pour tout homme a goûté la *mort*" renforce l'exhortation à éviter là "de se détacher du *Dieu vivant* par un coeur mauvais" (2,9de et 3,12bc). Enfin, un couple de totalité de même type "*Commencer-Achever*" résume ici et là la totalité du cheminement de la vie terrestre, ici, vers la "gloire" et , là, vers le "repos". Ici, Dieu "mène le 'Pionnier' de leur salut par des souffrances à l'accomplissement"; là, devenus les compagnons du Christ, les chrétiens doivent "leur position initiale jusqu'à la fin tenir ferme":

- 2,10de: τὸν ἀρχηγὸν τῆς σωτηρίας ... τελειῶσαι
- 3,14bc: τὴν ἀρχὴν τῆς ὑποστάσεως μέχρι τέλους

Notons-le, dans ces unités centrales commencent ou s'achèvent les mentions de la *"filiation/parenté"*, qui marquent les bisegments final et initial de ces deux Colonnes, où prédominera le terme "frères". Il s'agit ici des "nombreux fils" que Dieu mène à la gloire, filiation adoptive qui fonde la fraternité chrétienne évoquée là : " Voyez, frères, à ..." (2,10c et 3,12a).

Les quatrième et deuxième unités (2,11-13) et (3,7-11) sont constituées de *citations*, trois ici et une longue là. Ici, apparaît dans l'Epître le voca-bulaire de la fraternité: Jésus ne rougit pas d'appeler les hommes "ses frères", voire "enfants"; ce lien contraste avec l'ancien, qu'exprime là "vos pères" et "cette génération" (2,11b.12a.13b et 3,9a.10b).

Relevons une suite *parallèle* de thèmes communs avec des nuances complémen-taires. Les segments final et initial (2,11-18) et (3,1-11) s'ouvrent sur le thème de la *sainteté*, en référence à Jésus et aux chrétiens: ici,"le Sanctifi-cateur et les sanctifiés" ont tous une même origine; là, les chrétiens sont appelés "frères saints" (2,11a et 3,1a). Ensuite ici, les hommes, Jésus ne rougit pas de "les appeler 'frères'"; et là, les"frères" sont "appelés" au ciel (2,11b et 3,1a: ἀδελφοὺς καλεῖν et ἀδελφοὶ... κλήσεως). En fait, Jésus "participe" comme ses frères "au sang et à la chair"; et, là réciproquement, les chrétiens comme lui sont "participants" de la "vocation céleste" (2,14b et 3,1a: μετέσχεν et μέτοχοι). Prenant ici en charge "la race d'Abraham", Jésus est établi là "comme Fils" sur sa maison que nous sommes (2,16a et 3,6a).Enfin, "éprouvé"comme eux, Jésus peut ici secourir ses frères "éprouvés": évocation du mystère de l'Exode ou du désert ou, là, "au jour de l'épreuve", les pères "mirent (Dieu) à l'épreuve dans le désert" (2,18ab et 3,8cd: πειρασθείς - πειραζομένοις et τὴν ἡμέραν τοῦ πειρασμοῦ... οὗ ἐπείρασαν).

La liaison d'une Colonne à l'autre est marquée par une forte concentrie dans les unités finale et initiale (2,17-18) et (3,1-6):

- 2,17: "de là il devait ... à ses frères être rendu semblable pour devenir
            fidèle Grand-prêtre ...;
- 3,1.2a: "De là, frères ..., considérez ... le Grand-prêtre ... fidèle ..."

Ce premier exemple de l'unité structurelle d'une Partie nous donne une idée de la *complexité* de la structure de l'Epître. Nous y avons décelé trois niveaux de symétries: la symétrie concentrique et bisegmentale de chacune de ses quatre Sections; la symétrie concentrique de ses deux Colonnes; la symétrie parallèle des Sections parallèles et la symétrie concentrique des Sections concentriques de cette première Partie.

Nous allons retrouver cette même complexité au fil des analyses des deux autres Parties.

DEUXIÈME PARTIE

(5,11 - 10,39)

La deuxième Partie de l'Epître aux Hébreux couvre les trois Colonnes centrales de notre *Synopse structurelle*, soit six Sections où prédominera la symétrie concentrique. La deuxième Fresque historique qu'elle offre est caractérisée par la thématique cultuelle et sacrificielle, en référence à *l'Alliance*, et précisément au changement de l'ancienne par la nouvelle. En commençant par une description de la vie chrétienne, elle accentue sa valeur de *création nouvelle*. Les développements sur *Abraham*, puis sur le sacerdoce de *Melchisédech*, s'y prolongeront par une seconde confrontation entre notre Grand-prêtre et *Moïse*, à propos de la *Liturgie des deux Tentes*. Cette temporalité du Temple et de la Loi s'achève avec l'entrée de Jésus Christ en ce monde, où commence son offrande sacrificielle. Sa Session ouvre la temporalité *ecclésiale* dans l'attente eschatologique.

§ 8 : CINQUIÈME SECTION (5,11 - 6,20)

Nous distinguons trois segments: (5,11 - 6,3) ♦ (6,4-12) ♦ (6,13-20). Et le segment central comprend trois péricopes: (6,4-6 7-9 10-12). L'équilibre statistique de cette Section moyenne de 377 occurrences est remarquable. En voici la formule globale, puis détaillée: 119 ♦ 143 ♦ 115 ou 57.6.56 ♦ 39.52.52 ♦ 46.16.54 . Le centre statistique coïncide purement et simplement avec le centre structurel. Les trois segments correspondent à un détail près à des divisions de A. Vanhoye. Les limites de cette Section sont reconnues presque unanimement (1).

L'Auteur ouvre la deuxième Partie de son Epître, la Partie *centrale*, par un reproche: ses interlocuteurs manquent de maturité spirituelle. Ce premier segment est bâti sur une série d'antithèses qui en assurent fortement l'unité (5,11 - 6,3) (2). Une antithèse fondamentale oppose deux degrés, d'une part, de l'*enseignement* chrétien et, d'autre part, des *dispositions* personnelles de l'auditeur. Ces oppositions sont exprimées en clair ou sous forme d'images. Nous relevons plusieurs couples: lait ≠ nourriture solide; enfant ≠ parfait; (enseignement) du commencement ≠ (enseignement) parfait. Ces couples, de soi complémentaires, pourraient exprimer la *totalité* du développement intellectuel chrétien, en ses deux phases initiale et finale, au cours de la vie (διὰ τὸν χρόνον, 5,12a). Ici, ils forment une opposition péjorative: qui devrait être devenu adulte est demeuré enfant ! Noter par ailleurs que le discernement du "parfait", qui apprécie "le bien et le mal", a valeur de totalité - comme sous un aspect l'enseignement du "commencement", qui va des origines chrétiennes (renoncement aux oeuvres mortes - Foi en Dieu) aux fins dernières (résurrection des morts - jugement).

Voici le tableau de ces antithèses:

Enseignement:	E (développé)	E στερεὰ τροφή	✦ θεμέλιος
	e (élémentaire)	e γάλα	✦ στοιχεῖα

Dispositions:	D διδάσκαλοι	D τελείων	⁎ γεγυμνασμένα
	d νωθροὶ	d νήπιος	⁎ ἄπειρος

Faisons les remarques suivantes sur la distribution de ce tableau:

1. L'Enseignement développé s'exprime de multiples façons: πολὺς ὁ λόγος (v.11), λόγου δικαιοσύνης (v.13), διάκρισιν καλοῦ τ.κ. κακοῦ (v.14), τὴν τελειότητα (6,1) et τοῦτο ποιήσομεν (6,3). Et de même, l'enseignement élémentaire: τῆς ἀρχῆς τῶν λογίων τοῦ θεοῦ (v.12), τὸν τῆς ἀρχῆς τοῦ Χριστοῦ λόγον (6,1), μετανοίας ... αἰωνίου (6,1-2).

2. Les images de la dernière colonne du tableau ont été réparties en raison des considérations suivantes: si γεγυμνασμ. se rapporte bien aux τελείων et ἄπειρος au νήπιος , l'un et l'autre concernent en positif ou en négatif l'enseignement développé; tandis que στοιχεῖα et θεμέλιον (3), pareillement en positif ou en négatif, concernent l'enseignement élémentaire. Ces images pourraient donc être classées, deux à deux, dans l'enseignement soit développé soit élémentaire. La distribution indiquée ci-dessus a été retenue parce que les deux premières images concernent immédiatement l'enseignement et les deux dernières, une disposition subjective.

Si, à l'instar de A. Vanhoye, nous analysons la succession des idées et des images en jeu dans ce segment, nous obtenons la *formule* personnelle suivante, distincte de celle de A. Vanhoye que nous y joignons:

E d D ✦e / e _E_ - e ⁎_E_ d ₒ _D E_ ⁎E - _e_ E / ✦e ... E

M m/M m m M / m M m ──── M... / m M m... M

Nous constatons que la formule est parfaitement concentrique, compte-tenu de cette particularité que de 5,12d à 6,1b à un élément de degré mineur (m) correspond un élément de degré Majeur (M) - sauf une fois (5,13b et 14c , mais avec l'opposition négatif et positif); et, pareillement, qu'à un terme en image correspond un terme en clair - sauf une fois (5,13c et 14a, encore au centre mais avec l'opposition imparfait et parfait).

La seule anomalie paraît constituée par les termes siglés " d D " (5,11b et 12a): "lents - maîtres". En fait, elle se résout si l'on remarque que le correspondant littéraire concentrique de ces termes est l'*énumération* des vérités fondamentales élémentaires, siglée " ... ". Or cette énumération comporte le terme διδαχή , qui est un terme générique pour l'enseignement élémentaire de l'initiation chrétienne - et dont la leçon manuscrite διδαχήν (P⁴⁶, B, *ital.*) fait l'équivalent de θεμέλιον (4). Même si l'on retient la leçon διδαχῆς plus attestée, ce mot fournit un correspondant concentrique parfait de διδάσκαλοι. La formule structurelle doit donc être complétée par un autre sigle " D' ", qui signale cette correspondance. L'anomalie disparaît alors puisque les extrêmes s'écrivent désormais:

E d D ✦e /   / ✦e D' E

Ajoutons que le couple " d D " (imparfait-parfait) possède en " D' " un équivalent dans les "six sujets d'instruction élémentaires", dont les quatre premiers concernent le début de la vie chrétienne (conversion et foi, baptême et imposition des mains) et les deux derniers concernent la fin eschatologique (résurrection et jugement).

On doit considérer "maîtres, διδάσκαλοι" et "enseignement, διδαχῆς" comme les termes d'*inclusion* propres à ce segment (5,12a et 6,2a). On admirera l'art avec lequel ils en résument le contenu, puisqu'ils en désignent l'idée géné- rale, de la connaissance religieuse, et la distinction polémique, de l'initia- tion opposée à la perfection chrétienne (5).

Le reproche de manque de maturité se transforme dans le segment central (6,4-12) dans une mise en garde eschatologique. Contrairement aux apparences l'ensemble est fortement structuré et unifié. Il comprend trois péricopes qui s'enchaînent en ricochet: toutes trois sont introduites par la même conjonc- tion explicative: "Car…". Chaque péricope favorise une distribution du texte en trois *tercets*, comme la présente notre Synopse.

La première péricope (6,4-6) évoque la merveilleuse expérience de l'*ini- tiation chrétienne* et la gravité irrémédiable d'une éventuelle apostasie. En chacun des tercets est mentionnée l'une des trois Personnes divines: l'Esprit- Saint, Dieu ou le Fils de Dieu. La deuxième péricope (6,7-9), en un contexte de Genèse, développe les images contrastées d'une terre *fertile* (1er tercet) ou d'une terre *stérile* (2ème tercet), dont l'application aux auditeurs est faite "en bonne part", celle de la terre fertile (3ème tercet). La troisième péricope (6,10-12) rappelle, enfin, les débuts généreux de la vie chrétienne des destinataires et les encourage à persévérer jusqu'à la fin. En chacun des tercets est mentionnée l'une des trois vertus théologales: la charité, l'espé- rance ou la foi.

Si, encore avec A. Vanhoye (6), nous dési- gnons par A la situation favorable et par B la défavorable, et pareillement par A' et B' les images correspondantes, nous obtenons le schéma structurel suivant:

$$B \ / \ A' \ B' \ A' \ / \quad A$$
$$vv. \quad 4\text{-}6 \quad 7 \ 8 \ 9 \quad 10\text{-}12$$

L'unité et la concentrie du segment apparaissent dans la similitude géné- rale du schéma des trois péricopes, dont chacune évoque une temporalité en ses origines et en sa fin. Ainsi les péricopes extrêmes évoquent, en général ou en particulier, les débuts de l'initiation chrétienne et la fin redoutable ou souhaitable de la vie chrétienne; la péricope centrale évoque semblablement la production des fruits d'une terre fertile ou stérile, dont le terme est bénédiction ou malédiction. On relèvera par exemple la mention eschatologique en chaque tercet *central* des péricopes (7):

$$\text{μέλλοντος αἰῶνος - τὸ τέλος - ἄχρι τέλους.}$$

La concentrie est soulignée verbalement, tout d'abord, par l'inclusion que forment les deux expressions: "devenus participants" et "ne pas devenir nonchalands" (6,4c et 12a), toutes deux appliquées aux chrétiens. Ensuite, par l'expression des attitudes chrétiennes opposées d'outrage au Fils de Dieu ou de dévouement envers leurs frères (6,6c et 10b: παραδειγματίζοντας, hapax du N.T., et ἐνεδείξασθε). Cette concentrie est renforcée par la correspondance entre l'énumération des trois Personnes divines, ici, et l'énumération des trois vertus théologales, là (vv. 4-6 et 10-12). Enfin, dans la péricope cen- trale, par la correspondance de "bénédiction" avec "salut" (6,7c.9b).

L'encouragement aux chrétiens, plus par mode d'exposé que d'exhortation, se prolonge dans le segment final en faisant appel à l'exemple d'*Abraham* (6,13-20). Pour la première fois dans la Bible, Dieu joint le *serment* à la *promesse* (cf. Gn 22,15-18). Comme ce fait réconforta Abraham, ainsi doit-il nous réconforter.

Personnellement nous considérons comme partie centrale du segment la comparaison entre serment divin et humain, avec son application au serment alors évoqué (6,16a-18b). Aux deux extrémités, cinq stiques mettent en parallèle, en relation à la promesse et au serment divins, la condition d'Abraham et la condition des chrétiens (6,13-14 et 18d-20). Formant la cohésion de ces deux conditions historiques avec l'affirmation centrale, les deux versets 6,15 et 18c soulignent le semblable effet:
- pour Abraham: "Et, ayant ainsi persévéré, il obtint la promesse";
- pour les chrétiens: "(afin que) nous ayons un puissant réconfort".
Mais, tandis que la promesse assurait à Abraham une descendance innombrable, elle assure aux chrétiens "l'entrée dans le repos" (cf. 3/4,1ab): "entrée" qui ici s'annonce aussi de façon encore voilée comme une entrée dans le sanctuaire céleste (vv. 18d-20). Cette structuration est marquée aux extrêmes peut-être par la répétition ici de "jurer" (6,13b.14a) et là de "entrer" (6,19b. 20a); et au centre certainement par la forte concentrie (6,16c.17acd):

ὁ ὅρκος - Βουλόμενος ὁ θεὸς … τῆς βουλῆς αὐτοῦ - ὅρκῳ

Unité structurelle de la 5ème Section

Sans revenir sur l'équilibre statistique et la concentrie du segment central, relevons les éléments marquants de la symétrie concentrique interne à cette Section.

L'inclusion si forte du "nous" chrétien aux extrémités est renforcée par le contraste entre les chrétiens "devenus *lents*" à comprendre et Jésus entré au ciel "en *avant-coureur*… devenu Grand-prêtre":

- 5,11ab: Περὶ οὗ πολὺς ἡμῖν … (ἐπεὶ) νωθροὶ γεγόνατε …
- 6,20ab: ὅπου πρόδρομος ὑπὲρ ἡμῶν … ἀρχιερεὺς γενόμενος … (8).

D'autant plus que le sujet à traiter (Περὶ οὗ…) est précisément le sacerdoce du Christ (cf. 5,10). Nous trouvons ensuite, ici et là, deux emplois du verbe "avoir, ἔχειν" avec une signification semblable: ici, "besoin vous avez" et "besoin ayant (vous)" (5,12bd); et, là, "un encouragement nous ayons" et "comme une ancre nous avons" (9). Enfin, de trois occurrences ici et là de "Dieu", la première ici et la dernière là ont référence à la parole de Dieu, en liaison avec une formule en "avoir":

- 5,12bc: "besoin vous avez qu'on vous enseigne … les oracles de Dieu";
- 6,18bc: "(du fait qu') il est impossible à Dieu de mentir …, un encourage-
          ment nous ayons";

et, d'autre part, la dernière ici de "Dieu qui permet" et la première là de "Dieu qui promet" sont au terme ou au début de ces péricopes extrêmes parfaitement concentriques (6,3 et 13a: ἐπιτρέπῃ ὁ θεός - ἐπαγγειλάμενος ὁ θεός).

La solide *bisegmentalisation* de cette Section est d'autant plus remarquable que ses nombreux rapprochements confirment par leur localisation la structuration du segment central: le segment initial y trouve ses rapprochements en B et B' et, à l'inverse, le segment final y trouve ses rapprochements en A et A'.

Dans le bisegment initial (5,11 - 6,12) nous rencontrons d'abord une importante suite de réalités relatives à l'initiation chrétienne: 1. Lait-nour= riture solide (deux fois) / ayant goûté (deux fois); 2. le _participant_ / les participants ; 3. le bien (litt.: le _beau_) / la _belle_ parole; 4. _pas de nouveau_ posant le fondement ... la _conversion_ / _impossible_ ... _de nouveau_ de renouveler à la _conversion_; 5. la résurrection des morts / crucifiant le Fils de Dieu; 6. le jugement éternel / près d'être maudite ... au feu.

A ces éléments parallèles s'ajoutent des éléments concentriques, dont le plus notable est l'inclusion évidente entre "lents vous êtes devenus" et "(que) lents vous ne deveniez pas" (5,11b et 6,12a). Inclusion renforcée par l'usage du "_vous_" aux extrémités (5,11-12 et 6,9-12); par la concentrie de "parole de justice" et de "Dieu _pas injuste_" (5,13b et 6,10a); par la concentrie d'une image d'un mouvement ascendant, en liaison avec l'idée de perfection ou de fin: "à la _perfection_ portons-nous" et "(celle qui) _porte_ (litt.: fait sortir) des épines ... a pour _fin_ le feu" (6,1b et 8ac).

Le bisegment final nous offre une autre suite, encore que moins parfaite: 1. la _bénédiction_ de Dieu / Dieu ... _bénissant_ je bénirai; 2. _même si ainsi_ (εἰ καὶ οὕτως) nous parlons / _et ainsi_ (καὶ οὕτως) il obtint la promesse; 3. en réciprocité des chrétiens à Dieu ou de Dieu aux chrétiens: "Car Dieu ... nous _désirons_ que chacun _montre_ la même ardeur " / "_Car_ les hommes ... Dieu voulant _montrer_ aux héritiers" (6,10a.11ab: γὰρ... ὁ θεός... Ἐπιθυμοῦμεν... ἐνδείκνυσθαι ...; 6,16a.17ab: ἄνθρωποι γὰρ ... βουλόμενος ὁ θεὸς ἐπιδεῖξαι ...).

Cette suite est presque comprise dans l'inclusion relative que forment les deux constatations: "Il est impossible ..." et "il est impossible ..." (6,4a et 18b).

§ 9 : SIXIÈME SECTION (7,1-28)

L'accord est complet sur l'unité de cette Section, et presque complet sur sa subdivision en péricopes. O. Michel et C. Spicq, entre autres et suivis par A. Vanhoye, indiquent les péricopes suivantes: 7,1-3 4-10 11-14 15-19 20-22 23-25 26-28. Nous y ajoutons la subdivision des vv. 4-10 en deux péricopes, 4-6a et 6b-10. Si le regroupement 7,1-10 s'impose à tous, les divergences sont notables pour le reste (10). Personnellement nous reconnaissons trois segments: 7, 1-10 11-19 20-28. Cette Section de 456 occurrences, la deuxième en importance de l'Epître, offre ainsi une formule équilibrée: 168 + 136 + 152 ou bien 65.51.52 + 73.63 + 41.45.66.

La suite que forment les Sections 6 à 9 apparaît comme le commentaire de la définition de "Tout grand-prêtre", donnée en 4/5,1-4 , "Tout grand-prêtre - est établi pour offrir - des dons et des sacrificespour le péché":
S⁶ insiste sur le _sacerdoce_: un autre Prêtre doit se lever, saint et vivant;
S⁷˙⁸ développent l'institution _pour offrir_:c'est l'objet des deux "syntagmes caractéristiques" de cette Colonne centrale;
S⁹ souligne _l'offrande et le sacrifice_ pour le péché, offert par Jésus-Christ.
La prédominance du vocabulaire manifeste l'importance successive de ces éléments de la thématique sacrificielle:
en S⁶, du Sacerdoce   (S⁵···¹⁰: 2/**25**/6/2/01/1);
en S⁷˙⁸, de l'Offrir   (S⁵···¹⁰: 0/02/**5**/**4**/05/0);
en S⁹ , des dons ...   (S⁵···¹⁰: 0/02/5/2/**14**/1).

Cette Section se présente comme un _midrash_ sur Gn 14,17-20 et sur le Ps 110,4 : elle exalte le Fils de Dieu fait homme en sa qualité de Grand-prêtre selon l'ordre de Melchisédech. Le segment initial nous offre l'exégèse de ce texte de la Genèse. Sa subdivision en trois péricopes est attestée par la similitude de leur structure: chacune comporte le rappel d'un fait historique, ou plus précisément d'un trait de l'unique fait en jeu, et une interprétation de sa signification. Cette similitude est soulignée verbalement par une triple opposition en μὲν / δὲ.

La première péricope (7,1-3) présente l'ensemble des traits, dont elle commencera l'interprétation. De *Melchisedech*, qualifié de *Roi* et de *Prêtre*, est relevé par la Genèse: 1. sa rencontre avec *Abraham*; 2. la bénédiction qu'il lui donne; 3. la dîme qu'il en reçoit (v. 1). L'interprétation commence par le titre de Roi, en plein centre: titre qui signifie "Roi de justice et Roi de paix" (v. 2). Cette unique mention de la royauté en cette Partie annonce, nous le verrons, deux maîtres-mots faisant inclusion, l'un, "d'abord" la justice, de la Colonne 6 et, l'autre, "ensuite" la paix, de la Colonne 7. L'interprétation du titre de Prêtre est préparée par une *énumération* de qualités de Melchisédech. Elle fournit un couple fondamental pour l'argumentation que résume 7,3b:
"n'ayant ni commencement de jours, ni fin de vie" (11).
A ce trait concernant l'*origine*, se rapporte le verset précédant:
"sans père, sans mère, sans généalogie";
tandis qu'au trait concernant la *fin* , se rapporte le dernier verset:
"il demeure prêtre à perpétuité".
L'avant-dernier verset, enfin, explicite le premier fondement essentiel à l'interprétation: Melchisédech est "assimilé au Fils de Dieu".

La deuxième péricope (7,4-6a) reprend le trait de la *dîme* et introduit le second fondement essentiel à l'interprétation: l'inclusion en Abraham du sacerdoce lévitique. Mais le point de vue est pris ici de l'*origine*, comme l'atteste l'abondance du vocabulaire généalogique: Patriarche, reins, fils, frères, généalogie . L'éminente grandeur de Melchisédech apparaît en ce fait qu'Abraham - père commun et des prêtres lévitiques, qui reçoivent la dîme, et du peuple, qui la leur donne - lui a donné la dîme, alors que lui n'appartient pas à sa descendance.

La troisième péricope (7,6b-10) reprend le trait de la *bénédiction*, pour expliciter la grandeur de celui qui bénit; puis, encore, le trait de la dîme, mais alors le point de vue est pris de la *fin*. Dans le sacerdoce lévitique, ceux qui reçoivent les dîmes sont "des hommes qui meurent"; là, c'est quelqu'un dont on "atteste qu'il vit" (v. 8).

De la structuration générale de ce segment, on notera donc la nette distinction des péricopes et leur unité d'ensemble. Les péricopes font inclusion, en effet: la première - qui constitue d'ailleurs une unique phrase - avec le titre de "prêtre" donné à Melchisédech, voire la référence à Dieu ("prêtre de Dieu" et "Fils de Dieu", 7,1bb et 3cd); la deuxième, avec "Abraham a donné en dîme" et "lui... (qui) a soumis Abraham à la dîme" (12); la troisième, à vrai dire peu marquée, avec les deux verbes exprimant la relation de Melchisédech par rapport à Abraham, qu'il a "béni" ou "rencontré" (7,6b.10b).
Le segment est fortement concentrique. L'inclusion est très forte:
<u>Melchisédech</u> - <u>rencontrant</u> - <u>dîme</u> - <u>Abraham</u> / <u>Abraham</u> - <u>dîmes</u> - <u>rencontra</u> - <u>Melchisédech</u> (7,1ab.2aa / 7,9ab.10bb).
Enfin, au centre des péricopes extrêmes, il y a une semblable opposition avec les couples logiques, d'expression temporelle ou locale:
πρῶτον μὲν - ἔπειτα δὲ ... / ὧδε μὲν - ἐκεῖ δὲ ...
Cette dernière forme est d'autant plus notable qu'elle implique l'opposition si importante en cette Epître, entre la *multiplicité et l'unicité*: alors qu'elle est explicitée dans la péricope centrale (7,5a.6a: οἱ μὲν / ὁ δὲ), elle demeure en cette dernière implicite dans la forme verbale (7,8ac:ils reçoivent /il vit).

Le *midrash* sur le Ps 110,4 commence avec le segment central (7,11-19). Il regroupe deux péricopes de structure fortement parallèle, marquée cependant par une forte concentrie, à savoir (7,11-14)et (7,15-19).

Après avoir établi la supériorité de Melchisédech, assimilé au Fils de Dieu, sur Abraham, ancêtre du sacerdoce lévitique, l'Auteur en vient à l'application à Notre-Seigneur. En déclarant le Messie "Prêtre selon l'ordre de Melchisédech", le psalmiste prophétise un changement de sacerdoce. Ce sacerdoce *autre* est envisagé en ce segment du point de vue de son *origine*: d'abord selon ses antécédants (première péricope), puis selon ses conséquents (seconde péricope). Il offre ainsi un parfait exemple de *développement* d'un pôle de *couple de totalité*.

De cette prodigieuse structuration, examinons la symétrie parallèle.

Les premières moitiés des péricopes présentent une même argumentation:
- "Si donc (accomplissement il y avait …, quel besoin) encore que selon l'ordre de Melchisédech un autre prêtre soit suscité - et que pas selon l'ordre d'Aaron (il soit dit)";
- "… (c'est) encore plus évident si selon la ressemblance de Melchisédech est suscité un prêtre autre - qui pas selon une détermination charnelle (l'est devenu) …".

Une légère inclusion apparaît ici entre "lévitique sacerdoce" et "ordre d'Aaron"; et là, entre "plus évident, κατάδηλον" et "indestructible, ἀκαταλύτου

Dans les deux centres, vv. 12 et 17, une constatation ("Car …) sur le sacerdoce: ici, le sacerdoce lévitique, qui "change"; là, le sacerdoce messianique, qui "demeure" à jamais. Cette place centrale est confirmée par la valeur de l'affirmation et sa situation dans la structure. La première affirmation sur le changement est l'idée maîtresse de la péricope, encore qu'on la retrouve dans la seconde (13). La seconde affirmation sur la permanence du sacerdoce messianique constitue la seule complète citation de ce Ps en cette Partie (14). Par ailleurs, ce centre est marqué, ici et là, par un vocable ou un syntagme concentrique: ici, λέγεσθαι et λέγεται; là, ἐντολῆς … γέγονεν et γίνεται … ἐντολῆς (vv. 11e.13a et 16b.18a) (15).

Les secondes moitiés, vv. 13-14 et 18-19, présentent encore une structuration semblable. Elles comportent deux phrases, introduites comme une constatation ("Car … car … / Car … car …"), fortement calquées l'une sur l'autre. Ainsi nous rencontrons ici le parallélisme:
- "Car Celui pour qui est dit cela, à une autre tribu a appartenu, de laquelle personne n'a été attaché à l'autel".
- "Car il est manifeste que (c'est) de Juda (que) s'est élevé Notre-Seigneur, de laquelle tribu en-fait-de-prêtre Moïse ne déclare rien".
Là, nous rencontrons cet autre parallélisme:
- "Car abrogation se produit d'une précédante détermination à cause de sa faiblesse et inefficacité";
- "Car … / introduction, d'autre part, d'une meilleure espérance, par laquelle nous approchons de Dieu".
Une nette ou suffisante inclusion apparaît ici entre "tribu" et "tribu" et, là, entre "précédante, προαγούσης" et "introduction, ἐπεισαγωγὴ" (16).

Ce parallélisme s'accompagne d'une concentrie globale du segment tout aussi notable, d'autant que curieusement elle fait jouer deux schémas de concentrie!

A. Vanhoye a relevé les éléments d'une symétrie concentrique, articulée sur sept occurrences de la conjonction "car, γὰρ" …, et qui plàce au centre l'affirmation: "Car … de Juda s'est élevé Notre-Seigneur" (v. 14ab). Les six autres occurrences se présentent concentriques, deux à deux:

- "Car le peuple ... a été doté de loi ...";
  "Car la Loi n'a rien mené à l'accomplissement" (7,11b et 19a):
    - ce sont, en fait, deux sortes de parenthèses .
- "Car, changé le sacerdoce ... de loi changement se produit";
  "Car abrogation se produit du ... commandement ..." (7,12 et 18a).
- "Car Celui pour qui est dit cela (çàd le sacerdoce selon Melchisédech);
  "Car il reçoit attestation que ('Tu es prêtre ... selon Melchisédech')"
  (7,13a et 17).

Ajoutons, ce serait un troisième schéma! que le centre de cette concentrie ("... de Juda *s'est élevé* Notre-Seigneur") fonctionne aussi avec les deux expressions concentriques semblables: "un Autre *se lève* prêtre" et "*se lève* un prêtre autre" (7,11d et 15c) (16bis).

Cette concentrie joue à l'intérieur d'une concentrie plus globale. L'inclusion du segment s'opère avec les thèmes de "l'accomplissement" et de "la Loi": "si accomplissement ... - ... doté-de-Loi" / "La Loi n'a rien mené-à-l'accomplissement" (7,11ab et 19a). Suit le thème de l'efficacité: "quel besoin ... ? " / "manque d'utilité" (7,11c et 18b). Puis, comme dans le schéma précédant, c'est le thème du changement de l'ancien et de l'affirmation du nouveau ("d'un autre"). Mais alors s'opère un décrochement d'avec ce schéma par la mise en concentrie, marquée, de "Celui pour qui" et "Lui qui ..." (7,13a et 16a: ἐφ' ὅν / ὅς ...), avec référence dans les deux cas à l'origine *différente* du Messie prêtre. Enfin, les deux arguments du centre sont introduits par "il est évident" ou "c'est plus évident" (7,14a et 15a: Πρόδηλον / κατάδηλον), avec référence dans les deux cas au "s'élever" de Notre-Seigneur ou au "lever" d'un prêtre autre.

Le midrash sur le Ps 110,4 s'achève avec le segment final (7,20-28). De l'oracle est exploité uniquement la précision *"pour l'éternité"*. Alors que le segment précédant insistait sur la nécessité du changement, ce segment exalte la supériorité du nouveau sacerdoce. Ses trois péricopes sont étroitement apparentées et bâties toutes trois sur l'opposition entre la *multiplicité* des "prêtres" lévitiques et l'*unicité* du "Prêtre" messianique ou, dans la troisième péricope, entre "les grands-prêtres" et notre "Grand-prêtre". Les trois fois la prédominance de Celui-ci sur ceux-là s'affirme εἰς τὸν αἰῶνα: le point de vue est pris cette fois de la *fin*.

La première péricope (7,20-22) fonde la supériorité du sacerdoce de Jésus sur le *serment* divin qui, dès son origine, lui assure la pérennité. La péricope est incluse dans une comparative: "Et pour autant que ... pour autant ...". Nous avons placé au centre la parole même du serment: "Le Seigneur l'a juré et il ne reviendra pas sur cela". Mais une autre distribution aurait mieux souligné les éléments concentriques de la péricope:

    ... sont prêtres devenus - Lui avec prestation-de-serment - ... -
    Le Seigneur l'a juré - Tu es prêtre pour l'éternité.

Exemple d'indécision possible dans la recherche d'une structuration. On notera la première apparition dans l'Epître du thème de "l'Alliance" en 7,22a : équivalent de "la meilleure espérance" (v. 19b) et annonce des développements de la Colonne suivante (cf. 7/8,6b).

La deuxième péricope (7,23-25) fonde la supériorité du sacerdoce du Fils sur la *permanence* éternelle de sa vie, d'où son unicité parce qu'il est intransmissible (17), en opposition à la non permanence des prêtres due à la mort, d'où leur multiplicité par la transmissibilité. Le "demeurer à jamais"

permet au Fils de "sauver à jamais": la plénitude de vie (πάντοτε ζῶν) assure
la plénitude de salut (εἰς τὸ παντελές).

La troisième péricope (7,26-28) indique enfin la raison essentielle de
la supériorité du sacerdoce du Fils, cette fois-ci pour la première fois en
cette Section qualifié de "Grand-prêtre": sa *sainteté* éminente en opposition
à la faiblesse morale des grands-prêtres lévitiques. Le point de vue est total, terrestre et céleste, récapitulatif de toute l'existence du Fils et de
toute la temporalité du culte lévitique.

Cette péricope offre des indices de concentrie. Aux versets extrêmes sont
exaltés, ici, "un tel... Grand-prêtre" et, là, "un Fils... mené-à-l'accomplissement"; aux troisièmes, sont opposés la "séparation d'avec les pécheurs" et "la
faiblesse des grands-prêtres" (vv. 26c et 28b); au centre même, semblable opposition dans le "chaque jour" du culte lévitique et "l'une fois pour toutes" de
toute la destinée sacerdotale du Fils (18).

L'emploi de ἀναφέρειν (ici deux fois; cf. 8/9,28b et 14/13,15a), à la
place du plus fréquent προσφέρειν (utilisé à partir de S⁷ et ensuite en S⁸ et
S⁹, où il est inclusif), uniformise cette Section sur l'idée d'*élévation* et
d'*origine*, mise en relief par l'emploi des verbes ἀνίστασθαι et ἀνατέλλειν
pour signifier l'incarnation. Les idées d'origine, de croissance et d'offrande
sont ainsi unies: en sa naissance de Juda, Notre Seigneur *se lève comme Prêtre
et s'élève comme offrande*; celle-ci s'achève sur terre sur la croix (cf. 5/6,6c
l'hapax du N.T. ἀνασταυροῦν, qui mieux que le verbe simple souligne l'élévation).
Elle se consomme dans l'au-delà, où notre Grand-prêtre "devint plus élevé que
les cieux" (v. 26d).

L'unité structurelle de ce troisième segment est soulignée, comme celle
des deux précédants, par une très forte inclusion:

- 7,21a: ὁ δὲ μετὰ ὁρκωμοσίας διὰ τοῦ λέγοντος ...
- 7,28c: ὁ λόγος δὲ τῆς ὁρκωμοσίας τῆς μετὰ ...   (19).

Ces deux expressions concernent le Fils. L'inclusion est renforcée par les
termes "prêtres" et "grands-prêtres" qui, eux, se rapportent au sacerdoce lévitique (vv. 20b et 28b). Nous constatons ainsi que chacun des segments, bien que
composé de deux ou de trois péricopes, voit son unité structurelle fortement
marquée par des termes d'inclusion.

Unité structurelle de la 6ème Section

La thématique du *sacerdoce*, prédominante en cette Section (20), offre
l'inclusion de "prêtre", à propos de Melchidédech assimilé au Fils de Dieu,
et de "grands-prêtres", à propos des lévitiques (7,1b et 28b): ces vocables
résument le contraste fondamental entre l'unicité éternelle du sacerdoce du
Fils et la multiplicité temporelle du sacerdoce lévitique; ils sont même inclusifs l'un ou l'autre des péricopes initiale ou finale de cette Section
(7,1b.3d ou 7,26a.28b). En ces péricopes la concentrie se poursuit par la correspondance entre, ici, "d'abord-ensuite" qui marque la dualité de signification du titre de "roi" et, là, "d'abord-ensuite" qui marque la dualité des
bénéficiaires du sacrifice (7,2bc et 27bc); cette correspondance est renforcée
par celle des oppositions en μέν/δέ dans chacune des trois péricopes des segments extrêmes:

πρῶτον μὲν - ἔπειτα δὲ * οἱ μὲν - ὁ δὲ * ὧδε μὲν   - ἐκεῖ δὲ
οἱ μὲν -   ὁ δὲ * οἱ μὲν - ὁ δὲ * ἀρχιερεύς... ὃς - οἱ ἀρχιερεῖς

la dernière opposition étant équivalente aux précédantes; puis, c'est la correspondance entre, ici, "*ni* commencement de jours *ni* de vie de fin n'*ayant*" et,là, "il *n'a pas* chaque jour nécessité", à propos ici et là de la supériorité du sacerdoce du Fils (7,3b et 27a); de même, entre ici une *énumération* de qualités de Melchisédech ("sans père, sans mère, sans généalogie ...") et là une *énumération* de qualités de Jésus ("saint, innocent, immaculé ..."): aux trois qualificatifs d'ici avec le privatif ἀ- correspondent trois qualificatifs là avec ce privatif ἀ-,sous condition de joindre ἀπαράβατον (du v.24b) à ἄκακος et ἀμίαντος; ces énumérations sont en outre suivie ou précédée par l'exaltation aux yeux des chrétiens de la grandeur de ces personnages:
- "Contemplez la grandeur de ce personnage ..." (7,4a);
- "Tel est bien le Grand-prêtre qui nous convenait ..." (7,26a).
Au reste, l'affirmation d'ici "sans fin de vie" a son équivalent là dans l'affirmation "toujours vivant" (7,3b et 25c).

Enfin, ces deux péricopes initiale et finale présentent en symétrie parallèle les correspondances suivantes: semblable introduction, Οὗτος γάρ ou Τοιοῦτος γάρ;Melchisédech est déclaré "prêtre du Dieu *très haut*" et Jésus,"Grandprêtre ... devenu *plus haut* que les cieux" (7,1b et 26d: ὑψίστου et ὑψηλότερος); le premier, "assimilé au <u>Fils</u> de Dieu", reste prêtre "<u>à perpétuité, εἰς τὸ διηνεκές</u>", et le second est reconnu "<u>Fils</u>", Grand-prêtre établi "<u>pour l'éternité, εἰς τὸν αἰῶνα</u>" et mené "à l'accomplissement" (7,3cd et 28d).

Les deux autres péricopes offrent aussi des éléments notables de concentrie. Les deuxièmes, en un même contraste de multiplicité et d'unicité, opposent les lévitiques qui "reçoivent <u>le sacerdoce, τὴν ἱερατείαν</u>" et Jésus qui "*a* <u>le sacerdoce, τὴν ἱερωσύνην</u>" intransmissible (en plein centre de leur segment, 7,5a et 24b) (21). Les troisièmes péricopes, finale ou initiale de leur segment, toujours au bénéfice implicite ou explicite du sacerdoce de Jésus, évoquent avec une circonstantielle de même forme une personne ou une réalité "plus forte" ou "meilleure", κρείττονος: "<u>sans</u> (χωρίς) constestation", de Melchisédech qui bénit Abraham - ou "non <u>sans</u> (χωρίς) prestation-de-serment", de l'Alliance dont Jésus est le garant (7,6b.7a et 20a.22a: notons que "sans" est employé avec deux termes juridiques).

Cette concentrie se poursuit en celle si marquée du segment central.

La symétrie *bisegmentale* est nettement marquée.
Le bisegment initial (7,1-19) offre des éléments d'inclusion et de concentrie: "<u>Melchisédech</u> - <u>vie</u> - <u>Lévi</u> ÷ <u>lévitique</u> - <u>vie</u> - <u>Melchisédech</u>" (7,1a. 3b.9b et 11a.16b.17b) (22). S'y ajoutent trois éléments parallèles:
- Melchisédech est "<u>assimilé</u>, ἀφωμοιωμένος" au Fils de Dieu;
  "selon la <u>ressemblance</u>, ὁμοιότητα" de Melchisédech se lève Notre Seigneur.
- Les prêtres ont "le <u>droit</u>, ἐντολὴν", "<u>selon la Loi</u>" de prélever la dîme;
  le Prêtre autre, ce n'est pas "<u>selon la loi</u> - d'un <u>droit</u>, ἐντολῆς, charnel" qu'il le devient.
- De Melchisédech "<u>il est attesté qu</u>'il vit, μαρτυρούμενος ὅτι ...";
 de Notre Seigneur "<u>il est attesté que</u> 'Tu es prêtre...', μαρτυρεῖται ὅτι ..." (7,3c.5b.8c et 15b.16a.17a).

Le bisegment final (7,15-28) présente une inclusion et une concentrie importante, notamment dans les péricopes initiale et finale (7,11-14 et 26-28). En effet, si la question initiale forme avec la réponse finale une inclusion parfaite sur le thème de l'*accomplissement*, comme l'a noté Vanhoye, cette inclusion est complétée par nombre de vocables de l'argumentation en jeu: la Loi, le peuple, l'élévation, etc.

Ainsi à la question développée:
- "Si donc accomplissement (τελεύωσις) par le sacerdoce lévitique ...
- car le peuple sur cette base a été doté-de-loi -
quel besoin encore que ...
se lève un Prêtre autre (ἕτερον ἀνίστασθαι ἱερέα) ..."
correspond la réponse:
- "... Lui n'a pas nécessité ...
... (pour les péchés) du peuple
il S'est élevé Lui-même (ἑαυτὸν ἀνενέγκας).
La Loi, en effet, ... établit grands-prêtres ...
La parole ...
un Fils pour l'éternité mené-à-l'accomplissement (τετελειωμένον).
Ensuite, la "nécessité, ἀνάγκης" du changement de Loi à la suite de celui du sacerdoce, trouve son explication là dans la sainteté du Fils qui "n'a pas la nécessité, ἀνάγκην" d'offrir tout d'abord pour des péchés personnels comme les grands-prêtres (7,12b et 27a). Notons que le vocabulaire du sacerdoce se trouve aux extrémités, inclusif, et au centre de ces deux péricopes, qui font pareillement mention du sacrifice, et elles seules en cette Colonne (7,13b et 27c: θυσιαστηρίῳ et θυσίας). C'est en elles aussi dans cette Section que se trouvent concentriques les deux seules mentions du "nous" chrétien, en référence au Seigneur prêtre (7,14b et 26a).

Au-delà , toujours concentriques, se rencontrent les mentions de la "puissance de vie" (7,16b) ou du "pouvoir" de sauver parce que "vivant" (25ac), que possède Jésus, pour cette raison donnée ensuite ou auparavant qu'il est prêtre "pour l'éternité" (7,17b et 24a); puis les mentions de la "meilleure espérance" à quoi correspond la "meilleure Alliance" (7,19b et 22a).

Ajoutons deux éléments de symétrie parallèle: ces deux segments commencent par la mention du sacerdoce lévitique (7,11a et 20b) et s'achèvent par une semblable mention de la "faiblesse" de la "Loi" (7,18b.19a et 28ab: ἀσθενές... ὁ νόμος - ὁ νόμος... ἀσθένειαν).

L'unité structurelle de cette Section apparaît donc particulièrement forte.

§ 10 : UNITÉ STRUCTURELLE DE LA 3ème COLONNE (UC)

Avec des Sections de 377 et de 456 occurrences, cette Colonne est la deuxième en importance statistique avec 833 occ. (écart +,132). Leurs formules apparaissent bien proportionnées du fait de leur excellente trichotomie:
119 + 143 + 115   et   168 + 136 + 152 .
Leurs symétries corrélatives sont importantes, mais nous nous bornons à la symétrie concentrique.

Les segments concentriques initial et final (5,11 - 6,3) et (7,20-28) présentent une inclusion de Colonne parfaite avec *la parole , ὁ λόγος* qui, de l'Auteur ou du Serment divin, concerne le sacerdoce du Fils (5,11a et 7,28c). Sous divers termes cette parole est mise en relief ici et là. Ici, nous la rencontrons quatre fois ("parole... difficile à interpréter", "les oracles de Dieu", "la parole de justice", "la parole sur le Christ" (5,11a.12c.13b 6,1a); là, quatre fois il s'agit de "prestation-de-serment", une fois précisée en "la parole de prestation-de-serment" (7,20ab.21a.28c).

En opposition encore parfaitement concentrique, ce sont ici les chrétiens qui, "lents <u>devenus</u> (pour comprendre)", de nouveau "<u>ont besoin</u> d'apprendre" (5,11-12: νωθροὶ γεγόνατε ... χρείαν ἔχετε...); tandis que là c'est Jésus qui, "plus élevé que les cieux <u>devenu</u>", "n'a pas nécessité ... d'offrir chaque jour" (7,26-27: ὑψηλότερος ... γενόμενος - οὐκ ἔχει ... ἀνάγκην ...).

Ensuite, ici les chrétiens "parfaits, τελείων" savent discerner "le bien et le <u>mal</u>, κακοῦ"; tandis que là le Christ "innocent, ἄκακος" est déclaré "parfait, τετελειωμένον" (5,14ac et 7,26b.28d). Enfin le "<u>nous</u>" chrétien est mis en évidence (5,11a et 7,26a).

Relevons aussi un chevauchement significatif entre le 1er et le 2è segments du début, avec "jugement <u>éternel</u>, αἰωνίου" et "<u>siècle</u>, αἰῶνος, à venir" (6,2b.5b) auquel correspond un semblable chevauchement entre l'avant-dernier et le dernier segments, avec "Tu es prêtre pour l'<u>éternité</u>" et "Tu es prêtre pour l'<u>éternité</u>, εἰς τὸν αἰῶνα" (7,17b.21c).

Les segments centraux (6,4-12) et (7,11-19) manifestent tout d'abord la similitude de deux syntagmes formés avec "devenir", et dont les éléments sont concentriques entre eux:
- ici: "participants <u>devenus</u>" et "(pas) lents <u>devenir</u>" (6,4c et 12a);
- là : "changement <u>devient</u>" et "abrogation <u>devient</u>" (7,12b et 18a).
Au reste, le thème de la "<u>participation</u>", ici, des chrétiens en leur initiation aux biens à venir, se retrouve là, de Jésus qui en sa génération "à une autre tribu a <u>participé</u>" (6,4c.5b et 7,13a).

En plein centre ici et là, en une expression unissant l'*origine* et la *croissance (montée)*, se rencontre l'image de la *plante*: explicite ici, dans la terre qui "<u>produit</u>, ἐκφέρουσα" épines et chardon; implicite là, dans la remarque que "de (ἐκ) Juda <u>s'est élevé</u>, ἀνατέταλκεν, Notre-Seigneur" (6,8a et 7,14b) (23). Le détail, par contre, mentionné ici de "l'<u>utilité</u>, εὔθετον" de la bonne végétation, possède son correspondant dans le reproche "d'<u>inutilité</u>, ἀνωφελές" fait à l'ancienne loi sacerdotale (6,7b et 7,18b).

La "<u>fin</u>, τέλος" redoutable de la terre stérile d'être jetée au feu, ici en 6,8c, trouve une application, là, dans la constatation que l'incapacité de l'ancienne Loi à "<u>mener-à-l'accomplissement</u>" (inclusif en 7,11a et 19a: εἰ τελείωσις - οὐδέν ἐτελείωσεν) causera son "changement" ou son "abrogation". Les "<u>puissances</u> du siècle à venir", ici déjà goûtées par les chrétiens, s'explicitent là comme une participation à "la <u>puissance</u> d'une vie indestructible", celle du Christ prêtre "pour l'éternité" (5,5b et 7,16b.17b).

Enfin, alors que l'Auteur envisage ici pour les chrétiens, non le sort de la mauvaise terre "<u>proche</u>, ἐγγύς, de la malédiction", mais "la <u>meilleure</u> part, τὰ κρείσσονα", c'est-à-dire de tendre"vers la plénitude de l'<u>espérance</u>" - ce souhait s'explicite là par le sacerdoce de Notre Seigneur, "introduction d'une <u>meilleure</u>, κρείττονος, <u>espérance</u>, par laquelle nous <u>approchons</u>, ἐγγίζομεν, de Dieu" (6,8b.9b.11c et 7,19bc). Le correspondant contrasté de l'approche du feu, c'est ainsi l'approche de Dieu.

Les deux segments final et initial (6,13-20) et (7,1-10) font inclusion sur le nom d'*Abraham*: ici, le premier et seul usage et, là, le dernier de six autres en cette II ème Partie (6,13a et 7,9a). A ce nom est lié concentriquement l'évocation ici et là de "<u>la Promesse</u>" et de "<u>la Bénédiction</u>": l'insistance porte ici sur la Promesse (annoncée juste en 6,12c, qui fait mot-crochet, et reprise en 6,13a.15.17b), et la Bénédiction est donnée par Dieu (6,14bb); l'insistance porte là sur la Bénédiction (7,1c.6b.7b), transmise par Melchisédech à "celui qui avait les promesses" (7,6b).

Deux autres rencontres verbales soulignent la concentrie de ces considérations. Le serment est ici présenté comme "le terme de toute contestation",
et la bénédiction, là, "hors de toute contestation", comme preuve de supériorité: cette formule πάσης ἀντιλογίας n'est employée dans toute l'Epître qu'ic
et là (6,16b et 7,7a). De même, semblable référence "aux hommes", à propos de
ce serment ou de la dîme donnée par l'inférieur (6,16a et 7,8b).

En remontant vers le centre donc de cette troisième Colonne, nous faison
encore des rencontres concentriques:
- de Dieu, qui ici veut "montrer" (ἐπιδεῖξαι) l'immutabilité de sa promesse;
et des chrétiens, invités là à "contempler" (θεωρεῖτε) la grandeur de Melchisédech (6,17b et 7,4a);
- de syntagmes formés avec le verbe "avoir, ἔχειν" et qui font partie de l'inclusion de l'une et de l'autre Section (6,18c.19a et 7,3b);
- enfin, en plein centre, il s'agit du sacerdoce de Melchisédech: ici, c'est
au sujet de Jésus "selon l'ordre de Melchisédech Grand-prêtre devenu ...": cette
reprise de l'annonce de 4/5,10b a valeur d'annonce du développement qui, précisément là, commence par l'évocation de "Melchisédech" en personne, "prêtre du
Très-Haut" (6,20b et 7,1a).

On voit comment notre analyse intègre les divisions proposées par Vanhoye
dans une perspective supérieure. Se basant sur les fortes inclusions de (5,11-
6,12) et de (7,11-28), cet exégète divisait ainsi son Préambule (notre Section
5) en un long premier paragraphe et un court paragraphe (5,11-6,12 et 6,13-20)
et à l'inverse sa Section A (notre Section 6) en un court paragraphe et un long
paragraphes (7,1-10 et 7,11-20). Nous avons vu que ces longs paragraphes correspondent aux bisegments initial ou final, soit de nos deux Sections soit de leur
Colonne; tandis que les deux courts paragraphes se joignent en bisegment central
de cette Colonne, dont "Abraham" constitue et l'inclusion (6,13a et 7,9a) et le
contenu commun.

§ 11 : SEPTIÈME SECTION (8,1 - 9,10)

Κεφάλαιον, *point capital* de toute l'Epître, la Colonne centrale, la quatrième, commence avec cette Section. Comme la précédente cette Section est,
après S[11] de 496 mots, une des plus étendues de l'Epître avec 455 occurrences.
Ainsi que A. Vanhoye nous la divisons en trois segments: 8,1-6 + 8,7-13 +
9,1-10. La formule statistique manifeste pourtant avec cette division le plus
important déséquilibre de toute l'Epître: 114 + 161 + 180 occ.! Le problème
sera précisé et éclairci lors de l'unité structurelle de cette Section, et la
solution sera ensuite confirmée par l'unité structurelle de la Colonne (24).

Cette Colonne forme avec ses deux Sections un parfait diptyque, où les
trois segments de chaque Section présentent les plus fortes symétries de toute
l'Epître. Chaque volet de ce diptyque, en référence à la *Liturgie de la Tente*,
exalte notamment au centre l'*alliance* ou le *Testament*, selon les deux accep-
tions du vocable διαθήκη (25). Le premier volet insiste sur l'ancienne Alliance
et ses déficiences, tandis que le second volet insiste sur la nouvelle Alliance
et ses excellences.

Le premier segment (8,1-6) présente trois éléments de la structure religieuse que sont le *Lieu* cultuel, sa *Liturgie* et l'*Alliance*, selon lesquels va
se développer la confrontation déjà commencée entre notre Grand-prêtre et le
sacerdoce lévitique. Désormais cette confrontation va se développer selon un
thème nouveau, celui de *la Tente (26)*.

Nous mettons en évidence mais sans du tout forcer leur distinction trois unités qui manifestent la structuration du segment. Cette structuration en effet ne se réduit pas à l'inclusion manifeste de λειτουργὸς avec λειτουργίας (8,2a.6a), soit de *Liturge* avec *Liturgie*. Aux deux extrémités correspondent aussi les deux titres "Grand-prêtre" et "Médiateur", emphatiques (8,1-2 et 5cd-6), et liés d'ailleurs à l'inclusion précédente:
- "un tel Grand-prêtre, qui s'est assis ... liturge ...";
- "... lui est échue une liturgie, ... d'une meilleure Alliance Médiateur".
Ensuite c'est la correspondance entre les deux "Tentes": l'une, "dressée par le Seigneur", est qualifiée de "véritable, ἀληθινῆς" - expression qui l'oppose à une autre; l'autre, "faite" par Moïse, l'est "selon un modèle, τύπον" - expression qui l'oppose précisément à ce dernier. Ici et là, il y a référence céleste: ici, la Tente véritable est servie par notre Grand-prêtre "dans les cieux"; là, la Tente modèle est montrée à Moïse "sur la montagne" (8,1c.2 et 5cd) (27).

Au centre de l'unité centrale (8,3-5b) est placé le verset: "si donc il était sur terre, il ne serait pas même prêtre" - verset qui explicite l'autre pôle, la terre, de l'opposition fondamentale de cette Colonne dont l'autre pôle, les cieux, est mentionné aux deux extrêmes de ce segment. Ainsi sont opposés les deux *Lieux* différents de la "Tente véritable" et de la "Tente mosaïque".

D'une part de ce centre, le principe général que "tout grand-prêtre, c'est pour offrir - des dons et des sacrifices qu'il est établi" a pour application que "nécessairement doit avoir Celui-là quelque chose à offrir" (v. 3). D'autre part, le fait de l'existence des prêtres lévitiques "qui offrent selon la Loi les dons" est appliqué et retourné en faveur de "Celui-là", du fait que ce n'est que "d'une copie et d'une ombre des choses célestes qu'ils font-le-culte" - en vertu de l'institution divine même de cette Tente mosaïque. Sans forcer on peut noter entre ces deux parts les correspondances concentriques:
- des versets au centre: "avoir quelque chose - Celui-là aussi - à offrir" +
  "des offrants - selon la Loi - des dons" (vv. 3c et 4b);
- des versets antécédant ou suivant: "(pour...) des dons et sacrifices - être établi" + "d'une copie et ombre - faire-le-culte" (vv. 3b et 5a).

Notons-le, enfin, chacune des trois unités mentionne: *a)* le monde céleste (8,1c.5a.5d); *b)* le culte, sous les trois aspects de l'acteur, de l'action et du rituel: λειτουργὸς - λατρεύουσιν - λειτουργίας (8,2a.5a.6a); *c)* l'excellence du sacerdoce du Christ: "Tente véritable - fixée par le Seigneur, pas par un homme" - "copie et ombre - des réalités célestes" - "meilleure Alliance - meilleures promesses" (8,2.5a.6bc).

Le segment central (8,7-13) développe les traits de cette "meilleure *Alliance*", dont notre Grand-prêtre vient de nouveau être annoncé le Médiateur (8,6b: cf. 7,22). Est cité le texte de Jr 31,31-34, le sommet du Livre de Jérémie, où est prophétisé un changement d'Alliance.

Le mot d'inclusion du segment est sans conteste la qualification de *"la première"* donnée à l'Alliance mosaïque, dans un contexte réprobatif: "En effet, si cette première était sans-reproche ..." + "... il a rendu ancienne la première" (8,7a.13a). Cette inclusion renforce les éléments déjà symétriques de cette citation, la plus étendue de l'Epître.

Envisagée avec son introduction et sa conclusion (28), cette citation se présente sous forme de deux petites unités possédant chacune une concentrie suffisante, (8,7-9) et (8,10-13). La première unité insiste sur le changement

de l'Alliance. Ce changement s'y trouve exprimé trois fois:
1. dans l'introduction, sous forme de question:
   "Si, en effet, cette première avait été sans reproche,
   il ne serait pas question de la remplacer par une deuxième" (v. 7).
2. dans la conclusion partielle, sous forme de constat de rupture:
   "Parce qu'eux-mêmes ne se sont pas maintenus dans mon Alliance,
   Moi aussi, je les ai délaissés, dit le Seigneur (vv.9de).
3. au centre surtout, sous forme de déclaration d'intention:
   "Je conclurai avec la maison d'Israël
   et avec la maison de Juda une Alliance nouvelle,
   non pas comme l'Alliance que je fis avec leurs pères" (vv. 8cd.9a).
Encadrant ce centre, c'est une semblable référence temporelle:
   "Voici que des jours viennent, dit le Seigneur …
   … le jour où je les pris par la main …" (vv. 8b.9b).

La seconde unité insiste sur la <u>description</u> de la nouvelle Alliance. Elle
posséde aussi une introduction et une conclusion. Une introduction:
   "Voici l'Alliance par laquelle je m'allierai avec la maison d'Israël,
   après ces jours-là, dit le Seigneur (v. 8ab).
La légère dissymétrie entre les deux unités permet de placer le premier verset: *"Voici l'Alliance …"* au centre même du segment central. Cette annonce
se trouve ainsi encadrée entre deux: "…, dit le Seigneur" qui annoncent,
l'un, l'abandon de la première Alliance et, l'autre, le contenu de la nouvelle.
La conclusion répond évidemment à la fois à cette introduction et surtout à
l'introduction du segment:
   "En parlant d'une *nouvelle* il a rendu ancienne la première;
   or ce qui devient ancien et qui vieillit est près de disparaître" (v. 13).
En remontant vers le centre, à partir de cette seconde introduction ou conclusion, nous rencontrons ici et là deux versets aux éléments concentriques de même
contenu:
   "En donnant mes lois, c'est dans leur pensée
   et dans leurs coeurs que je les inscrirai" (vv. 10cd)
 - "Parce que je serai indulgent pour leurs fautes,
   et de leurs péchés je ne me souviendrai plus" (vv. 12ab).
Ensuite, ici et là, c'est un verset exprimant l'appartenance et la connais-
sance réciproques, caractéristiques de l'Alliance:
   "Je serai leur Dieu et eux seront mon peuple"
 - "Car tous me connaîtront, du plus petit jusqu'au plus grand" (vv. 10e.11c).
Au centre de cette unité, enfin, deux versets aux éléments concentriques,
qui évoquent encore pour le nier désormais le régime ancien:
   "Et n'enseignera plus chacun d'eux son compatriote,
   ni chacun d'eux son frère, en disant: 'Connais le Seigneur!'" (vv. 11ab).

On remarque ainsi , dans l'une et l'autre unité, un même schéma d'affirmation en faveur de la nouvelle Alliance et de négation en défaveur de l'ancienne. Cette négation est, d'ailleurs, précédée ou suivie d'un syntagme dou-
blé expressif ici et là de la totalité du peuple:
   " … sur la maison d'Israël *et* sur la maison de Juda …"
   " … chacun son compatriote *et* chacun son frère …" (vv. 8cd et 11ab)

Ainsi, selon le texte de Jérémie, l'*Alliance*, première acception de διαθήκη, conditionne une communauté de vie entre Dieu et son peuple. C'est toute
la durée et l'échec de cette communauté de vie què signifie d'abord ce texte:

son *début*, "le jour où je les pris par la main pour les faire 'sortir d'Egypte'"; l'*entre-deux* d'infidélité, "ils ne sont pas demeurés dans mon Alliance"; sa *fin* menacée, "Moi aussi je les ai négligés", voire rejetés cf. 2/2,3. La nouvelle communauté de vie, celle-là véritable et intime, est elle aussi signifiée en sa durée: "Je mettrai mes lois dans leur pensée et sur leurs cœurs je les écrirai"; la pluralité des lois concerne la totalité des activités du fidèle en "ces jours qui viennent" (29).

Le troisième segment (9,1-10) reprend le thème de la "Tente", ouvert par le premier. Celui-ci avait déjà établi la distinction entre deux Tentes et leurs liturgies respectives. La Tente où est entré notre Grand-prêtre était déclarée "véritable", et la Tente faite par Moïse était reconnue une "copie". Des liturgies n'était alors évoqué que "l'offrande de dons et de sacrifices" ou "de quelque chose à offrir", et cela en référence à "tout grand-prêtre", aux prêtres et à notre Grand-prêtre. Or ce troisième segment va apporter de nouvelles et fondamentales distinctions, dont l'harmonisation avec les premières pose à vrai dire un problème d'interprétation peut-être le plus délicat de l'Epître.

Le développement s'opère en trois étapes: 1. le lieu cultuel mosaïque *se dédouble*: le texte parle d'une "première Tente" et ensuite, "après le deuxième voile", "d'une Tente" qualifiée de "deuxième" (9,2-5; cf. 7a)(30). 2. Les *Liturgies* de l'une et de l'autre Tente sont réparties entre "les prêtres", qui "dans la première tout le temps pénètrent pour y accomplir leur service", et "le grand-prêtre", qui "dans la deuxième une fois l'an, lui seul (pénètre), non sans du sang qu'il offre pour ses manquements et ceux du peuple" (9,6-7). 3. L'interprétation de la symbolique de cette liturgie nous est donnée et en relève l'impuissance: "le *chemin* du sanctuaire n'est pas encore *manifesté*", son "offrande de dons et de sacrifices", ainsi que ses autres rites, sont "incapables de mener-à-l'accomplissement, en sa conscience, l'adorateur" (9,8-10). Ainsi la totalité des rites, sacrificiels et autres, est-elle déclarée en sa totalité temporelle et en sa finalité éternelle totalement impuissante.

Très justement A. Vanhoye insiste pour donner à πεφανερῶσθαι (9,8b) le sens de *manifester* et non pas simplement de *être libre, être ouvert* (cf. SLEH, p. 158, avec les notes 1 et 2). Mais il reste qu'un *chemin* n'est pas une "porte", même si l'aboutissement à une "entrée" manifeste la bonne orientation du chemin! Le chemin implique un *itinéraire* et une *durée* de parcours: c'est en fait toute l'existence de la vie du Christ depuis son incarnation.

Les deux parties de la Tente symbolisent deux lieux et deux liturgies: l'une, terrestre et temporelle, et l'autre, céleste et éternelle. L'année liturgique symbolise une totalité de vie, au cours de laquelle s'exerce le culte terrestre; son terme est un événement unique, un passage dans la seconde Tente, symbole de l'au-delà. Le sacrifice qui l'accompagne est solennel: il vise à une expiation totale et donc à une communauté de vie éternelle. Mais le fait de recommencer chaque année atteste le caractère figuratif et déficient de ce culte. La première Alliance avec sa Loi et son Culte, sacerdoce et rituel, *ne manifeste pas le véritable chemin* vers le sanctuaire!

La structuration de ce segment nous est malaisée.

L'inclusion "la plus voyante" est celle de "rites de culte" et "rites de chair" (9,1.10b: δικαιώματα λατρείας et δικαιώματα σαρκὸς). Son premier terme constitue un doublet occurrentiel, et la complémentarité de ces deux syntagmes exprime parfaitement le processus de dévalorisation qui s'opère dans ce segment.

Cette expression du "culte, λατρείας" marque chacune des trois unités en les-quelles nous avons subdivisé ce segment (9,1-5a 5b-7 8-10), puisqu'on le re-trouve en plein centre (v. 6c: "les prêtres accomplissent les actes du culte, τὰς λατρείας") et à la fin équivalemment, où il prend quelque valeur d'inclu-sion (v. 9c: τὸν λατρεύοντα).

Voici maintenant une trame de symétrie formée comme suit. Chevauchant du début de la première unité au début de la deuxième, nous rencontrons la répé-tition du même verbe, à propos de la première ou des deux Tentes: κατεσκευάσθη et κατεσκευασμένη (9,2a et 6a: /construire, disposer/); et, chevauchant pareil-lement de la fin de la deuxième unité à la fin de la troisième unité, nous ren-controns la répétition du même terme, à propos de la deuxième Tente ou de l'en-semble du culte: "*seul* le grand-prêtre non sans du sang" et "*seulement* (fondé) sur des aliments et des boissons ..." - deux affirmations en défaveur de l'an-cien culte (vv. 7c et 10a: μόνος , μόνον).

Sur cette trame on peut noter divers ensembles marqués par des symétries concentriques. Ainsi dans la première unité, outre la symétrie idéale signalée par O. Michel dans la description des deux Tentes:contenu - qualification + qualification - contenu, cette dernière description présente la concentrie de ses fins de versets: "sainte entre les saintes" - "Arche d'Alliance" + *manne* + "tables de l'Alliance" - "propitiatoire" (vv. 3-5a). Cette symétrie est même incluse entre "proposition des *pains*" et "par partie" ("*part,* μέρος"), qui correspond thématiquement à *manne,* au centre (vv. 2b-5b). Quoi qu'il en soit, il reste que "pains" et "manne" trouvent une correspondance en "dons et sacri-fices" et "aliments et boissons" (vv. 9b.10a).

Dans l'unité centrale nous trouvons la concentrie de περὶ ὧν... avec ὑπὲρ ἑαυτοῦ...; des deux termes de "trame", "installé" et "seul"; de "dans la pre-mière Tente en tout temps" avec "dans la seconde une fois l'an"; enfin, au centre, c'est le service permanent des prêtres, mentionné aussi au centre du premier segment. Le commentaire des vv. 9-10 offre un dernier ensemble concen-trique où se correspondent: "le temps présent" - "dons et sacrifices" + impuis-sance à sanctifier + "aliments et boissons" - "le temps du relèvement".

En plus de la mention explicite de "la première Tente" en chacune des trois unités, se rencontre une mention variée de la "purification": "le pro-pitiatoire" - "pour ses manquements..." - "incapables de mener-à-l'accomplis= sement en conscience l'adorateur" (9,2a.6b.8c et 5a.7c.9c).

La Section en ce centre même de l'Epître s'achève donc sur ce constat d'impuissance de l'Ancien Testament !

Unité structurelle de la 7ème Section

Nous l'avons indiqué, cette Section présente le plus grand déséquilibre statistique de toute l'Epître. Le centre statistique se trouve si au-dessous du centre structurel retenu, qu'une autre structuration pourrait tenter l'ana-lyste. Le centre structurel ne serait-il pas la seule description de la nou-velle Alliance (8,10-13)? La statistique favoriserait cette structuration éventuelle. Voici les chiffres de ces deux présentations:

$$33 + 51 + 30 + 68 + 9 + 84 + 80 + 47 + 53$$

1	114 +	161 +	180
2	182	+ 93 +	180

Ce dernier équilibre paraît donc parfait! Et pourtant l'analyse structurelle de cette Section ne le favorise pas. Cas remarquable où la structuration d'une Section s'opère en dépit d'une énorme différence de la densité verbale de ses segments: habituellement la différence de densité verbale se remarque entre les Sections, tandis que les segments sont d'ordinaire équilibrés concentriquement. En fait, l'analyse oblige à placer au centre de cette Section l'ensemble du texte de Jérémie (8,7-13), car les deux segments retenus comme extrêmes (8,1-6) et (9,1-10), offrent une semblable structure et d'importantes correspondances concentriques.

Une analyse structurale sommaire manifeste d'ailleurs un même schéma de développement, dont la concentrie atteste l'unité idéale des deux segments extrêmes. Si l'on désigne en effet par R (Rites) et T (Tente) deux des sujets de chacun de ces segments en leurs trois unités internes, nous obtenons les deux schémas suivants:

$$R\,T + R\;(T) + T\,R \quad et \quad R\,T + (T)\,R + T\,R$$

Il est notable qu'en chacune des unités se rencontre une occurrence de la SR λειτουργεῖν ou λατρεύειν: chacune des trois occurrences du premier segment est concentrique à chacune des trois occurrences du dernier segment - indiquant, du culte: [1] l'*actant* [2] l'*activité* [3] le *rituel*, et vice versa. En chaque segment, les occurrences extrêmes sont inclusives (8,2a.6a et 9,1.9c).

Relevons donc les éléments en symétrie concentrique notamment, qui marquent l'unité structurelle de cette septième Section.

Notre Grand-prêtre λειτουργὸς a ainsi pour correspondant l'adorateur τὸν λατρεύοντα (8,2a et 9,9c): ce sont les deux *actants* extrêmes du culte en opposition doublée, soit comme Grand-prêtre ou fidèle, soit comme du N.T. ou de l'A.T. La précision que c'est "du sanctuaire et de la Tente véritable" que notre Grand-prêtre est le ministre, se retrouve - toujours en opposition - dans la constatation que "n'est pas encore manifesté le chemin du sanctuaire, tant que la première Tente subsiste" (8,2a et 9,8bc). Cette "assise, στάσιν" de la première Tente correspond par ailleurs à la "fixation" de la Tente véritable (8,2b: ἣν ἔπηξεν… et 9,8c).

Les unités centrales relèvent les *activités*, ici, du "grand-prêtre et des "prêtres" mais, là à l'inverse, des "prêtres" et du "grand-prêtre" (8,3-4 et 9,5b-7). Le syntagme récapitulatif de la fonction du grand-prêtre "offrir des dons et des sacrifices" se retrouve là - légèrement décalé, certes, et à pro= pos du culte de la première Tente encore - mais avec une inversion qui souligne sa forte concentrie de *syntagme caractéristique*: "des dons et des sacrifices sont offerts" (8,3ab et 9,9b).

L'expression voilée ici que notre Grand-prêtre doit avoir "eu quelque chose qu'il offre", reçoit là un début de précision encore implicite dans le détail que le grand-prêtre pénètre dans la seconde Tente "non sans du sang qu'il offre" (8,3c et 9,7b). L'activité des "prêtres", ensuite ou auparavant signalée, l'est ici et là en plein centre (8,5a et 9,6c: σκιᾷ λατρεύουσιν - τὰς λατρείας ἐπιτελοῦντες). On notera par ailleurs que ce dernier verbe ἐπιτελεῖν là utilisé pour résumer leur activité sacerdotale, l'était ici pour signifier l'activité de Moïse construisant la Tente (8,5b et 9,7b: doublet occurrentiel). Au reste, ce personnage de "Moïse" possède son concentrique en celui "d'Aaron" (8,5b et 9,4c). Enfin, à la qualification de la Tente mosaïque d'être "ombre" des réalités célestes correspond la mention des Chérubins de gloire "couvrant-de-leur-ombre" le propitiatoire dans la seconde Tente (8,5a et 9,5a).

Les unités internes enfin mentionnent: la "Tente" mosaïque ici "à faire" ou là "installée"; la "liturgie" et "l'Alliance" éminentes ici de notre Médiateur ou bien, là, "les rites de culte" et "l'Alliance", arche et tables, du médiateur antique (8,5c.6ab et 9,1.2a.4ac). Ces unités concernent donc finalement le *rituel*.

En plus de cette concentrie si marquée, ces deux segments manifestent, entre autres, un certain parallélisme des extrêmes: ouverture avec "nous avons un tel Grand-prêtre" ou "elle avait la première (Alliance) des rites de culte"; conclusion avec l'idée de "type" ou de "parabole", ainsi qu'avec "la bien différente liturgie" du Christ ou "les différents baptêmes" des juifs (8,1b.5d.6a et 9,1a.9a.10a).

Cette si importante symétrie entre les segments extrêmes confirme réciproquement leur unité et leur distinction commune d'avec le segment central, qu'occupe presque entièrement la citation de Jr 31,31-34: sa thématique n'est plus rituelle mais personnelle et elle place au coeur de cette Section la promesse de la nouvelle Alliance: "Voici l'Alliance que j'établirai ..." (9,10a).

Une suffisante *bisegmentalisation* se manifeste.

Entre les segments initial et central (8,1-13) les relations paraissent surtout concentriques. Au "Point capital de ce qui est à dire" (8,1: τοῖς λεγομένοις) correspond "le dire 'nouvelle' ..." (8,13a: Ἐν τῷ λέγειν): cette nouveauté, la "nouvelle Alliance", est bien le sommet de l'exposé. Puis, en revenant vers le centre du bisegment, ce sont les correspondance:

- "trône de la grandeur" (majesté) et "du petit au grand" (8,1c et 11c);
- "qu'a fixé le Seigneur" et "connais le Seigneur" (2b.11b);
- "selon la Loi les dons" et "donnant mes lois" (4b.10c);
- "tu feras selon le modèle" et "pas selon l'Alliance que j'ai faite" (5cd.9a);
- "meilleure Alliance" et "Alliance nouvelle" (6b.8d).

Au contraire entre les segments central et final (8,7-9,10) les relations paraissent surtout parallèles. Ces segments commencent tous deux par le même sujet: "la première (Alliance)", et la mention ici d'un "deuxième lieu" ou là du "deuxième voile" (8,7ab et 9,1.3); ce sont ensuite ici et là deux mentions de l'ancienne Alliance (9,4ac et 8,9ad): la mention, là, des "tables de l'Alliance" rehausse la mention ici de la nouvelle Alliance "sur les coeurs inscrite" (8,10d et 9,4c); et, pareillement, la mention ici du "peuple" nouveau, qui n'a pas besoin du "Connais le Seigneur!" (8,10e.11b: γνῶθι) marque sa libération de l'ancien culte offert pour "les (péchés d') ignorance du peuple" (9,7c: ἀγνοημάτων); enfin, si Dieu ici "ne se souvient plus encore" des péchés, une fois "la première Alliance" "vieillie et disparue" (8,12b.13b: ἀφανισμοῦ) - là, le chemin du sanctuaire n'est "pas encore manifesté", tant que "dure encore la première Tente" (9,8bc: πεφανερῶσθαι). Sans oublier, plus concentrique que parallèle, la correspondance que voici: c'est avec la nouvelle Alliance que se manifeste "la propitiation" (8,12a: ἵλεως ἔσομαι) jadis symbolisée par le "propitiatoire" (9,5a: ἱλαστήριον).

Nous sommes ainsi arrivé au coeur même de l'Epître.

§ 12 : HUITIÈME SECTION (9,11-28)

" *Le Christ* ..." ce Nom-fonction qui ouvre la huitième Section est placé en plein coeur de l'Epître (31). Cette Section, nettement moins étendue que la précédente avec seulement 332 occurrences contre 455, est par contre parfaitement équilibrée statistiquement. Nous y reconnaissons trois segments, composés chacun de trois péricopes: 9,11-12 13-14 15 ✦ 16-17 18-22 23 ✦ 24 25-26 27-28. A une exception près, ce sont là les subdivisions retenues par Vanhoye (32). La formule statistique est la suivante:

40.46.26 ✦ 20.84.19 ✦ 23.41.33   ou bien   112 ✦ 123 ✦ 97 .

Ce second volet du diptyque, pour exalter l'efficacité définitive du sacerdoce du Christ, va exploiter magistralement la typologie sacrificielle de l'Alliance, notamment de la Fête de l'Expiation. Cette dernière, en effet, permet d'unifier les deux phases, terrestre et céleste, de son sacrifice et de souligner la valeur de sa Mort qui, avec sa liturgie du Sang, opère le passage de l'une à l'autre.

Les trois péricopes du premier segment (9,11-15) sont fortement unifiées entre elles. La première (9,11-12) évoque la totalité de la vie sacerdotale du Christ selon la typologie du culte dans la"Tente". Cette péricope est supérieurement structurée. En voici la traduction littérale de Vanhoye, où la mise en évidence du terme "Christ" reste purement typographique:

> " Mais le Christ
> - survenu Grand-prêtre des biens à venir,
> - par la plus grande et plus parfaite Tente
>   - pas faite de main d'homme, c'est-à-dire non de cette création,
>   - et non par du sang de boucs et de veaux,
> - mais par son propre Sang,
> - entra une fois pour toutes dans le sanctuaire, une rédemption éter-
>   / nelle ayant trouvé. "

Cette "Tente plus parfaite" (ou "véritable", cf. 8,2a, en opposition à la Tente mosaïque) est l'humanité du Christ, en laquelle par l'incarnation il "survient" (33) dans le monde comme Grand-prêtre (cf. 5,6 = 7,21), et qui fut déjà présentée comme une "entrée" (1,6 et 7,19). Le cheminement "par" cette Tente s'accomplit au cours de sa vie terrestre (cf. 2,15b: διὰ παντὸς τοῦ ζῆν; cf. 5,7), à l'instar du service quotidien dans la première partie de la Tente (9,6b: διὰ παντός). "L'entrée dans le sanctuaire", enfin, s'opère avec la "Session", qui se réalise dans l'humanité ressuscitée (cf. 13,20).

Les versets extrêmes confrontent donc les deux extrêmes de la destinée du Christ (incarnation terrestre et entrée céleste) dans une même référence à l'eschatologie, "les biens à venir" ou "la rédemption éternelle". Les deux participes "survenu" et "ayant trouvé" encadrent l'ensemble. Les versets immédiats opposent: "par la Tente plus grande ...", qui connote la traversée terrestre (ou de"la première partie") de cette Tente, et "par son propre Sang", qui connote l'état céleste (dans "la deuxième partie", éternelle) de cette Tente. La référence à l'incarnation fait jouer ainsi implicitement le couple "chair-Sang" (cf. 2/2,14a).

Enfin, les versets centraux (9,11c.12a), selon cette symbolique mais en contraste avec l'A.T., déclarent "non fabriquée de main d'homme", comme l'ancienne, la Tente qu'il traverse (34); et "non par du sang de boucs ...", comme jadis, le rite du sang qu'il offre. Ainsi en ces versets intérieurs, cette péricope oppose les *lieux* de culte, vv. 11cd, et les *rites* du culte, vv.12ab; et, en l'ensemble de ses versets, envisage la suite: NT – AT – NT.

La deuxième péricope (9,13-14) exalte l'efficacité du Sang du Christ par rapport à l'action du sang ou aux rites purificatoires anciens. Nous rencontrons une suite d'idées parallèles (35):

a') le sang de boucs …   a) le Sang du Christ
b') … les souillés les sanctifie b) purifiera nos consciences des oeuvres mortes
c') pour la pureté de la chair   c) pour rendre-le-culte au Dieu vivant

Cependant des éléments de concentrie sont discernables. Les deux verbes principaux sont avec leurs compléments en parfaite concentrie locale et verbale: "les souillés – les sanctifie" et "purifiera – nos consciences des oeuvres mortes" (36). Par ailleurs, l'opposition concentrique "chair" – "esprit" noue et synthétise les deux contrastes, d'une part, entre "le sang des boucs …" qui n'aboutit qu'à une "pureté de la chair", trait caractéristique de l'A.T. (cf. 9,10b); et, d'autre part, entre l'offrande du Christ "par un esprit éternel" qui nous permet de "rendre-un-culte- au Dieu vivant", trait caractéristique du N.T. (cf. 8,10-12 … 12,28c). Par le "Sang du Christ" nous passons du pur "rituel" au vrai "personnel": ce Sang, moyen-symbole de son offrande personnelle au cours de toute sa vie (cf. 4,15 et 7,26), suscite notre offrande personnelle au cours de toute notre vie, dès l'initiation chrétienne nous purifiant par le Baptême "des oeuvres mortes" (cf. 5/6,1d et 10/10,22). .

La troisième péricope (9,15), plus courte et verbalement peu structurée, offre pourtant une suite dont la structure idéale: NT – AT – NT, est parfaitement concentrique à celle de la première péricope. Les deux premiers versets, en effet, concernent le Christ "Médiateur d'une nouvelle Alliance" et sa mort "en rachat"; le verset central précise son objet: "les transgressions commises sous la première Alliance "; les deux derniers versets concernent les chrétiens, "les appelés à recevoir l'héritage éternel". L'aspect personnel, envisagé précédemment, se poursuit encore.

L'unité de ces trois péricopes est fortement marquée en ce premier segment. Nous avons déjà relevé la similitude de structuration idéale des péricopes extrêmes. S'y ajoutent des éléments concentriques. Les versets extrêmes sont parfaitement complémentaires: le Christ et les chrétiens sont décrits dès le début de leur destinée, incarnation ou vocation (παραγενόμενος – οἱ κεκλημένοι, cf. 3/3,1a), orientés vers l'obtention de biens éternels, "les biens à venir" ou "l'héritage éternel". De même, en suffisante concentrie, sont présentées "l'entrée dans le sanctuaire" avec l'obtention d'une "éternelle rédemption" ou, là, "la mort étant venue en rachat": ces deux termes λύτρωσιν et ἀπολύτρωσιν doivent être considérés comme des termes caractéristiques d'inclusion de ce segment (37). On le notera, le caract⁄ère d'*éternité* marque le développement de chacune des péricopes: "l'esprit éternel" par lequel s'offre le Christ, au centre; et, aux extrêmes, "l'éternelle rédemption" ou "l'éternel héritage" (9,12c.14b.15e).

Le segment central (9,16-23) reprend le thème des *deux Alliances*, en raison de la Liturgie du Sang dont elles furent l'objet. La mentalité synthétique de l'Auteur s'y manifeste pleinement. Ainsi étend-il à la liturgie de la Fête de l'Expiation la signification symbolique d'*inauguration* de la conclusion de l'Alliance au Sinaï. Bien plus, il "prend des libertés" avec le texte d'Ex 24,4-8 , comme nous le préciserons.

Dans la première péricope (9,16-17) le terme διαθήκη est utilisé selon son deuxième sens où en grec il signifie *testament*. C'est l'aspect personnel de l' Alliance qui est considéré: un "testament" n'entre en vigueur qu'avec la mort du testateur. C'est là une "nécessité"! On notera, ici encore, la vision globale de la destinée du testateur: sa vie durant, sa mort et son au-delà.

Le sacrifice de conclusion de la première Alliance nous est interprété, dans la deuxième péricope (9,18-22), en une vision récapitulative de l'ensemble du culte juif. Ainsi l'Auteur ajoute-t-il à la description d'Ex 24,4-8: la mention des boucs à celle des taureaux, par évocation d'autres sacrifices, notamment de celui de l'Expiation; la mention de l'aspersion avec de "l'eau, de la laine écarlate et de l'hysope", par évocation en particulier du rite de purification des lépreux (Lv 14,4-7); la mention de l'aspersion de la Tente et de son mobilier, par évocation d'un rite de consécration d'un sanctuaire, mais qui se faisait avec de... l'huile! Le rite ainsi décrit prend une valeur de totalité, significative de tous les rites en tout leur déroulement temporel: de l'inauguration de l'Alliance jusqu'à son terme annuel en la Fête de l'Expiation (38). Si l'aspect rituel est prédominant en la seconde partie, l'aspect personnel est prédominant dans la première: on y notera l'insistance sur la *volonté divine* signifiée par la lecture "de toute l'*entolè*", commandement, et par les substitutions suivantes: de "Livre" à "autel", de "toute l'*entolè*" à "parole" (Ex 24,3.7.8), de "Alliance commandée" à "établie" (Ex 24,8).

L'ensemble du texte est admirablement bien structuré et concentrique. Aux deux extrémités: pas d'inauguration "sans sang" et pas de rémission "sans effusion-de-sang"; puis la lecture de "toute l'*entolè* selon la Loi" et la purification de "presque tout selon la Loi"; à "prenant le sang" correspond "avec le sang" (vv. 19c et 21b), à propos de l'une et de l'autre aspersion; et, objets de celles-ci, ce sont pour l'une "le Livre et tout le peuple", et pour l'autre "la Tente et tout le mobilier ...". Enfin, en plein centre du segment, c'est le rite d'instauration même de l'Alliance: "ceci est le sang de l'Alliance ...", en des termes qui évoquent l'institution eucharistique (39).

La nécessité de la mort, exprimée en termes de destinée personnelle dans la première péricope, l'est en cette troisième (9,23) en termes cultuels de purification et de sacrifices. La perspective est *cosmique* et s'exprime par mode de principe: elle connote la distinction des deux Tentes, la terrestre étant la copie de la céleste. La structure concentrique est excellente. Aux versets extrêmes et central, mention des réalités de l'A.T. (ὑποδείγματα - τούτοῖς - ταύτας); aux versets intermédiaires, mention des réalités célestes du N.T. (οὐρανοῖς - ἐπουράνια). L'opposition entre τὰ ὑποδείγματα et τὰ ἐπουράνια correspond à celle de la vie terrestre et de l'au-delà, tandis que θυσίαις évoque la mort, comme dans la première péricope.

L'unité structurelle de ce segment est assurée par une très forte concentrie: la concentrie si marquée de la péricope centrale est encadrée par la concentrie des péricopes extrêmes. Elles s'expriment toutes deux par mode de *principe général*, fondée sur la *nécessité*: noeud de l'argumentation, ἀνάγκη constitue le mot caractéristique d'inclusion du segment (9,16a et 23a). De plus les deux extrêmes de la destinée s'expriment ici et là concentriquement:
- ici, c'est l'au-delà de la mort, après la vie terrestre (9,16a-17b et 17bc);
- là , ce sont les sacrifices pour les réalités terrestres, puis les sacrifices pour les réalités célestes (9,23abc et 23cd).

En référence de nouveau à la Liturgie des *deux Tentes*, le dernier segment (9,24-28) situe le sacrifice du Christ dans l'histoire du monde et plus précisément dans le temps de l'Eglise. Comme la dernière péricope du premier segment amorçait le développement de la première péricope du segment central, ainsi la première péricope de ce segment final (9,24) continue le développement de la dernière péricope de ce segment central. C'est-à-dire, ici, l'opposition des deux Tentes. A. Vanhoye l'a justement remarqué:

> *"Le v. 24 oppose deux couples de termes:* sanctuaire fabriqué *et* antitype du véritable *d'une part*, le ciel même *et* la face de Dieu *d'autre part; au milieu de chaque couple est placé un verbe*, entra *pour le premier*, faire-apparition *pour le second."* (40).

Notre structuration place au centre l'affirmation décisive: "(entra) dans le ciel même"; de part et d'autre, "antitype du véritable (sanctuaire)" et "faire-apparition": affirmations relatives au thèmes de l'image-copie ou bien de la lumière(manifestation)-ombre; aux extrémités, le "sanctuaire non fabriqué" et "la face de Dieu".

Reprenant au premier segment l'opposition des *rites* du sang de la Liturgie mosaïque et christique, la deuxième péricope (9,25-26) la précise comme l'opposition de la *multiplicité* et de l'*unicité*, non moins que de l'*altérité* rituelle et de l'*identité* personnelle. Le sacrifice de l'Expiation est, en effet, caractérisé par la multiplicité: il est offert "chaque année"; et par l'altérité rituelle: le grand-prêtre y offre "un sang étranger" à soi-même. Au contraire, en son sacrifice le Christ ce n'est "pas plusieurs fois" mais "une seule fois" qu'il "s'offre soi-même".

La péricope est bien structurée. Elle comporte trois expressions du sacrifice du Christ: "s'offrir soi-même", "soi-même souffrir", "le sacrifice de soi-même"; et ces trois expressions se rencontrent aux deux extrémités et au centre. Ces trois expressions impliquent la totalité de la vie du Christ: "l'offrande de soi-même", commencée dès l'incarnation (notamment 9/10,4-10), poursuivie dans le "soi-même souffrir" de toute la vie (notamment 2/2,17-18 et 4/4,15) et achevée dans "le sacrifice de soi-même" jusqu'au sang (cf. 12/12,4). Autour du centre, du souffrir quotidien, se place l'opposition entre le "chaque année" et l' "une seule fois"; puis la complémentarité de "l'entrée dans le sanctuaire" et de "l'abolition du péché", la première inefficace pour le grand-prêtre et la seconde effective pour le Christ. N'oublions pas la situation de la vie sacrificielle du Christ dans l'histoire: pas plusieurs fois "depuis la fondation du monde", mais une seule fois "à la fin des temps" (9,26ab). Ce couple de totalité, expressif du temps antérieur au Christ, est complété pour le temps postérieur au Christ par les deux pôles qu'indiquent les péricopes extrêmes: la première parlait de "l'entrée dans le sanctuaire", la dernière va parler du "jugement".

Cette troisième et dernière péricope (9,27-28), en effet, nous montre le Christ participant au sort commun des "hommes": tous n'ont qu'une seule vie sur terre, que la mort achève. Ainsi du Christ. Le parallèle est développé en exaltant le rôle salvifique du Christ: "l'une seule fois mourir" devient "l'une seule fois offert pour enlever les péchés…"; "après cela le jugement" devient "une deuxième fois il apparaîtra … pour le salut".

L'unité structurelle des trois péricopes de ce segment est bien marquée. Nous retrouvons une trame de symétrie semblable à celle que nous avons rencontrée dans le dernier segment de la Section précédante. Nous remarquons le fait suivant: les deux affirmations de la péricope centrale, concentriques, "il entre dans le sanctuaire" et "pour l'abolition du péché" (9,25b.26b), se trouvent chacune répétées deux fois équivalemment en deux versets, dont l'un et l'autre extrême en parfaite concentrie. Au début de la première péricope, c'est: "pas… dans un sanctuaire fait-de-main (d'homme) il est entré" avec "mais dans le ciel même" (vv. 24ac); à la fin de la dernière péricope, c'est:"pour de beaucoup enlever les péchés" avec "pour le salut" (vv. 28bd).

Cette structure est renforcée par le "pour nous" de 9,24e qui introduit dans la première péricope l'idée de *salut* explicitée dans les deux autres. Cette triple mention du salut est faite dans une même atmosphère d'*épiphanie* du Christ: ἐμφανισθῆναι, πεφανέρωται et ὀφθήσεται caractérisent en fait la triple manifestation du Christ en référence - pour suivre l'ordre des verbes - à son entrée au ciel, à son incarnation et à sa parousie. Cette triple répétition rappelle la triple répétition dans le segment initial de l'*éternité*, qui se réfère aux mêmes coordonnées. Le nom de "<u>Christ</u>" est le mot caractéristique d'inclusion de ce segment, mot qui avait ouvert cette Section.

Unité structurelle de la 8ème Section

Est-ce un phénomène particulier à cette Section? Nous constatons tout d'abord un regroupement des péricopes deux à deux autour de la péricope centrale. Ainsi, d'une part:

- (9,11-12) et (9,13-14) sont unifiées par la même opposition entre le *sang* de boucs et de veaux (ou de taureaux) et le propre Sang ou le Sang du Christ;
- (9,15) et (9,16-17) le sont, elles, par la même liaison entre la διαθήκη - *testament* et la *Mort* (2 + 4 et 1 + 3 occ.).

De même, d'autre part:

- (9,23) et (9,24) sont unifiées par l'emploi des couples semblables: "copie-réalité" ou "terre-ciel" (1 + 2 et 2 + 1 occ.);
- (9,25-26) et (9,27-28) le sont, elles, par la même liaison entre l'unique *offrande* du Christ et l'abolition du *péché*.

L'unité structurelle de cette Section se manifeste surtout par la concentrie de l'ensemble et aussi par le très fort <u>parallélisme</u> de ses segments, surtout extrêmes. Qu'il suffise d'en relever les traits principaux, en commençant par les segments extrêmes et donc concentriques.

Nous y rencontrons trois, voire six, usages de la préposition εἰς, utilisée en un semblable contexte, ainsi que trois mentions de la <u>rédemption</u> - dont deux sont liées à l'usage de cette préposition - en chacun de ces segments. Ainsi les deux péricopes premières nous présentent:
- ici, le Christ qui, par une Tente pas fabriquée… entra *dans* le sanctuaire, "une éternelle rédemption ayant trouvé" (vv. 11-12);
- là , ce n'est pas *dans* un sanctuaire fabriqué… qu'entra le Christ, qui s'y présente à Dieu "pour nous" (vv. 24)

Les péricopes centrales offrent un schéma d'argumentation voisin: "Si … combien plus …, lui qui …"; et: "ce n'est pas …, car alors … (mais) en fait il …". Ici et là sont mentionnées "<u>l'offrande de soi-même</u>"faite par le Christ et la Liturgie du sang. Son sacrifice nous obtient, ici, "(la purification)des oeuvres mortes *pour* servir Dieu; et là, il fut offert "*pour* l'abolition du péché".

Introduites toutes deux de façon argumentative, les deux dernières péricopes évoquent la mort du Christ, ici, "*pour* le rachat des transgressions ..." et, là, "*pour* enlever les péchés de la multitude". Enfin, elles s'achèvent toutes deux par une désignation participiale des chrétiens en attente eschatologique: "ceux qui sont appelés (reçoivent) l'héritage éternel", ou "ceux qui l'attendent pour leur salut".

Les péricopes du segment central participent, de façon moins marquée mais réelle, à ce parallélisme. L'entrée au sanctuaire (avec le sang) est ici connotée dans la "mort" du testateur, et le salut est connoté dans le testament devenu valide et donc bénéfique par la mort . Ensuite au centre, même mention du sang en référence au Christ, avec une expression explicite du salut: "sans effusion de sang, pas de rémission". Ce pardon du péché est comme précédemment de nouveau indiqué comme "purification", et la mort ou le mourir est aussi évoqué dans "les meilleurs sacrifices" nécessaires au monde céleste.

Le très fort parallélisme des segments extrêmes, idéal et verbal, joue comme un élément global de la concentrie de l'ensemble de la Section. Cependant d'autres éléments s'y ajoutent, qui paraissent marquer davantage la concentrie. Les vocables proprement concentriques forment les suites inversées:

1. Le Christ ...   4. s'offrit lui-même
2. une fois pour toutes   3. avec un sang étranger
3. le sang du Christ   2. une seule fois
4. lui-même s'offrit   1. Le Christ ...

Ces suites appellent les remarques suivantes: 1. l'appellation "Christ" est dédoublée ici et là; en ce dernier cas seulement elle fait inclusion du segment - 2. La mention ici emphatique de "l'une fois pour toutes" correspond là à trois mentions de "l'une seule fois" - 3. A l'inverse, les quatre mentions ici du "sang", deux fois dans l'opposition entre le sang des sacrifices et celui du Christ, correspondent là à une unique mention du sang des sacrifices - 4. enfin, le syntagme "s'offrir soi-même" doit être considéré comme un *syntagme caractéristique* structurant, pour autant que la concentrie des deux mentions est doublée de la concentrie de leurs éléments, "lui-même s'offrit" ou "s'offrit lui-même" (9,14b ou 25a); ce syntagme correspond au "syntagme caractéristique" structurant de la Section 7 précédante: "offrir des dons et des sacrifices" et "des dons et des sacrifices sont offerts" (8,3ab et 9,9b). De plus, à l'unique mention ici de cette offrande correspond là une double mention - sans compter ses équivalents, tels que "souffrir", "son sacrifice", voire "mourir".

Cette inversion de la fréquence des vocables est la marque du passage de l'interprétation rituelle à l'interprétation personnelle des réalités cultuelles, en raison du passage de l'A.T. au N.T. A preuve, l'unique mention du "sang" dans le segment final s'exprime-t-elle en termes personnels: le grand-prêtre antique entre avec "un sang *étranger*", s'opposant ainsi à l'une des mentions du segment initial, où c'est avec "son *propre* sang" que le Christ entre dans le sanctuaire (9,12b et 25c).

Cette dernière correspondance fait partie d'un petit ensemble où l'on rencontre semblables mentions: de la *création* ("pas de cette création" et "depuis la fondation du monde"), de "l'*entrée* dans le sanctuaire" et enfin du *terme* ("la Tente plus parfaite" et "la fin des temps": τελειοτέρας et συντελείᾳ, 9,11-12 et 25-26). Quoi qu'il en soit, on retiendra l'inclusion idéale que forment "la création" et le "jugement" (9,11c et 27b).

La symétrie *bisegmentale* est suffisamment marquée.

Ainsi la rencontrons-nous dans l'emploi du thème du "sang", dont c'est le "lieu" dans l'Epître (11/22 de la SR). La répartition si inégale dans les segments (4.6.1) est cependant marquée par la triangulie. C'est seulement dans les deux premiers segments qu'on trouve la mention du sang "des boucs et des veaux" (ou d'un équivalent, et la troisième mention est même l'inverse de la première: le sang "des veaux et des boucs"!); c'est seulement dans les deux derniers segments qu'on trouve le syntagme *dans le sang* (dernière mention du sang, ici, et unique, là).

Par ailleurs, les deux premiers segments présentent en outre les éléments concentriques suivants: "Tente (Xt) - nouvelle (All.) - première (All.) + première (All.) - inaugurer (All.) - Tente (AT)". Puis ce sont les mentions du thème "asperger-purifier" (3 et 4 occ.); et, enfin, au centre, c'est-à-dire dans les péricopes de jonction, le groupe "διαθήκη-mort".

Les deux derniers segments présentent en concentrie les vocables: "sans, χωρίς" à valeur *inclusive*, comme précédemment "Tente" (9,18a.28c et 11b.21a); le syntagme déjà signalé "dans le sang" (9,22a.25c); et, enfin, dans les péricopes de jonction la série "ciel-céleste" (9,23-24). Notons les deux usages de ἐπει en relation au Christ (9,17b.26a) et les deux de "sacrifices" (9,23e. 26d).

§ 13 : UNITÉ STRUCTURELLE DE LA 4ème COLONNE (UC)

Malgré la disproportion importante de leur vocabulaire de 455 et de 332 occurrences, les deux Sections de cette Colonne centrale présentent une très forte symétrie parallèle et concentrique. Les formules trichotomiques sont: 114 + 161 + 180 et 112 + 123 + 97.

Quelle est impressionnante cette symétrie tant elle est abondante! Indiquons-en l'armature générale. La première Section, autour de son segment central consacré aux deux *"Alliances"* présente deux segments extrêmes consacrés aux deux *"Tentes"*, mosaïque et christique, ainsi qu'à leurs *"Liturgies"*, notamment à celle de l'*Expiation* réservée au grand-prêtre. La seconde Section, autour de son segment central relatif à l'inauguration des deux *"Alliances"*, présente deux segments extrêmes où prédomine, en référence au culte des deux *"Tentes"*, la *"Liturgie de l'Expiation"*. Il est évident que la symétrie idéale d'un tel Plan général entraîne une très considérable symétrie, tant parallèle que concentrique.

Exceptionnellement et à titre d'exemple, nous envisagerons cette symétrie *parallèle* des Sections 7 et 8.

Le parallélisme des segments initiaux (8,1-6) et (9,11-15) apparaît même de péricope à péricope! Dans les premières, ici, "nous avons un tel Grand-prêtre, qui s'est assis à la droite de la Majesté (μεγαλωσύνης), liturge du sanctuaire et de la Tente véritable, ... pas par un homme dressée" (8,1-2): le Christ nous est montré dans son activité finale et actuelle de Grand-prêtre. Là, "Le Christ, Grand-prêtre ..., par une Tente plus grande (μείζονος) et plus parfaite, pas faite-de-main (d'homme) ..., est entré dans le sanctuaire": le Christ est montré là aussi au terme final, mais en référence explicitée au parcours qui y mène, sa vie terrestre: "il survient Grand-prêtre des biens à venir" (9,11-12).

Les péricopes centrales, toutes deux explicatives (cf. "Car..."), caractérisent l'activité de notre Grand-prêtre par similitude ou opposition avec l'activité du sacerdoce antique. Ici, il est déclaré que "tout grand-prêtre (étant)
établi pour (εἰς τὸ) offrir dons et sacrifices", le nôtre doit "avoir eu quelque chose qu'il offre", mais pas comme les prêtres qui sont seulement sur terre
- eux qui "font-le-culte, λατρεύουσιν" d'une simple copie des réalités célestes
(8,3-5). Là, le Christ est déclaré "soi-même s'être offert" et que son "Sang",
contrairement à celui "des boucs et des taureaux", peut purifier notre conscience "pour rendre-le-culte au Dieu vivant" (εἰς τὸ λατρεύειν) (9,13-14).

Enfin, dans les péricopes finales, ici et là, le Christ est déclaré "Médiateur d'une Alliance", "meilleure" ou "nouvelle", en liaison avec "les promesses" ou "la promesse" (8,5c-6 et 9,15). Ce dernier parallélisme confirme réciproquement la délimitation de ces segments initiaux: ces deux péricopes y
exercent la même fonction de transition.

Au-delà des segments centraux dont nous verrons plus bas les symétries,
les segments finaux (9,1-10) et (9,24-28) explicite ou exploite la distinction des *deux parties de la Tente* mosaïque, nommées chacune "Tente", et leurs
Liturgies respectives: tout au long de l'année par les prêtres dans la première,
et une fois l'an par le grand-prêtre dans la seconde. Ici et là chacune des
trois péricopes s'achève par une mention de la rédemption. Correspondance qui
nous invite à poursuivre l'étude du parallélisme, péricope par péricope.

Les premières péricopes (9,1-5 et 24) considèrent le *lieu* du culte, à
cette différence près qu'ici sont évoquées les deux parties de la Tente, tandis que là il s'agit seulement de l'entrée du Christ dans un sanctuaire pas
fait de main d'homme. Le caractère de la Tente d'être le lieu de *la rencontre*
avec Dieu, implicite ici dans la mention du "propitiatoire", est précisé là
dans le Christ qui "fait-apparition devant la face de Dieu pour nous".

Les péricopes centrales (9,5b-7 et 25-26) mettent en relief le *rite du*
sang, qui caractérise l'entrée du grand-prêtre dans le sanctuaire le Jour de
l'Expiation. Reprenons l'essentiel des oppositions faites dans l'une et l'autre de ces péricopes. Ici, dans la première Tente, "de tout temps entrent les
prêtres pour accomplir les (actes) du culte"; dans la seconde, "une fois l'an
seul le grand-prêtre, non sans du sang qu'il offre - pour lui-même et les
(péchés) d'ignorance du peuple". Là, du Christ entré dans le sanctuaire, il est
précisé que ce n'est "pas pour que plusieurs fois il s'offre soi-même, comme
le grand-prêtre entre dans le sanctuaire chaque année, avec du sang *d'un autre*;
en fait, c'est "une seule fois" pour "l'abolition du péché". Outre que le Christ
s'offre lui-même, notamment son propre sang et non pas celui d'un autre, et
non pas pour des péchés personnels mais seulement pour ceux des autres - une
opposition fondamentale, avec une transposition de perspective, s'exprime dans
les deux couples temporels:

- διὰ παντὸς εἰσίασιν οἱ ἱερεῖς / ἅπαξ τοῦ ἐνιαυτοῦ   ....   ὁ ἀρχ.
- ὁ ἀρχιερ. εἰσέρχεται κατ᾽ ἐνιαυτὸν / ἅπαξ ἐπὶ συντελείᾳ τῶν αἰώνων (ὁ χρ.)

Ainsi sont semblablement opposées deux activités, l'une *durable* et l'autre
ponctuelle, mais en symbole d'éternité: d'une part, dans l'année liturgique,
le service toute l'année des prêtres et une fois l'an du grand-prêtre; d'autre
part, dans toute l'histoire religieuse, le service répété toutes les années du
grand-prêtre lévitique, dans la durée de l'A.T. - voire "depuis la création du
monde" - et l'unicité du service du Christ Grand-prêtre "à la fin des siècles".
C'est-à-dire que "l'une fois l'an", ponctuel dans l'année, prend par sa répé-

tition avec les années, une valeur durable, qui est caractéristique de toute l'activité cultuelle depuis les origines. Par contre, "l'une seule fois" de l'entrée du Christ dans le sanctuaire manifeste son unicité, du fait qu'elle ne se situe pas dans le temps d'une année liturgique, mais dans la totalité du temps de l'Histoire.

Seule exception à ce très strict parallélisme, voici enfin des vocables importants de la dernière péricope d'ici (9,8-10) que l'on retrouve là encore dans la péricope centrale (9,25-26). Alors qu'ici il était affirmé que ce rituel lévitique montrait que "pas encore n'a été manifesté (μήπω πεφανερῶσθαι) le chemin du sanctuaire" (9,8b), là, il est déclaré du Christ que "(c'est) une seule fois à la fin des siècles (que) pour l'abolition du péché il a été manifesté (πεφανέρωται)" (9,26d). Dans la manifestation de sa vie, qui s'achève en son sacrifice sanglant, le Christ nous manifeste le chemin véritable qui conduit au sanctuaire véritable (cf. 10/10,20a).

Cependant des éléments de strict parallélisme se trouvent encore entre les péricopes finales (9,8-10 et 27-28). Tandis que le "temps, καιρὸν" de l'A.T. est caractérisé par "l'offrande de dons et de sacrifices - incapables en sa conscience de mener-à-l'accomplissement celui qui rend-le-culte" et qu'est encore annoncé ici le "temps, καιροῦ" du N.T., nous rencontrons là en parallèle "le Christ une seule fois offert - pour enlever les péchés de beaucoup", ouvrant ainsi le temps du N.T., jusqu'à ce que "une deuxième fois ... il se fasse voir à ceux qui l'attendent pour leur salut". Ainsi ℓe parallélisme de ces deux Sections centrales s'achève sur leur complémentarité temporelle: l'une, l'Ancien Testament, sur son terme, le Nouveau Testament; l'autre, le Nouveau Testament, sur son terme, l'éternité.

Nous reprenons l'exposé habituel de l'unité structurelle de chaque Colonne par sa symétrie concentrique.

Les deux segments extrêmes (8,1-6) et (9,24-28) apparaissent fortement parallèles dans leur développement, mais des vocables marquent la concentrie de leur situation dans la Colonne. Ainsi dans leurs premières péricopes, voyons-nous ici "notre grand-prêtre qui s'est assis - dans les cieux - liturge du sanctuaire et de la Tente véritable (ἀληθινῆς) - dressée ... pas par un homme" (8,1-2); là,"le Christ entré dans un sanctuaire - pas fait-de-main (d'homme) - antitype du véritable (τῶν ἀληθινῶν) - mais dans le ciel même" (9,24). On notera le déplacement, de la Tente au sanctuaire, des qualificatifs de "véritable" et de "pas fait (...) d'homme": déplacement naturel, puisque "la Tente est la voie d'accès, le sanctuaire ou chambre sacrée est le but à atteindre" (41). En évidence, ici et là, l'activité actuelle du Christ céleste, en référence au terme de sa vie terrestre, "session" ou "entrée" au ciel.

Les péricopes centrales (8,3-5b et 9,25-26) concernent l'offrande sacrificielle du grand-prêtre . Ici, il est affirmé: "tout grand-prêtre ... (c'est) pour offrir (εἰς τὸ) des dons et des sacrifices (qu'il) est établi - d'où il est nécessaire que quelque chose, Celui-là aussi, ait eu qu'il offre" (8,3); là, "et (ce n'est) pas pour que plusieurs fois il s'offre soi-même, comme le grand-prêtre ... chaque année avec du sang d'un autre ... - en fait, (c'est) une seule fois que ... par son sacrifice il a été manifesté" (9,25-26). L'offrande nécessaire de quelque chose par tout grand-prêtre s'est finalement précisée comme offrande de soi, notamment de son sang, par le Christ. L'affirmation, de plus, que le Christ ne serait "même pas prêtre ... s'il demeurait sur terre" (8,4), trouve son explicitation dans l'unique entrée dans le sanctuaire céleste.

Enfin, les péricopes finales (8,5c-6 et 9,27-28) se trouvent aussi en correspondance idéale sinon verbale. "La liturgie différente échue (à notre Grand-prêtre)", liée à une "Alliance fondée sur de meilleures promesses" (8,6), est là explicitée dans l'affirmation doublée que "le Christ (fut) une seule fois offert pour (εἰς τὸ) enlever les péchés" et devenir ainsi le "salut" de "beaucoup" (9,28).

En plus de ce parallélisme, voici des marques concentriques:
- le même emploi du mot *"homme"*, proprement inclusif (8,2b et 9,27a);
- la parfaite symétrie de "<u>type</u>, τύπον" et "<u>antitype</u>, ἀντίτυπα" qui sont deux hapax et fort caractéristiques du thème important "modèle-copie" (8,5d et 9,24b);
- les deux *"syntagmes caractéristiques"* structurants, ici, "<u>offrir des dons et des sacrifices</u>" et, là, "<u>s'offrir soi-même</u>" qui implique "<u>le sacrifice</u>" de soi (8,3 et 9,25a.26d) (42).

Pareillement liés à l'exposé précédent (εἰ γὰρ ... et ὅπου γὰρ ...), les deux segments centraux (8,7-13) et (9,16-23) sont explicitement consacrés aux *deux "Alliances"*, l'ancienne et la nouvelle: ici est soulignée leur opposition, en raison de la déficience de l'ancienne; là est relevée leur similitude, en raison de leur inauguration par un rite de sang. Compte-tenu de ces relations caractéristiques, les rapports sont nombreux. Le thème de l'*inauguration* développe là le thème de la *Sortie* évoquée ici comme fait initiateur de la première Alliance; la lecture de "toute l'*entolè* selon la <u>Loi</u>", faite "à tout le <u>peuple</u>", et l'aspersion du "<u>Livre</u>", instrument diplomatique de ces prescriptions, correspond à la promesse faite ici de "<u>l'inscription</u>" des "<u>lois</u>" du Seigneur sur le "coeur" même de tous les fidèles, ainsi devenus "son <u>peuple</u>"; enfin, l'affirmation que "sans effusion de sang, il n'y a pas de <u>rémission</u>" explicite la promesse faite ici que "de leurs péchés <u>je ne me souviendrai plus</u>".

Ces rapprochements d'idées sont soulignés par de nombreuses correspondances verbales et des symétries dont nous relevons les principales:
- εἰ γὰρ ἡ πρώτη ... ἐπὶ ... ἐπὶ ... διαθήκην   καινήν ...   οὐ ... (8,7-8);
- ὅπου γὰρ διαθήκη ... ἐπὶ ...   οὐδὲ ἡ πρώτη ... ἐγκεκαίνισται   (9,16-18).

et surtout la parfaite et importante correspondance des versets centraux, avec leur valeur d'*institution d'Alliance*:

- <u>ceci</u>   l'Alliance, que j'établirai avec la maison d'Israël ...
- <u>ceci</u> le sang de l'Alliance, qu'a commandée pour vous Dieu.
- αὕτη   ἡ διαθήκη , ἣν διαθήσομαι   τῷ οἴκῳ Ἰσραὴλ (8,10a);
- τοῦτο τὸ αἷμα τῆς διαθήκης, ἧς ἐνετείλατο   πρὸς ὑμᾶς ὁ θεός (9,20).

Une certaine concentrie y est aussi décelable. Ici, c'est *après* la déclaration de l'Alliance qu'est développé le thème de l'Alliance et de la connaissance de Dieu, tandis que, là, c'est *avant* la déclaration centrale de l'Alliance qu'est développé l'aspect personnel de la Loi de Dieu.

Les deux segments centraux de toute la Colonne centrale, et donc de toute l'Epître, (9,1-10) et (9,11-15), sont fortement mis en relation par leur particule d'introduction: ... μὲν et ... δὲ . Ils présentent trois marques principales de concentrie. Le premier segment s'ouvre avec la mention de "<u>la première</u>" (Alliance): ce dernier mot, alors sous-entendu, sera ensuite explicitement nommé deux fois dans la péricope. Le second segment s'achève presque avec la mention, cette fois explicite, de "<u>la première Alliance</u>", et la péricope renferme pareillement une deuxième mention de l'Alliance (9,1.4ac et 9,15ac). Au centre de chaque segment se rencontre un développement sur l'offrande du *sang*: nous y reviendrons. Enfin, le thème de l'accomplissement (Série τελειοῦν) achève le premier segment et ouvre le second, avec un déplacement d'accent semblable à celui que nous avons noté à propos de "véritable" dans les segments extrêmes. Ici, le culte de "la première Tente", mosaïque, est déclaré "ne pas mener-à-l'accomplissement (μὴ τελειῶσαι) la conscience de l'adorateur"; là, le culte rendu par le Christ dans "la Tente plus parfaite" (τελειοτέρας σκηνῆς) en est affirmé capable (9,9c et 11c.14).

Par ailleurs et sans que la correspondance se fasse parfaitement de péricope à péricope, ces deux segments offrent une forte complémentarité. Au sanctuaire (temple) "de ce monde, κοσμικόν" relatif à la première Tente, est opposé là "la Tente plus parfaite", "pas de cette création", traversée par le Christ (9,1ab et 11). A "l'entrée du grand-prêtre" lévitique "une fois l'an" dans la "seconde" Tente est confrontée, là,"l'entrée " du Christ "Grand-prêtre", "une fois pour toutes", dans le sanctuaire (9,7 et 12c). Sont pareillement opposées les offrandes de *sang* de l'un et de l'autre grand-prêtre: le lévitique, "non sans du sang - qu'il offre pour lui-même et les (péchés d')ignorance du peuple"; le Christ, au contraire, c'est "son propre sang", lui qui "par un esprit éternel lui-même s'offrit sans tache à Dieu". Cette innocence personnelle de notre Grand-prêtre donne à son offrande l'efficace dont était privée la première Alliance: tandis que celle-ci "(ne) peut pas selon la conscience mener-à-l'accomplissement celui qui rend-le-culte", au contraire "le Sang du Christ , lui, purifie notre conscience ... pour rendre-le-culte ..." (9,9c et 14cd). Ce thème de la *purification*, si largement développé là dans la deuxième péricope (9,13-14) avait été amorcé ici par la mention des "diverses ablutions, βαπτισμοῖς" de l'A.T. (9,10a). Ce culte de l'A.T. est limité à la *"chair"*: ici, "rites de chair" et, là, "pureté de la chair" (9,10b et 14b); au contraire, le culte du N.T. est animé par *"l'esprit"*: ici, annoncé par "l'Esprit-Saint" et, là, réalisé dans le Christ "par un esprit éternel" (9,8a et 14b). Enfin, le thème de la *marche*, ici et là connoté dans le thème de "l'entrée", se trouve explicite ici dans la remarque que dans l'A.T. "n'a pas encore été manifesté le *chemin* du sanctuaire"; et, là, dans la désignation des péchés comme des *"transgressions"* (9,8b et 15c) (43).

§ 14 : NEUVIÈME SECTION (10,1-18)

La troisième et dernière Colonne de la Partie centrale commence avec cette Section. Cette Colonne correspond à nos 9ème et 10ème Sections, c'est-à-dire à la Section C et à l'Exhortation distinguées par le Plan de Vanhoye. La structure de cette 9ème Section est particulièrement complexe (44). Vanhoye distingue très justement quatre paragraphes: 10,1-3.4-10.11-14 et 15-18. Cette division pose cependant une difficulté au plan structurel, que manifeste la disproportion statistique de ces paragraphes: 52 + 94 +55 +58 occ. La difficulté que pose l'équilibre statistique des paragraphes intérieurs est, en fait, semblable à celle rencontrée dans la troisième Section: la division logique chevauche sur la division structurelle, ... à moins que ce ne soit la division structurelle qui *intègre* selon son ordre les éléments de division logique! Nous serons amené comme précédemment à une redistribution structurelle des unités logiques: elle manifestera une unité logique d'*ordre supérieur*. L'objectivité de l'analyse nous obligera comme toujours à tenir compte des divisions et logiques et structurelles, qui ont chacune leur ordre propre. Regroupant les deux paragraphes intérieurs en un seul et à vrai dire énorme segment structurel, notre formule trichotomique sera la suivante: 10,1-4 + 4-14 + 15-18. C'est-à-dire que les 259 occurrences de la Section, une des trois plus faibles de l'Epître, se répartissent ainsi:

52 + 149 + 58 , ou bien 52 + 46 + 15.33.19 + 36 + 58 ,

dernière formule au merveilleux équilibre statistique (45).

Le premier segment (10,1-3), logique et structurel, met en évidence l'impuissance radicale de la Loi par le fait de sa répétition incessante des mêmes sacrifices. A. Vanhoye l'a noté: l'unité comprend deux longues phrases et une brève conclusion. De ces deux phrases "les termes sont en séries parallèles, tandis que la construction (subordonnée, principale, principale, subordonnée) est en disposition concentrique" (46). Il en donne le schéma suivant:

X	chaque année par les mêmes sacrifices	
A	qu'on offre à perpétuité	
B a	jamais ne peut	
b	à ceux qui s'approchent	
c	conférer l'accomplissement	
A'	n'auraient-ils pas cessé d'être offerts	
B'a'	plus aucune conscience des péchés	
b'	(chez) ceux qui rendent le culte	
c'	ayant été une fois purifiés	
X'	en ces(sacrifices)mêmes, rappel des péchés chaque année.	

Ce schéma laisse de côté la participiale introductive sur le caractère de la Loi de ne posséder que "l'ombre des réalités". L'organisation structurelle doit évidemment en tenir compte! Voici donc comment se justifie notre structuration.

Au centre se situe la déclaration fondamentale d'impuissance de la Loi: "à jamais incapable de mener ceux qui s'approchent à l'accomplissement". Cette déclaration est entourée de deux versets qui signalent l'offrande continuelle des sacrifices, et dont les éléments sont en concentrie (47): "qu'ils offrent - à perpétuité + n'auraient-ils pas cessé - d'être offerts". Les trois premiers versets offrent des syntagmes en symétrie parallèle avec ceux des trois derniers versets, et dont les éléments sont concentriques entre eux, deux à deux:

- 1a.c: Σκιὰν… ἔχων ...   - ... - κατ' ἐνιαυτὸν   ταῖς αὐταῖς ϑ.
- 2b.3: … ἔχειν… συνείδησιν - ... - ἐν αὐταῖς (ϑ.)… κατ'ἐνιαυτὸν

De plus ces versets concourent à la concentrie idéale du segment. Les versets extrêmes - 1a et 3: la Loi, ombre des biens à venir, et la commémoraison annuelle des péchés - consonent avec le verset central - 1e: impuissance de la Loi à mener à l'accomplissement. Le 2è verset et son concentrique, 1b et 2c , évoquent tous deux la réalité mais pour en nier l'obtention: ici, "pas l'image de la réalité" (48) qui est, là, exprimée et que seraient "ceux qui-rendent-le-culte une bonne fois purifiés" (οὐκ… et cf. οὐκ ἄν…).

Notre segment central (10,4-14), exceptionnellement important, trouverait déjà une justification du fait que lui seul en cette Section concerne "Jésus Christ", nom qui ne lui sera d'ailleurs explicitement donné qu'en plein centre. En fait, les deux *"pôles"* de ce segment sont l'*Incarnation* et la *Session,* ces deux coordonnées cardinales du sacrifice du Christ. Logiquement ce segment comprend deux paragraphes (10,4-10 et 11-14). Nous allons les analyser l'un après l'autre, en y distinguant leurs unités structurelles internes. Lors de l'analyse de l'unité structurelle de toute la Section, nous montrerons comment se justifie et s'impose une redistribution de ces petites unités pour constituer un unique segment central.

Le premier paragraphe se subdivise normalement en deux: une citation de l'Ecriture et son application au Christ (10,4-7 et 8-10). Chacune de ces subdivisions comporte un contraste, souligné par deux *dires* semblables du Christ, relatifs aux sacrifices de la Loi et à son sacrifice: λέγει… τότε εἶπον… ou bien λέγων… τότε εἴρηκεν…

La première subdivision du 1er § forme une unité structurelle. Elle est essentiellement formée à partir d'une citation du Ps 40,7-9 dont l'Auteur reconnaît ou manifeste le sens messianique d'après la version des LXX, à laquelle il apporte de légères mais significatives retouches. L'*Incarnation* vient suppléer à l'impuissance des sacrifices anciens.

Après une déclaration de l'incapacité du "sang de taureaux et de boucs d'enlever (ἄφαιρεῖν) le péché", la citation est introduite. Elle est marquée par deux dires du Christ, alors indiqué seulement par l'indéterminé *"il"*: le premier, explicité par l'Auteur qui le fixe à l'instar du second au moment même de l'incarnation, indique le rejet par Dieu des sacrifices et le façonnement par lui de son "Corps"; le second, déjà placé par le psaume sur les lèvres du Messie, indique son intention à leur défaut de "faire la volonté (de Dieu)". Par cette explicitation du premier dire, l'Auteur contribue à la structuration concentrique de cette unité. En plein centre est situé le fait capital de l'incarnation:"Tu m'as façonné un Corps". Ce verset est entouré par la double mention du rejet des sacrifices anciens:

- "de sacrifice et d'offrande   - tu n'a pas voulu";
- "holocaustes et 'pour le péché' - ne t'ont pas plu" (5b et 6)

L'universalité des sacrifices est exprimée par cette énumération, deux à deux, des quatre espèces de sacrifices. Mais un léger changement du texte des LXX est très significatif:en mettant au pluriel le mot "holocaustes" - comme il le fera ensuite en 8bc pour les quatre espèces de sacrifices - l'Auteur renforce le singulier original des termes "sacrifice" et "offrande". Ces deux termes vont en effet lui servir pour mettre en relief, d'une part, l'*unicité* du sacrifice du Christ par l'emploi constant pour lui du singulier; et, d'autre part, les *deux pôles* ou aspects de ce sacrifice qui est doublement: *"offrande"*, non sanglante, dès l'incarnation, de toute sa vie - et *"sacrifice"* sanglant, à la passion, de la totalité de sa vie. Ces trois versets centraux sont encadrés par les deux expressions du *dire* du Christ et de sa liaison au moment de l'incarnation:

- "Aussi, en entrant dans le monde, - il dit: … (5a: εἰσερχόμενος);
- "alors j'ai dit: - me voici, je suis venu … (7a: ἰδοὺ ἥκω).

Les deux éléments de ces versets, on l'aura noté, sont concentriques. Enfin, aux deux extrémités, les deux premiers versets expriment l'impuissance du "sang" des animaux; et les deux derniers, leur substitution par la dédition du Christ "pour faire, ô Dieu, ta volonté" (4ab et 7bc). On notera aux extrémités et au centre les termes significatifs: *"sang"*, *"corps"* et *"volonté"* (αἷμα, σῶμα et θέλημα), expression de l'*intériorisation* progressive du sacrifice. Ce *pôle* de l'incarnation est *développé*: le participe "entrant" (dans le monde) connote la "préexistence" et l'infinitif "pour faire" (ta volonté) exprime la dédition pour toute la vie. La formule de la concentrie idéale de ce paragraphe s'exprimerait ainsi: AT - Xt AT.Xt.AT Xt - Xt .

La seconde subdivision du 1er § (10,8-10) constitue une reprise de cette
citation et son application à "Jésus-Christ", enfin nommé pour la première fois
au coeur même de cette Section. Sur la base des deux dires du Christ on distingue encore deux péricopes, caractérisée l'une par sa structure parallèle et
l'autre par sa structure concentrique (vv. 8abcd et 8e-10).

La première péricope reprend les versets de la citation relatifs au rejet
par Dieu des sacrifices anciens: cette fois-ci les quatre espèces sont regroupées au début, toutes au pluriel contrairement à la LXX, et regroupées à la fin
les deux expressions du rejet. Ces deux regroupements accentuent l'impression
de la multiplicité des sacrifices ("et" y est ainsi répété trois fois de suite!)
et de l'intensité du rejet; ils constituent aussi une structure parallèle.

La seconde péricope reprend par contre les versets relatifs au Christ, et
sa structure est nettement concentrique. Son deuxième verset est une citation
textuelle: "Il dit alors :'Voici, je suis venu pour faire <u>ta volonté</u>' " ; le verset
concentrique affirme l'efficacité de cette offrande intime: "C'est <u>dans cette
volonté</u> que nous avons été sanctifiés" (vv. 9a.10a). Cette volonté, c'est à la
fois la volonté de Dieu qui commande et la volonté du Christ qui obéit: l'accueil
de l'une par l'autre opère la rencontre vitale de Dieu et de l'Offrant, leur
Alliance! Les versets extrêmes comme dans la subdivision précédante, opposent
la *multiplicité*, ici, de ces sacrifices anciens "qui selon (les prescriptions)
de la Loi sont offerts" (49); et, là, l'*unicité* de "l'offrande (προσφορᾶς) du
Corps de Jésus Christ une fois pour toutes (ἐφάπαξ)". Le verset central, c'est
en fait le centre de la Section, proclame précisément ce changement cultuel de
l'Ancien au Nouveau Testament: "il supprime le premier culte pour établir le
second" (9b: ἀναιρεῖ... ἵνα... στήσῃ...).

Le second paragraphe de notre segment central (10,11-14) est, comme le
premier, fondé sur cette opposition entre la multiplicité et l'unicité du sacrifice, mais le rôle sacerdotal y est explicite (50). Cette opposition fonde
la distinction de deux péricopes (vv. 11abcd et 12-14), l'une de structure
parallèle et l'autre de structure concentrique. L'une constate l'impuissance
de l' innombrable multitude des sacrifices anciens; l'autre exalte l'efficacité de l'unique sacrifice du Christ.

A. Vanhoye a relevé les correspondances concentriques qui jouent entre
ces deux péricopes ou plus exactement entre la première et le début de la seconde (vv. 11 et 12-13a...). Il en donne un tableau, puis il remarque que la
conclusion (v. 14) reprend des éléments de la concentrie précédente relatifs
au Christ. Coordonnant ces observations et les développant, nous constatons
que ces deux péricopes nous offrent le cas d'une *double concentrie* globale,
dont la formule illustre les divers rapports structurels de ces deux péricopes
(51). En voici la structuration, avec nos modifications:

```
x   tout prêtre (a) 1. est debout
                       chaque jour - 2. faisant la liturgie
             (b) -  offrant souvent les mêmes sacrifices
             (c) -  qui jamais ne peuvent enlever les péchés.

X Mais Lui        - un seul
             (C) - pour les péchés - (B) ayant offert de sacrifice
             (A) 1. à perpétuité s'assit ...
               - 2. désormais attendant  ...
               -     ... / ...
               -     ... / ...
             (B') - par une seule offrande
             (C') - il a conféré l'accomplissement à perpétuité
               - à ceux qu'il sanctifie
```

Dans ce schéma nous avons repris les sigles de cet exégète: (a) désigne l'attitude du prêtre, (b) le sacrifice qu'il offre, et (c) sa relation au péché ou au salut; mais nous avons disposé son tableau selon notre structuration, ajoutant au tableau le v. 14 avec notre siglation complémentaire.

Ce schéma manifeste divers rapports structurels. En premier lieu, un parallélisme fondamental de construction des deux péricopes , qui met en évidence leur contraste idéal. Chaque péricope est bâtie avec deux verbes principaux: les premiers campent l'attitude de "tout prêtre", "debout", ou de "Lui", "assis"; les seconds indiquent le résultat sanctificateur, "à jamais impuissants" ou "parfait à perpétuité". Voici ces oppositions:

(a) 1.	ἔστηκεν . καθ' ἡμέραν	(A) 1.	εἰς τὸ διηνεκὲς . ἐκάθισεν
2.		2.	
(b)		( )	
(c)	οὐδέποτε . δύνανται	(C')	τετελείωκεν . εἰς τὸ διηνεκὲς

Ces quatre verbes sont renforcés par la précision temporelle qui les accompagne, et dont la concentrie réciproque renforce pareillement l'unité structurelle de leur péricope. Ce schéma nous permet de comprendre comment sur cette structure fondamentale se construit, ici, une structure d'ensemble parallèle et, là, une structure d'ensemble concentrique (52) .

L'élément (b) ("offrant souvent les mêmes sacrifices") assure un parallélisme même idéal à la première péricope, puisque sont successivement indiqués: l'attitude du prêtre, ses sacrifices, son résultat. La seconde péricope possède aussi cette même suite parallèle, avec (B') "par une seule offrande" : mais syntagmatiquement (B') est lié à (C'), alors que (b) était rattaché à (a). En fait, cette dernière suite parallèle fait *partie* d'une suite concentrique: les éléments (C) et (B) sont, en effet, placés avant (A) et rattachés à lui. Nous constatons ainsi l'existence d'une suite parallèle inverse de la première:

"un seul (C) pour les péchés (B) ayant offert de sacrifice (A) ...".

Notons au passage la similitude de construction avec (b):

"les mêmes ( ) souvent (b) offrant de sacrifices ... " (53).

Bien plus, comme au verbe principal de (a) ("être debout") se rattachent deux participes ("faisant-le-culte" et "offrant"), ainsi au verbe principal de (A) ("être assis") se rattachent deux participes ("ayant-offert" et "attendant"). Mais leur signification temporelle, voire structurale, évidemment est contrastée: l'activité du sacerdoce ancien est exprimée dans sa durée temporelle, la temporalité de l'A.T., impuissante à en sortir; l'activité du sacerdoce du Christ est exprimée en son au-delà, l'éternité, où seule elle parvient d'un seul coup. En réalité, comme l'était le "pôle" de l'Incarnation, ce *"pôle"* de la Session est *développé*: le participe passé ("ayant-offert") connote sa vie terrestre en son terme, et le participe présent ("attendant") indique le temps de l'Eglise qu'ouvre sa Session, sa "postexistence".

Cette analyse minutieuse nous aura donc permis de constater l'unité de ce second § de notre segment central, tout aussi bien que l'unité et la structure particulière à chacune de ses deux péricopes. Cette différence entre les niveaux de structuration nous permettra bientôt de manifester leur intégration dans l'unité structurelle du segment central.

Le segment final (10,15-18), logique et structurel, exalte la réalisation, par ce sacrifice efficace du Christ, de la nouvelle Alliance. En conclusion de cette Section, est repris l'essentiel du texte de Jérémie qui annonçait l'instauration d'une nouvelle Alliance (cf. 7/8,7-13). En sont rappelés, comme précédemment par l'opposition de deux *dires*, ses deux traits extrêmes: l'*intériorité* des lois et la *rémission* des péchés.

La structuration met en évidence la citation de Jérémie, encadrée par une introduction et une conclusion hors citation de deux versets chacune. L'introduction (vv. 15ab) montre l'Esprit-Saint nous attestant l'avénement de la Nouvelle Alliance. Inclusion possible avec "nous atteste" et "dit le Seigneur". Le centre de la citation et donc du segment (vv. 16cd) déclare ici "l'inscription" des lois étendue "à la pensée" comme au "coeur". Inclusion avec "donnant mes lois" et "je les écrirai". Les deux derniers versets de la citation avec la conclusion déclarent que le Seigneur ne se souviendra plus des péchés: d'où la disparition désormais d'offrande pour le péché (vv. 17-18). Inclusion avec "péchés" et "péché".

Unité structurelle de la 9ème Section

Les segments extrêmes (10,1-3) et (10,15-18) concernent l'A.T. ou le N.T., "la Loi" ou "l'Alliance". Cette opposition illustre le *changement* de l'une à l'autre, mentionné en ces deux segments comme il l'est en plein centre de la Section. Ici, "la Loi" ne possède que "l'ombre" et non pas "l'image" de la réalité des biens à venir; là, "l'Alliance" jadis prophétisée à venir (noter les trois verbes au futur), "après ces jours-là" de l'ancienne, est attestée présente. Ce parallélisme de contraste se poursuit en ces deux segments, plus ou moins marqué, au-delà de leur centre. Ainsi les trois ou quatre derniers versets ici et là sont-ils marqués par deux syntagmes corrélatifs concernant "les péchés". Ici, conformément au contraste initial entre "l'ombre" affirmée et "l'image" niée, des sacrifices de la Loi il est nié qu'ils donnent de "n'avoir encore plus aucune conscience des péchés" aux fidèles qui seraient "une bonne fois purifiés"; mais il est affirmé qu'en eux se prolonge "le souvenir des péchés tout au long de l'année". Là, par contre, conformément à l'attestation initiale de l'avénement de la Nouvelle Alliance, il est affirmé que "de leurs péchés ... je ne me souviendrai plus encore"; et que, puisqu'il y a "pardon", "il n'y a plus encore d'offrande pour le péché":

- 2c et 3 : μηδεμίαν . ἔτι συνείδησιν ἁμαρτιῶν- ἀνάμνησις ἁμαρτιῶν κατ'ἐνιαυτόν
- 17ab.18b: ἁμαρτιῶν . οὗ μη μνησθήσομαι ἔτι - οὐκέτι προσφορὰ περὶ ἁμαρτιῶν

Le *"souvenir des péchés"*, maintenu ou supprimé, doit être considéré comme un terme caractéristique de concentrie (10,3 et 17b). Le thème de la *"Loi"* fait inclusion: ici, "la Loi" inefficace et, là, efficaces, "(le don) des lois" avec "(l'oubli) des 'illégalités', τῶν ἀνομιῶν", surtout que ce dernier terme est substitué au terme des LXX 'injustices, ἀδικἰαις', cité en 8,12a. Par ailleurs la cessation des offrandes multiples, déclarée ici impossible en raison de leur inefficacité (vv. 1d.2a), est constatée là advenue (v. 18b); et l'intériorité ici de la "conscience" s'exprime là par "leurs coeurs et leur pensée", l'une, chargée, mais les autres, libérés.

Le passage de l'A.T. au N.T. s'opère grâce à "l'offrande" et au "sacrifice" de "Jésus Christ", dont traitent les deux § du segment central. Nous devons maintenant montrer comment leurs diverses unités structurelles s'intègrent dans la structuration supérieure qui constitue l'unité du segment central (10,4-14).

Rappelons les données de l'analyse de ces paragraphes. Le premier est composé d'une citation (de structure concentrique) et d'une application en deux unités (l'une de structure parallèle et l'autre de structure concentrique). Le second § comprend deux péricopes (l'une de structure parallèle et l'autre de structure concentrique). Ainsi ce segment compte-t-il cinq péricopes ou unités dont les formes de structuration se correspondent concentriquement, ainsi d'ailleurs que le nombre de leurs mots:

versets :	(4-7)	✦	(8abcd)	+	(8e-10b)	+	(11abcd)	✦	(12-14)
symétrie :	x		=		x		=		x
mots ... :	46		15		33		19		36

La confrontation deux à deux de ces péricopes concentriques va manifester ces données structurelles et statistiques.

Les péricopes extrêmes (10,4-7) et (10,12-14), de structure concentrique, présentent des correspondances importantes, souvent en parfaite concentrie.

A l'incapacité, ici notée au début, des sacrifices anciens "d'enlever les péchés" correspond l'efficacité, là notée à la fin, de l'offrande du Christ "d'avoir mené-à-l'accomplissement les sanctifiés" (vv. 4ab et 14bc). Le sujet principal est le Christ. Son activité sacerdotale est mentionnée ici et là deux fois, et selon une structure doublement concentrique:

- εἰσερχόμενος ... λέγει | - εἰς τὸ διηνεκὲς . ἐκάθισεν
      ... / ... | ... / ...
- εἶπον ... ἥ κ ω | - τετελείωκεν . εἰς τὸ διηνεκὲς (54).

Les deux verbes qui ainsi concernent plus fortement ou personnellement le Christ – ἥκω et ἐκάθισεν – se situent en parfaite concentrie. Ils expriment les *deux coordonnées* cardinales de son existence, unifiant solidement entre eux les extrêmes de ce segment central: son *Incarnation* et sa *Session*. Ces deux *pôles*, nous l'avons noté, sont *développés* l'un et l'autre:

- εἰσερχόμενος   ...   ἥ κ ω   ...   τοῦ ποιῆσαι
- προσενέγκας   ...   ἐκάθισεν   ...   ἐκδεχόμενος

Ce segment intègre donc fortement dans toute l'Histoire l'existence du Christ ainsi que l'avait fait l' Introduction à toute l'Epître

En dépendance du développement de ces deux pôles de l'existence du Christ est exprimé, en plein centre de ces deux péricopes, une activité réciproque de Dieu vis-à-vis du Christ: ici, logiquement antérieure au 1er pôle, " il dit: Tu m'as façonné un Corps (... ô Dieu)"; là, postérieure au 2d pôle, "il s'assit à la droite de Dieu, jusqu'à ce que ses ennemis soient réduits (par Dieu, cf. 1/1,13c) à lui servir de marchepied" (vv. 5bcd et 13abc).

Enfin, les deux termes (d'une *énumération* à signification de multiplicité) laissés, ici, intentionnellement au singulier – θυσίαν et προσφορὰν – dans un contexte de rejet par Dieu servent, là, à exprimer précisément la dédition efficace du Christ à Dieu pour nous et son unicité – μίαν... θυσίαν et μιᾷ... προσφορᾷ (vv. 5b et 12a.14a).

Cette forte concentrie se prolonge dans la concentrie des trois péricopes ou unités intérieures. En fait, les deux unités qui entourent la centrale possèdent toutes deux une structure parallèle (vv. 8abcd et 11abcd). Elles concernent toutes deux uniquement les sacrifices inefficaces de l'A.T. L'énumération si appuyée ici de la multiplicité de ces sacrifices a pour correspondant la description aux traits multipliés de l'incessante activité sacerdotale, là: "chaque jour - debout - les mêmes - souvent - offrant des sacrifices". Ce dernier terme, θυσίας, résume l'énumération en reprenant en parfaite concentrie son premier terme, θυσίας (vv. 8b et 11c). Si le premier verset de ces unités évoque le même graphisme *vertical* ("plus haut" et "se tenir debout"), leur dernier exprime également leur pitoyable impuissance à unir à Dieu: car, ici, Dieu n'en veut ni ne s'y complait; et, là, ils ne peuvent débarrasser du péché. En ce contexte, il y a certainement un jeu verbal, sinon une triste ironie, à déclarer ainsi des sacrifices περὶ ἁμαρτίας incapables de περιελεῖν ἁμαρτίας. Une telle structuration place donc en plein centre de la 9ème Section l'unité (10,8e-10b), dont la structure de nouveau concentrique donne un éclatant relief au *changement de culte* qu'opère dès son incarnation l'offrande personnelle de Jésus-Christ (55).

Et ainsi se trouve justifié l'énorme segment central et l'unité structurelle concentrique de cette Section.

Une des plus importantes symétrie *triangulaire* ou bisegmentale vient encore renforcer cette unité sectionnelle.

Voici, d'une part, la forte correspondance notamment concentrique entre les deux premiers segments. Une grande partie du texte du premier se retrouve dans l'une et l'autre péricope du 2d §. De la Loi, ici, il est affirmé que "toute l'année par les mêmes sacrifices, qu'ils offrent à perpétuité, jamais ne peut ceux qui-s'approchent mener-à-l'accomplissement (τελειῶσαι)" (10,1cde). Des prêtres anciens, là, tout d'abord, on constate que "chaque jour les mêmes sacrifices ils offrent qui jamais ne peuvent enlever les péchés" (vv. 11bcd); du Christ, ensuite, il est affirmé qu' "un seul pour les péchés ayant-offert de sacrifice" ou bien "par une seule offrande - il a mené-à-l'accomplissement à perpétuité ceux qu'il-sanctifie" (vv. 12ab.14abc). Ces références, là, deux fois aux "péchés", l'une négative et l'autre positive, et à l'*unicité* de la dédition du Christ reprennent, d'ailleurs elles aussi, des expressions du 1er segment: ici aussi deux mentions des "péchés" - l'une pleinement négative au sujet des anciens sacrifices, "par eux c'est un souvenir des péchés toute l'année", et l'autre positive (bien qu'irréelle pour l'A.T.), "n'avoir plus aucune (μηδεμίαν) conscience des péchés une fois purifiés" (vv. 2bc.3). Dans cet ensemble abondant de correspondances, l'opposition des deux verbes "τελειῶσαι-τετελείωκεν", l'un négatif (οὐδέποτε) et l'autre positif (εἰς τὸ διηνεκὲς), l'un pour la Loi et l'autre pour le Christ - cette opposition constitue une inclusion caractéristique de ce bisegment. Participant à cette dernière concentrie, on doit relever aussi les deux seules mentions du "Corps" de Jésus (vv. 5c et 10b), complétées par son intention "de faire la volonté (de Dieu)" (vv. 7c et 9a).

Voici, d'autre part, la correspondance concentrique entre les deux derniers segments: c'est alors le 1er § du segment central qui surtout y participe. A l'impossibilité pour le sang des sacrifices anciens de "remettre les péchés" correspond, là, au terme de la Section, la constatation que dans la nouvelle Alliance "il y a <u>rémission</u>(des péchés)" (vv. 4b et 18a). L'opposition de ces deux termes "ἀφαιρεῖν ἁμαρτίας" - "ἄφεσις (ἁμαρτιῶν)", l'un encore négatif pour les sacrifices de la Loi et l'autre encore positif pour l'Alliance du Christ, constitue une <u>inclusion</u> caractéristique de ce bisegment, et semblable à la précédante. Cette inclusion est complétée par une mention de l'*écriture* divine, ici dans"le Livre" et là désormais dans "les coeurs" (vv. 7b et 16d: γέγραπται et ἐπιγράψω). Même contexte "d'offrande" - "pour le péché". Participant à cette concentrie, on doit aussi relever les deux seules mentions de "l'offrande, προσφορά" du Christ, cause de notre sanctification (vv. 10ab: "nous avons <u>été sanctifiés par l'offrande</u> ..."; et 14ac: "<u>par une seule offrande</u> il a mené-à-l'accomplissement... ceux qu'il-sanctifie"). Ces mentions en ce bisegment final de "l'offrande" sont l'équivalent des mentions dans le bisegment initial du "Corps" du Christ, auxquelles elles sont intimement liées puisqu'il s'agit de... *"l'offrande du Corps"* de Jésus-Christ au centre même de cette Section.

La 9è Section offre donc une synthèse historique de l'activité sacrificielle. Le segment initial met en évidence le temps de l'A.T., et l'inefficacité de la Loi et de ses sacrifices. Le segment central met en relief le temps du Christ terrestre. En son 1er § le temps de l'A.T. se clôt avec l'*Incarnation* et en son 2d § le temps du N.T. s'ouvre avec la *Session* du Christ au ciel. Le segment final met en évidence le temps de l'Eglise, et l'efficacité de l'Alliance nouvelle et de son sacrifice personnel.

§ 15 : DIXIÈME SECTION (10,19-39)

Voici la dernière Section de la IIème Partie de l'Epître aux Hébreux. Son genre littéraire est l'exhortation. Elle comprend trois synthèses de l'existence chrétienne, qui évoquent chacune le passé de l'*initiation* et le futur de l'*eschatologie*. Les rappels du passé de fidélité et l'évocation du futur du jugement viennent ainsi renforcer les encouragements à la persévérance présente. A. Vanhoye distingue quatre paragraphes: 10,19-25 26-31 32-35 et 36-39. Tout en reconnaissant un fondement à la distinction des deux derniers paragraphes, nous constaterons qu'ils s'intègrent tous deux dans une unité supérieure, segmentale. Nous répartissons donc les 291 occurrences de cette Section en trois segments bien équilibrés, dont voici les formules:
92 + 89 + 110 ou bien 36.19.37 + 47.23.40 + 28.39.22 (56).

L'unité idéale du premier segment (10,19-25) se manifeste par l'emploi de trois verbes à valeur impérative, dont chacun est lié à l'une des trois vertus *théologales*: "approchons-nous ... en plénitude de *foi*" - "maintenons la confession de l'*espérance*" - "faisons-attention ... pour une stimulation de *charité*" (10,22a.23a.24a). Mais le développement de ces trois injonctions est fort inégal: la première est précédée d'une proposition participiale qui compte à elle seule plus du tiers du vocabulaire du segment, soit autant que l'ensemble des 2è et 3è injonctions. Ces deux unités entourent ainsi une petite unité centrale, que forment le verbe de la 1ère injonction et les deux participiales suivantes qui achèvent cette très longue phrase.

La proposition participiale introductive (10,19-21) possède une structure fortement concentrique. Elle présente en modèle aux chrétiens Jésus en toute sa destinée. Aux deux extrémités sont placées les deux affirmations principales, de forme semblable:

- " Ayant donc, frères, l'assurance pour l'entrée dans le sanctuaire ...";
- " ...   et un Prêtre *grand* sur la maison de Dieu ..."

Les versets intermédiaires mettent en correspondance concentrique:

- "le *sang* de Jésus" et " la *chair* de lui"
- "le *chemin* inauguré" et " le *voile* traversé".

Au centre sont placés les deux qualificatifs, "nouveau et vivant", de ce chemin manifesté par Jésus. "Sang" et "chair" expriment une totalité d'être: mais le "sang" est lié à "l'entrée", effectuée pour la Session, tandis que la "chair" est lié au "cheminement" commencé à l'Incarnation. En ces deux composantes (cf. 2,14), la Chair et le Sang, sont symbolisés les deux extrêmes significatifs et décisifs de toute la vie de Jésus: son Incarnation et sa Passion.

En plein centre du segment, c'est donc le vibrant: "approchons-nous, προσερχώμεθα", continuons d'avancer sur ce "chemin, ὁδὸν" qui mène à cette "entrée, εἴσοδον". Ce cheminement spirituel du chrétien a été inauguré par son *baptême,* qui scelle sa première profession de foi. "Le coeur purifié" et "le corps lavé": ces deux participes équilibrent déjà le verbe de cette première injonction, en formant comme le pendant au participe à double objet de l'introduction (57).

Le léger abrupt de la deuxième injonction - en la distinguant ainsi du centre structurel, avec le seul verbe de mouvement - l'intègre mieux à l'unité qu'elle forme avec la troisième injonction, plus développée qu'elle, mais avec un verbe semblable d'attitude spirituelle: "maintenons... - faisons attention...". Cependant cette partie de l'exhortation - au maintien de l'espérance et à l'attention réciproque dans la pratique de la charité fraternelle, notamment aux réunions communes - offre peu de marques de structuration. Peut-être les incises: "fidèle (est), en effet, Celui qui fit-promesse" et "comme certains en ont l'habitude" (10,23b et 25b) ?

L'unité de l'ensemble du segment, assurée idéalement par la triade théologale, paraît marquée par les trois mouvements, de même sens ou inverse, indiqués: au centre, "approchons-nous, προσερχώμεθα", et aux deux extrémités, "la franchise pour l'entrée dans le sanctuaire, εἰς τὴν εἴσοδον..." et "l'approche du Jour, ἐγγίζουσαν" .

Cette dernière évocation *eschatologique* est largement développée dans le segment central (10,26-31). Nettement concentrique, il comprend trois péricopes (vv. 26-27 28-29 30-31). A grands traits, synthèse d'une destinée déplorable, est décrit d'abord le sort des chrétiens qui délibérément vivraient dans le péché, après avoir pourtant reçu la connaissance de la vérité lors de leur initiation. Pour eux il ne reste plus de sacrifice pour les péchés, mais "une terrible attente du jugement" et finalement le châtiment du feu vengeur.

Dans la péricope centrale (vv. 28-29) un raisonnement *a fortiori* entre l'A.T. et le N.T. fait redouter la grandeur du châtiment mérité par le chrétien infidèle. Si le violateur de "la Loi de Moïse", sur la déposition de"deux ou trois témoins", est condamné à mort - qu'en sera-t-il du chrétien qui aurait triplement (58): "le Fils de Dieu, piétiné" - "le Sang de l'Alliance, tenu pour profane..." - "l'Esprit de la grâce, outragé" ?

Enfin la troisième péricope (vv. 30-31) évoque encore l'initiation depuis laquelle "nous savons" qui est Dieu, et qu'il châtie et juge   : deux citations sont apportées à l'appui (59).

L'unité structurelle du segment est soulignée par sa concentrie idéale et verbale. Notons auparavant la transformation de l'interlocuteur: aux deux extrémités , c'est le "nous", tandis qu'au centre, c'est le "vous"; les trois fois, référence est faite à leur *connaissance* (ἡμῶν... ἐπίγνωσιν - δοκεῖτε - οἴδαμεν);

mais à chaque fois l'interlocuteur est différent et différente sa relation à la connaissance. Le "nous" est d'abord celui des "pécheurs": leur "pleine connaissance " de la vérité aggrave leur culpabilité (vv. 26ab); le "vous" est ensuite celui des destinataires: leur connaissance leur permet d'estimer la grandeur du châtiment mérité par "celui qui..." (vv. 29ab); le "nous" est enfin celui des destinataires uni au destinateur: leur connaissance concerne la personne et la fonction de Dieu qui juge et châtie (v. 30a) et le "pécheur" est désormais virtuel. Il y a donc atténuation dans l'évocation de la situation de péché au sein de la communauté (cf. 5/6,9 la même atténuation oratoire).

La suite des thèmes se présente en parfaite concentrie, comme suit:
- <u>Péché</u> . <u>Jugement</u> . <u>châtiment</u> ✦ <u>Péché</u> . <u>châtiment</u> / <u>châtiment</u> . <u>Péché</u> ✦
  <u>châtiment</u> . <u>Jugement</u> . <u>châtiment</u> -
Une seule exception apparemment à cette parfaite concentrie, précisément entre les versets qui ouvre et ferme ce segment! Elle révèle pourtant un art consommé! En effet, le terme "ἑκουσίως", qui caractérise au début l'attitude des pécheurs, traduit l'expression hébraïque "à mains levées", c'est-à-dire désigne le péché pleinement délibéré et pour la rémission duquel il n'y avait précisément pas de sacrifice pour le péché (cf. Ex 21-14 etc) et dont le châtiment était la lapidation "à la main" (cf. Nb 15,30-36; Dt 17,2-7). "Tomber entre les mains du Dieu vivant" est donc, à la fin, l'expression pleinement concentrique et correspondante du châtiment mérité.

La concentrie est aussi marquée verbalement. Par la concentrie de termes caractéristiques: "<u>Terrible</u>... du <u>Jugement</u>" et "qui <u>juge</u>... (il est) <u>terrible</u> de..." (vv. 27a et 30d.31: Φοβερὰ... κρίσεως - κρινεῖ... Φοβερὸν). S'y ajoutent, toujours en ces péricopes extrêmes: la mention du "<u>nous</u>" chrétien et de la /<u>connaissance</u>/, comme nous l'avons signalé; un semblable usage de l'<u>infinitif</u> (τὸ λαβεῖν - τὸ ἐμπεσεῖν); l'importante paronomase enfin des deux expressions du châtiment eschatologique: ἐκδοχὴ ... τοὺς ὑπεναντίους et ἐκδίκησις ... ἀνταποδώσω, dont les quatre termes sont des hapax.

Le segment final (10,32-39) comporte deux péricopes de structure semblable, qui s'intègrent l'une à l'autre dans une unité idéale en référence, comme le segment initial, aux trois vertus *théologales*.

La première péricope (vv. 32-35) affirme son individualité par la similitude de ses deux versets et du début et de la fin, qui présentent sous forme impérative une invitation au courage. Positive, au début: "rappelez-vous de vos premiers jours"; ou négative, à la fin: "ne rejetez pas votre assurance". Cette invitation est suivie d'une proposition relative à son objet: au début, "leur lourd combat de souffrances, πολλὴν ἄθλησιν"; et à la fin, "la grande rémunération, μεγάλην μισθαποδοσίαν" (vv. 32ab et 35ab). Les versets intérieurs décrivent ce "combat". D'abord deux versets, fortement unifiés par le syntagme hapax du N.T.: τοῦτο μὲν ... τοῦτο δὲ ..., aux éléments concentriques, expriment la passion et la compassion des chrétiens:
- "... sous les injures et les persécutions donnés en spectacle,
- "... devenus solidaires de ceux qui subissaient de tels traitements"
(10,33ab). Un verset central met en évidence cette "compassion, συνεπαθήσατε" (v. 34a). Enfin, deux autres versets, unifiés par l'idée de biens possédés, aux éléments encore concentriques, expriment des chrétiens la spoliation passée et leur richesse future:
- "la spoliation de vos biens avec joie vous l'avez acceptée,
- vous sachant en possession d'une meilleure fortune et durable"
(vv. 34bc: τήν ἁρπαγὴν τῶν ὑπαρχόντων ... ὕπαρξιν καὶ μένουσαν).

La seconde péricope (10,36-39) offre une structure semblable, à un verset près, qui lie précisément ces deux péricopes en une seule unité. Ainsi les trois versets du début et les deux de la fin présentent, sous une forme constative, une attitude chrétienne et son contraire: au début, implicitement, "D'endurance, ὑπομονῆς, en effet, vous avez besoin" (un besoin suppose un manque) - ou à la fin, explicite, "Nous ne sommes pas (des hommes)de dérobade, ὑποστολῆς, mais (des hommes) de foi, πίστεως"; constatation qui est suivie d'une proposition ou d'un syntagme relatif à ses conséquences: au début, "afin que la volonté de Dieu ayant-fait, vous obteniez la promesse" - ou à la fin, "pas ... pour la perdition, mais ... pour la possession de l'âme" (10,36abc et 39ab). Les versets intérieurs font appel à une citation d'Habacuc 2,2-3 fortement remaniée. D'abord deux versets soulignent la brièveté de ce temps d'endurance: "Encore, en effet, si peu, si peu de temps - Celui qui vient sera là, il ne tardera pas" (10,37ab). Le verset central exalte la vie de foi: "Mon juste par la foi vivra" (v. 38a). Enfin, deux autres versets, unifiés par leur opposition d'attitudes: "Mais, s'il se dérobe, ὑποστείληται, - mon âme ne se complaira pas en lui" (vv. 38bc). A défaut de la même forme impérative qui marquait fortement l'unité de la première péricope, les paronomases de ὑπομονῆς avec l'hapax biblique ὑποστολῆς, voire de ποιήσαντες avec περιποίη-σιν, contribuent à l'unité de cette seconde péricope.

Bien plus, la première paronomase contribue aussi à l'unité de l'ensemble du segment. Au début même de la première péricope le 2éme verset avait, en effet, déjà parlé des souffrances "endurées" par les chrétiens (v. 32b: ὑπεμείνατε). Nous retrouvons ainsi une structure d'unité semblable à celle signalée pour le segment initial. Il s'agit ici de trois attitudes, de même sens ou inverse, indiquées: au centre, "d'*endurance* vous avez besoin", et aux deux extrémités, "le combat que vous avez *enduré*" et "nous ne sommes pas (des hommes) de *dérobade*" (10,32b.36a.39a: ὑπεμείνατε - ὑπομονῆς - ὑποστολῆς).

Le segment final, comme le premier, est unifié par la triade théologale, en corrélation d'ailleurs concentrique avec les mentions de ce premier segment. Ici, en effet, il était dit: "Avançons-nous... en plénitude de *foi*"; là, il est dit: "Celui qui vient sera là ... Mon juste par la *foi* vivra ... Nous ne sommes pas (des hommes) de dérobade, mais de *foi*" (10,22a et 37b.38a.39)(60). Ici, l'invitation: "Ne rejetez pas votre assurance, παρρησίαν" fait appel à l'endurance nécessaire pour que "vous obteniez la promesse" (10,23 et 35a.36ac): c'est là le contexte de l'espérance, puisque "Ne rejetez pas" est l'équivalent de "Maintenons" et que l'Auteur en 3/3,6bc demandait que nous "maintenions l'assurance, παρρησίαν, et la fierté de l'*espérance*". Nous sommes ainsi amené à considérer l'ensemble intérieur (vv. 35-36) comme répondant à la vertu d'espérance. Ici, enfin, l'invitation: "Faisons-attention ... pour une stimulation de *charité*" mentionnait les "bonnes oeuvres" et le souci de la vie communautaire; là, sont détaillées les oeuvres de "passion" et de "compassion" des chrétiens aux premiers jours de leur vie commune, et ils sont invités à "s'en souvenir": cet ἀναμιμνήσκεσθε correspond à κατανοῶμεν, puisqu'il s'agit de deux verbes impliquant réflexion et considération intérieures (10,24s et 32-34). Nous sommes ainsi amené à considérer ce premier ensemble comme répondant à la vertu de charité (61).

Contribuant à l'unité de ce segment, signalons enfin ce même fait que le verset central des deux péricopes (10,34a et 38a): "vous avez pris part à la *souffrance* des prisonniers" et "Mon juste par la *foi* vivra" est la reprise des "souffrances" mentionnées au début (v. 32b) ou l'annonce de la "foi" mentionnée à la fin (v. 39b).

Unité structurelle de la 10ème Section

Nous avons déjà dû signaler deux éléments marquants de l'unité structurelle de cette Section: la similitude de structure des segments initial et final, pour autant qu'ils mentionnent, d'une part, trois mouvements ou trois attitudes pareillement de même sens ou inverse et, d'autre part, les trois vertus théologales de façon explicite ou implicite mais concentrique:

Foi . Espérance . Charité / ... ... /(charité).(espérance). Foi

Ajoutons à ces éléments de similitude, l'emploi fréquent du "nous" et du "vous", avec cette même particularité du renversement dans la dernière mention des chrétiens, ici, du "nous" en "vous" et, là, du "vous" en "nous"! Et comme la première et la dernière mentions du "nous" y sont seules pronominales, elles marquent l'inclusion de cette Section. Les mentions verbales du "vous", finale ou initiale de ces segments, participent pareillement à leur concentrie, comme nous allons plus amplement le constater.

Nous relevons, en effet, les suites concentriques suivantes:

1	παρρησίαν εἰς τ.εἴσ. τ.ἀγίων	19a	6	ἀναμιμνῄσκεσθε τὰς ἡμέρας	32a
2	ἡμῖν	20a	5	τὴν ἐπαγγελίαν	36c
3	ζῶσαν	b	4	ὁ ἐρχόμενος	37b
4	προσερχώμεθα	22a		... ἐκ πίστεως	38a
	... πίστεως	a	3	ζήσεται	a
5	ὁ ἐπαγγειλάμενος	23b	2	ἡμεῖς	39a
6	βλέπετε ... τὴν ἡμέραν	25c	1	πίστεως εἰς περιποίησιν ψ.	b

Précisons ces correspondances numéro par numéro:

1-2. La Section s'ouvre et se ferme sur une mention eschatologique concernant les chrétiens, exprimés par le "nous" pronominal:
- "Ayant donc ... l'assurance   pour l'entrée du sanctuaire";
- "... mais (des hommes) de foi   pour la possession de l'âme".

3. La "vie" qualifie le "chemin" de la destinée du Christ et, là, la destinée des chrétiens grâce à la "foi".

4. Semblable union des thèmes de la "marche" et de la "foi": ici, sur le "chemin - vivant", inauguré par Jésus, nous devons continuer à "avancer" en plénitude de "foi"; là, dans l'attente de "Celui qui vient", le juste "par la foi - vivra".

5.Le thème de la "promesse" est corrélatif de la vertu de "l'espérance". Cette concentrie est liée à la correspondance des invitations de forme positive ou négative: "Maintenez..." ou "Ne rejetez pas...".

6. Les segments extrêmes se ferme et s'ouvre par les mentions réciproques du "Jour" eschatologique ou "des premiers jours" chrétiens, incluant ainsi la totalité du temps de l'Eglise, concernant les chrétiens alors verbalement interpellés par le "vous": "... vous voyez approcher le Jour" - "Souvenez-vous des premiers jours ...". Le contexte de la vertu de charité voit aussi deux fois utilisé le réfléchi (ἑαυτῶν ou ἑαυτοὺς) pour la communauté chrétienne (25a et 34c).

Signalons d'autres correspondances dont celle-ci fort marquée:
- les extrêmes de la proposition participiale "Ayant donc ... l'*assurance*... et un Prêtre *grand*..." trouve une correspondance en "Ne rejetez donc pas votre *assurance*, qui a une *grande* récompense" (vv. 19a.21 et 35ab);
- le sentiment intérieur "avec un coeur droit" de la marche chrétienne trouve un écho dans l'accueil "avec joie" du dépouillement chrétien (vv. 22a et 34b).

- "la maison de Dieu" a pour parfait concentrique "la volonté de Dieu", tandis qu'au centre est mentionné "le Fils de Dieu" (vv. 21a.29b.36b)...

La symétrie triangulaire ou *bisegmentale* est moins importante. Axée sur la péricope centrale du segment central, voici d'une part la forte correspondance de "... l'entrée dans le sanctuaire par le *sang* de Jésus" avec "le Fils de Dieu ... le *sang*... par lequel il a été sanctifié" (10,19ab et 29bcd); et d'autre part, la forte correspondance de "... c'est la <u>mort</u>" avec "... pour la <u>perdition</u>" (10,28c et 39a). A l'intérieur de ces sortes d'*inclusions bisegmentales*, nous rencontrons, d'une part, deux attitudes spirituelles caractérisées par la *vérité*: "avec un coeur véritable" et "après... la pleine connaissance de la vérité" (10,22a et 26a: μετὰ ἀληθινῆς... et μετὰ... τὴν ἐπίγνωσιν τῆς ἀληθείας); et d'autre part, deux attitudes spirituelles caractérisées par le sentiment du *commun*: dépréciatif, pour le pécheur qui estime "commun" le sang du Fils de Dieu ou, appréciatif, pour les chrétiens qui firent "cause commune" avec leurs frères persécutés (10,29c et 33b: κοινὸν et κοινωνοί). Ces deux derniers termes sont de plus suivi semblablement, l'un, par "nous le <u>connaissons</u> (Celui qui a dit...) je <u>rétribuerai</u>" et, l'autre, par "<u>sachant</u> que vous avez (...) une grande <u>rétribution</u>" (10,30ab et 34c.35b: ἀνταποδώσω et μισθαποδοσίαν).

§ 16 : UNITÉ STRUCTURELLE DE LA 5ème COLONNE (UC)

En dépit de leur densité verbale voisine, de 259 et 291 occurrences, les Sections 9 et 10 qui composent cette 5ème Colonne posent un problème pour déterminer leurs symétries du fait de l'énormité du segment central de S⁹. Le système des symétries varie évidemment suivant que l'on prend un segment central complet, comme nous le ferons ici avec (10,4-14), ou réduit, comme nous avons fait au début avec les Sections [1,2,3] (62). Mais ici l'analyse invite à prendre ce segment complet. L'analyse est restreinte à la concentrie.

Les segments initial (10,1-3) et final (10,32-39) présentent deux fortes marques de concentrie. D'abord, la réciprocité des mouvements de *marche* entre, ici, "<u>ceux qui s'approchent</u>" vers Dieu au cours du temps de l'A.T. et, là, "<u>Celui qui vient</u>" vers les chrétiens au cours du temps de l'Eglise (10,1e et 37b). Cette réciprocité est mentionnée dans un contexte d'*anamnèse*: ici, péjorative pour une approche déficiente, car les sacrifices anciens prolongent "le <u>souvenir</u> des péchés tout au long de l'année"; là, laudative comme la venue salvatrice, "<u>souvenez-vous</u> des premiers jours" de votre patience pour finalement obtenir la promesse (10,1e.3 et 32a.37b). La temporalité caractérise cette anamnèse, ici, à propos des péchés dont le fidèle juif gardait "<u>encore</u> conscience"; et là, à propos de l'endurance que les chrétiens ont à maintenir "<u>encore</u> si peu, si peu de temps" (10,2b et 37a). Ajoutons la mention des *biens eschatologiques*: alors que la Loi, ici, "n'avait que l'ombre des <u>biens</u> à venir", les chrétiens sont convaincus, là, "d'avoir une <u>fortune</u>... durable" (10,1a et 34c).

Deux groupes importants de correspondances se rencontrent dans les segments centraux (10,4-14) et (10,26-31). Le premier groupe se situe au centre même des deux Sections, dont le thème majeur est le *changement d'Alliance*: ici, de l'ancienne à la nouvelle, en raison de l'impuissance de la première à effacer les péchés; là, de l'ancienne ou de la nouvelle, que rejette le fidèle en péchant délibérément contre l'une ou l'autre. En conséquence on trouve pareillement évoqués:

- le *rejet de la Loi* dans une perspective péjorative pour elle, ici, "des sacrifices offerts selon la Loi (...), il enlève (ἀναιρεῖ) le premier régime pour établir le deuxième"; ou dans une perspective appréciative pour elle, là, "Celui qui-a-violé la Loi, sur la déposition de deux ou trois témoins" est condamné à mort (10,8a.9b ou 28ac). Noter au passage le même usage de chiffres: 1/2 ou 2/3.

- la *sanctification* opérée par l'offrande de Jésus: ici, "dans cette volonté nous avons été sanctifiés - par l'offrande du Corps de Jésus Christ"; ou, là, le chrétien pécheur méprise "le Fils de Dieu ... - le Sang de l'Alliance ... dans lequel il a été sanctifié" (10,10ab et 29cd). En ces deux centres sont ainsi mentionnés les deux pôles *eucharistiques*, le Corps et le Sang, en leur rattachement aux deux pôles de la destinée de Jésus Christ, Fils de Dieu, son *Incarnation* et sa *Passion*.

Le deuxième groupe se situe ici dans la péricope finale et là dans la péricope initiale. Deux attentes *eschatologiques* sont opposées, du Christ sauveur ou du chrétien pécheur. Ici, "après avoir pour les péchés offert un seul sacrifice - il s'est assis à la droite de Dieu - pour le reste il attend que ses ennemis" lui soient soumis; là, "pour les péchés il ne reste plus de sacrifice, - mais une terrible attente ... du feu qui consumera les adversaires" (10,12-13 et 26c-27):

- ... τὸ λοιπὸν   ἐκδεχόμενος ... οἱ ἐχθροὶ
- ... ἀπολείπεται ... ἐκδοχὴ   ... τοὺς ὑπεναντίους

Le pécheur prend figure de ces rebelles, que Dieu finalement soumettra à son Christ.

La péricope initiale ici n'offre avec la péricope finale là qu'une correspondance: une même introduction de citation, ici, "il dit: me voici ..." et "Celui qui-a-dit: à moi ..." (10,7a et 30b: εἶπον ... et τὸν εἰπόντα ..., cas unique). Par ailleurs, le "sang" des sacrifices anciens a pour correspondant, là au centre, le "Sang de l'Alliance" nouvelle (10,4a et 29c).

Les segments final (10,15-18) et initial (10,19-25) n'offrent guère qu'une forte marque de concentrie, mais dans un contexte et avec un vocabulaire proches. Les chrétiens sont personnellement concernés (ἡμῖν ... et ἡμῖν ...), car ils doivent là se conduire selon l'esprit de l'Alliance nouvelle, qui ici leur est attesté réalisée par le sacrifice du Christ. Ainsi, "après ces jours-là - mes lois, c'est sur leurs coeurs et sur leur pensée que je les écrirai" (10, 16bcd: ἐπὶ καρδίας ... καὶ ἐπὶ τὴν διάνοιαν). En conséquence là, ayant un Prêtre grand "sur la maison de Dieu", que les chrétiens s'approchent "avec un coeur vrai" et "fixent-leur-pensée les uns sur les autres en émulation de charité jusqu'au "Jour" (10,21.22a.24a.25c: καρδίας - κατανοῶμεν). En outre, l'oubli ici dans la nouvelle Alliance des "péchés" et des "illégalités", se réalise là pour les chrétiens dont "les coeurs sont purifiés de toute conscience de faute et le corps lavé d'une eau pure" (10,17 et 22bc).

§ 17 : UNITÉ STRUCTURELLE DE LA 2ème PARTIE

La IIème Partie couvre trois Colonnes synoptiques, et non deux comme les Ière et IIIème Parties: de ce fait son unité structurelle présente d'autres formes de relation entre ses Colonnes. La manifestation de cette unité dans les limites choisies pour la Ière Partie (cf. § 7) comprendra, en effet :

1. pour sa structuration parallèle, la symétrie parallèle de ses Sections parallèles, c'est-à-dire d'une part: $(S^{5=7})$, $(S^{7=9})$ *et* $(S^{5=9})$; et d'autre part: $(S^{6=8})$, $(S^{8=10})$ *et* $(S^{6=10})$.
2. pour sa structuration concentrique, la symétrie concentrique de ses Sections concentriques, c'est-à-dire: $(S^{5\times10})$, $(S^{6\times9})$ *et* $(S^{7\times8})$.

En conséquence, si la IIème Partie comprend aussi des Colonnes Successives (CS), leur statut d'*ouverture* et de *clôture* entre elles est différent: sa 2ème Colonne (C^4) ne clôture pas cette Partie mais reste ouverte à sa 3ème Colonne (C^5). De plus, elle comprend des Colonnes Concentriques (CC) et donc des symétries entre leurs Sections parallèles, $(S^{5=9})$ et $(S^{6=10})$, et entre leurs Sections concentriques, $(S^{5\times10})$ et $(S^{6\times9})$ - concentrie qui se prolonge d'ailleurs en celle des Sections de la Colonne centrale, $(S^{7\times8})$, déjà étudiée (cf. § 13).

1. Structuration parallèle

Remarque générale. La structuration formelle de cette Partie centrale est particulièrement marquée. Toutes les Sections Successives (SS), sauf $S^{9.10}$ final, y sont liées par des "mots-crochets"; et de même toutes les Colonnes Successives (CS), y compris les Colonnes de liaison entre deux Parties, sont liées par des "mots-crochets" ou seulement dans deux cas par des mots caractéristiques (63). La division trichotomique ne pose pas de problème et le segment central énorme de S^9 s'impose. Les six segments centraux des Sections commencent tous par "Car ...", contrairement à la Ière Partie où il n'y en a aucun et à la IIIème Partie où il n'y en a qu'en C^7.

Symétrie parallèle (5 = 7)

L'introduction des deux segments initiaux (5,11 - 6,3) et (8,1-6) exalte l'importance de l'exposé: ici, "nous [avons] une parole ... difficile-à-dire" et, là, "Point capital des choses-à-dire, nous avons ..."; et, dans les deux cas, il s'agit du sacerdoce du Christ.

Les deux segments sont bâtis sur le contraste de deux réalités dont l'une est meilleure: deux états chrétiens, dont l'un est celui des "parfaits" - ou deux liturgies, dont l'une est celle d'une "meilleure Alliance". L'acteur en position mineure est présenté sous forme de principe général: "tout participant, en effet, au lait ..." - ou "tout grand-prêtre, en effet, c'est pour offrir ...". L'activité des deux acteurs s'exprime en partie à l'aide de formulations voisines: ici, "les nonchalands *ont besoin* que *quelqu'un* les enseigne", tandis que les "parfaits" savent discerner "le bon *et* le mauvais" (5,12b.14c: χρείαν ἔχετε τοῦ διδάσκειν ὑμᾶς τινα ... καλοῦ τε καὶ κακοῦ ...); là, puisque "tout grand-prêtre" est institué pour offrir "des dons *et* des sacrifices", "*il-est-néces-saire* que Celui-ci (le Christ) ait *quelque chose* à offrir" (8,3abc: δῶρα τε καὶ θυσίας ... - ἀναγκαῖον ἔχειν τι ... ὁ προσφ.). A ce thème du /besoin/nécessité/ s'ajoute celui de la "construction" et de la "perfection", le premier avec des mentions concentriques et structurantes: ici, "les éléments - les parfaits … à la perfection - le fondement"; là, "fixer - mener-à-terme (ἐπιτελεῖν) - tu feras", trois expressions concernant les Tentes christique ou mosaïque (5,12c.14a 6,1bc et 8,2b.5bc).

La correspondance spirituelle entre les contrastes, amorcés précédemment, s'explicite dans les segments centraux (6,4-12) et (8,7-13). En chacun nous est décrit un contraste entre deux attitudes et leurs conséquences: ici, d'infidélité éventuelle ou de fidélité souhaitée et, là, de l'infidélité manifestée sous l'ancienne Alliance ou de la fidélité idéale attendue sous la nouvelle Alliance.

Ainsi le thème majeur du *rejet* se trouve-t-il exprimé ici au centre dans "la malédiction proche" de la terre stérile (6,8: ἀδόκιμος κ. κατάρας ἐγγύς) et là aux deux extrémités du segment, à propos de l'ancienne Alliance digne de "reproche" et "proche de disparition" (8,7a.8a et 13b: εἰ… ἄμεμπτος - μεμφόμενος …, et … ἐγγὺς ἀφανισμοῦ), ainsi qu'au centre même, "parce qu'eux-mêmes ne se sont pas maintenus dans mon Alliance, Je les ai délaissés" (8,9de). Ce dernier contexte de renouvellement d'Alliance enrichit la lecture du parallélisme verbal de ces deux segments.

"L'illumination" de l'initiation chrétienne (6,4a: φωτισθέντας) exprime le transfert de lumière après la "disparition" de l'ancienne Alliance (v. 13b). L'expression de l'impossibilité de "renouveler à la conversion", changement profond de mentalité (6,6a: ἀνακαινίζειν εἰς μετάνοιαν), s'explique du fait que l'initiation est réalisation personnelle de "la nouvelle Alliance", là promise (8,8d: διαθήκην καινήν) où Dieu inscrit ses lois dans "la pensée" (8,10c: διάνοιαν) comme dans le coeur. La "terre qui fait sortir" épines et chardons (6,8a: γῆ… ἐκφέρουσα), c'est-à-dire le chrétien infidèle, imite l'infidélité des anciens après que Dieu "les eut fait sortir de la terre d'Egypte" (8,9c: ἐξαγαγεῖν… ἐκ γῆς). La pluie bienfaisante qui "vient" souvent sur la terre évoque les jours qui "viennent" de la nouvelle Alliance (6,7a et 8,8b). La *réciprocité*, ici, de Dieu qui "n'oublie pas" la charité que les chrétiens ont manifesté "en son Nom" est réalisation de la réciprocité de la nouvelle Alliance où il est devenu "leur Dieu et eux son peuple" (6,10ab et 8,10e): car Dieu "n'est pas injuste", mais miséricordieux envers nos "injustices" et de nos péchés "ne se souvient pas" (6,10a et 8,12ab).

Les segments finaux (6,13-20) et (9,1-10) comportent tous deux un contraste, où est en jeu explicitement ou implicitement l'opposition entre l'ancienne et la nouvelle Alliance: ici, dans une perspective positive, c'est la différence entre l'attente d'Abraham et l'espérance chrétienne; là, dans une perspective négative, c'est la différence entre la Liturgie des deux Tentes.

En réalité la promesse ici à Abraham n'offre là que des parallèles verbaux et indirects: Dieu veut ici "montrer" l'immutabilité de son dessein (7,17: ἐπιδεῖξαι), et là l'Esprit-Saint "manifeste" l'impénétrabilité du Sanctuaire sous l'ancienne Alliance (9,8a: δηλοῦντος); les "deux" réalités immuables d'ici ont pour écho là la "deuxième" Tente (7,18a et 9,3.7a); enfin, "l'impossibilité" ici de mentir pour Dieu (7,18b: ἀδύνατον), valeur positive, correspond là à "l'impossibilité" de mener à la perfection pour le culte ancien (9,9c: μὴ δυνάμεναι), valeur négative.

Au contraire, la description de l'espérance chrétienne annonce ici le thème central de l'Epître: l'*entrée* de Jésus *dans le sanctuaire*, affirmation que prépare là toute la description du culte de l'ancienne Alliance dans la Tente

mosaïque. Voici les éléments marquants de cette description de l'espérance
chrétienne: "... l'espérance, laquelle nous avons... ancre sûre et stable, et
entrant à l'intérieur du voile, là où... pour nous entra Jésus, ... Grand-prêtre
devenu ..." (7,19-20 passim). En correspondance, voici les éléments marquants
de la description du culte de l'ancienne Alliance, "selon laquelle dons et
sacrifices sont offerts": elle comporte "l'entrée" (εἰσίασιν) en tout temps
des prêtres dans la première Tente, mais une seule fois l'an celle du "grand-
prêtre" dans la seconde Tente... (9,3.6-7), "pour ses ignorances et celles du
peuple". Relevons enfin l'opposition entre "l'espérance proposée" aux chrétiens (6,18d: προκειμένης, cf. 12/12,1d) et "les rites... imposés" aux israélites (9,10b: ἐπικείμενα).

Symétrie parallèle (7=9)

Les segments initiaux (8,1-6) et (10,1-3) offrent dès l'abord des correspondances évidentes. Elles sont groupées ici dans l'unité centrale (8,3-5), où
le centre , comme celui du segment parallèle, est marqué par une semblable concentrie de versets et de leurs éléments avec l'action "d'*offrir*": ici et là
sont mentionnés, avec ou sans les "dons", les "sacrifices" (8,3a.4b et 10,1d.2a).
En connexion avec cette structure semblable, nous trouvons pareillement précisé: ici, "il y en a qui offrent - selon la Loi - les dons / mais ceux-là
(c'est) à une copie et une ombre qu'ils rendent-le-culte (celles) des (réalités)
célestes" (8,4b.5a); là, "(Ce n'est que) l'ombre qu'a la Loi des biens à venir /
pas l'image des réalités...", sans quoi ces mêmes sacrifices "n'auraient-ils pas
cessé d'être offerts ... ceux qui-rendent-le-culte une bonne fois purifiés" (10,
1a.2ac). Voici les termes plus marquants: κατὰ (τὸν) νόμον ... σκιᾷ λατρεύουσιν
- Σκιὰν ... ὁ νόμος ... τοὺς λατρεύοντας.

Les segments centraux (8,7-13)et 10,4-14)présentent une suite d'idées suffisamment marquée verbalement relative au *changement d'Alliance*, ici prophétisé et là réalisé. L'introduction nous déclare ici :"Si cette *première* (Alliance)
avait été sans reproche /d'une *deuxième* rechercherait-on le lieu?" (8,7); puis,
en plein centre:"... moi aussi je les ai *délaissés* /car voici l'Alliance par
laquelle je m'*allierai* avec eux..." (8,9e.10a). Ce changement d'une première à
une deuxième Alliance est, en fait, là révélé réalisé par l'incarnation: "Il
enlève le *premier* (culte) pour *établir* le *second*" (10,9b).

Au reste, l'atmosphère de *reproche* marque les débuts des deux segments: ici
"Si... elle avait été sans reproche... - c'est un reproche qu'il leur adresse ...
- ... ils ne se sont pas maintenus dans mon Alliance" (8,7a.8a.9d); là, ce sera
la répétition insistant sur le rejet des sacrifices: "Tu n'en a pas voulu, ils
ne t'ont pas plu" (10,5b.6a.8d). Après les reproches, c'est une *venue*: "Voici
que des jours viennent, dit le seigneur" - "alors j'ai dit: voici... je suis venu"
(8,8b et 10,7a avec leur répétition équivalente en 8,10b et 9,9a en plein centre). Ensuite, le mystère de l'*écriture*: la nouvelle Alliance, intimité réciproque entre Dieu et ses fidèles - ce Dieu qui ici "inscrit, ἐπιγράψω"ses lois
dans leurs coeurs et leur pensée (8,10bcde), apparaît là réalisé par Jésus,
comme "il était écrit, γέγραπται" dans le Livre à son sujet, venu "ô Dieu, pour
faire ta volonté" (10,7c.9a). Enfin, l'annonce ici de "l'oubli divin des *péchés*"
(8,12) termine aussi l'évocation de la vie sacrificielle de Jésus, achevée par
"son unique sacrifice pour les péchés" (10,12ab).

Les segments finaux (9,1-10) et (10,15-18) comportent encore une marque
importante de symétrie parallèle. Il s'agit ici d'une "démonstration" et là
d'une "attestation" de "l'Esprit-Saint" (9,8a et 10,15a) relative au culte des
deux Alliances. En fait, l'offrande de dons et de sacrifices est ici déclarée

inefficace, tandis que là en raison du sacrifice efficace de Jésus Christ
toute "offrande pour le péché" est déclarée désormais inutile (9,9bc et 10,18).

Symétrie parallèle (5 = 9)

Rappelons-le, il s'agit d'une forme nouvelle de relation: elle met en jeu
des Colonnes Concentriques et non plus Successives.

Le thème prédominant des deux segments initiaux (5,11 - 6,3) et (10,1-3)
est celui de la *perfection*, exprimé en leur verset central et constituant leur
plus forte marque de symétrie: "les parfaits, τελείων"... et ... "mener-à-la-
perfection, τελειῶσαι" (5,14a et 10,1c). Dans les deux cas, l'un des deux termes de leur contraste entre situations chrétiennes ou sacrificielles, concerne
un échec déplorable ! La déficience ici des chrétiens est qu'ils "ont besoin de
lait et non de nourriture solide"; la déficience là des juifs est que la Loi
n'a que l'ombre des biens à venir, non l'expression même des réalités" (5,12de
et10,1ab). Cette déficience caractérise une *temporalité* inefficace: ici, "vous
devriez être des maîtres depuis le temps, διὰ τὸν χρόνον"; là, (si) les mêmes
sacrifices "tout au long de l'année, κατ' ἐνιαυτὸν, offerts" étaient efficaces,
"n'aurait-on pas cessé de les offrir ?" (5,12 et 10,1cd.2a). Or les chrétiens
sont demeurés des "enfants" et la Loi est "incapable de mener-à-la-perfection"
(5,13b et 10,1e). En contraste, nous sont décrits des traits spirituels du deuxième terme, celui de la perfection souhaitée: ici, des "parfaits", "eux qui
par la pratique ont les sens exercés au discernement ..."; là, des adorateurs
qui, une bonne fois purifiés, "n'auraient plus eu conscience d'aucun péché"
(5,14b et 10,2b).

Un même   abrupt et décisif "<u>Il est impossible, en effet</u>, ...Ἀδύνατον γὰρ..."
commence les deux segments centraux (6,4-12) et (10,4-14). Et ces deux fois, en
référence au *péché*: "Il est impossible, en effet, de renouveler à la pénitence
(ceux qui sont tombés)"; ou bien, "Il est impossible, en effet, que du sang de
taureaux ... enlève le péché" (6,4a.6b et 10,4ab). Accentuant le contraste de
leur segment initial, ces segments opposent en effet deux situations, soit
chrétiennes soit sacrificielles : la péjorative, chrétiens apostats ou sacrifices juifs, sera ou est *rejetée* par Dieu; la meilleure, chrétien fidèle ou
sacrifice christique, sera ou fut agréée par Dieu. Si le début des segments
évoque le commencement de la vie chrétienne ou christique (φωτισθέντας ou εἰσερχόμενος: 6,4a et 10,5a), la fin de ces segments évoque pareillement le terme
de cette vie: des chrétiens, qui doivent persévérer "jusqu'à la fin, ἄχρι τέλους" ou du Christ, qui par son sacrifice "a mené-à-la-perfection, τετελείωκεν" (6,11c et 10,14b). Cette mention de la "fin/perfection" forme ainsi une
inclusion semblable extrêmement forte avec le "Il est impossible..." du début.

D'autres éléments offrent des correspondances idéales ou verbales à l'intérieur de cette inclusion si marquée. Ainsi, ici et là, les deux mentions extrêmes de *Dieu* se correspondent: la première a valeur *initiale*, "parole de Dieu",
goûtée lors de "l'illumination" chrétienne, ou "volonté de Dieu" (parole écrite:
"... pour faire, ô Dieu, ta volonté"), voulue lors de l'incarnation messianique
(6,5a et 10,7c.9a); la dernière a valeur *finale*, "Dieu... n'oublie pas votre
'oeuvre' ", ce qui est un encouragement eschatologique, ou "il s'est assis à la
droite de Dieu", ce qui est vision eschatologique. Noter, d'ailleurs, le même
dynamisme d'*attente*: ici, la persévérance "jusqu'à la fin" et, là, "l'attente
jusqu'à ce que les ennemis" lui soient soumis (6,11c et 10,13). La pluie fréquente
qui descend sur la terre trouve son pendant antithétique dans les offrandes fréquentes qui montent vers Dieu :

- τὸν ἐπ'αὐτῆς . ἐρχόμενον πολλάκις . ὑετὸν (6,7a);
- τὰς αὐτὰς . πολλάκις προσφέρων . θυσίας (10,11c).

En liaison avec cette réciprocité graphique, qu'on note pareillement: ici, la terre réprouvée finira par "être brûlée, εἰς καῦσιν"; et là, "les holocaustes, ὁλοκαυτώματα" totalement brûlés ne sont pas agréés (6,8 et 10,8cd.6a). Par ailleurs, les deux mentions ici et là du thème de la *sanctification* indiquent le Sanctificateur ou les sanctifiés: ici, "l'Esprit-Saint" ou "les saints" et, là, inversement, "nous avons été sanctifiés" ou "ceux qu'il sanctifie" (6,4c. 10c et 10,10a.14c).

Enfin, nous notons qu'ici et là le dernier verset présente une mention participiale des chrétiens, qui fait "mot-crochet" avec le premier verset du segment suivant: ici, "ceux qui héritent les promesses" avec "Dieu faisant-la-promesse"; là, "ceux qu'il sanctifie" avec "Témoigne aussi l'Esprit-Saint…" (6,12c.13a et 10,14c.15a).

Les segments finaux (6,13-20) et (10,15-18) s'ouvrent par une promesse ou une attestation divines. Il y a un engagement divin: promesse d'une postérité à Abraham ou réalisation d'une annonce d'instauration d'Alliance. Une seule marque importante de symétrie, en conclusion de ces deux Sections: le même usage de l'adverbe "là où…, ὅπου" dans un même contexte de réalisation réconfortante de la tentative au début déplorée comme défaillante. Ainsi, aux chrétiens si "lents" dans leur vie spirituelle est proposée l'espérance qui pénètre "*là où* en avant-coureur pour nous est entré Jésus"; là, aux chrétiens aussi - alors que "les sacrifices (toujours) les mêmes" de la Loi maintenaient "conscience" et "souvenir des péchés" - est affirmé que dans la nouvelle Alliance, "*là où* il y a pardon", il n'y a plus "d'offrande pour le péché" (6,20 et 10,17).

Nous examinons maintenant le parallélisme des Sections inférieures ou paires.

Symétrie parallèle (6=8)

Cette symétrie est très marquée et forte, en raison de la similitude de leur sujet: ici, le sacerdoce du Christ et, là, son offrande sacrificielle, en référence ici et là à l'A.T.

Au début des segments initiaux (7,1-10) et (9,11-15) sont nommés les personnages, "Melchisédech" et le "Christ", leur semblable qualité de "prêtre" ou de "Grand-prêtre", puis leur rôle: les thèmes de la *grandeur*, de l'*achèvement* et de la *vie* y sont pareillement évoqués. Ici, Melchisédech est "prêtre du Dieu Très-Haut", "sans fin de vie", car il est attesté de lui "qu'il vit" (7,1b.3b. 8c). Le Christ, là, "Grand-prêtre", traverse "une Tente plus grande et plus parfaite" que la mosaïque: son offrande nous permet de servir "le Dieu vivant" (9,11.14d). La troisième péricope de ces segments évoque les/la *promesse* et la *mort*. Ici, dans un contexte péjoratif puisqu'il donna la dîme à Melchisédech, Abraham est déclaré "celui qui a les promesses" et les lévites, ses descendants, "des hommes mortels"; là, le Christ médiateur, grâce à sa "mort", obtient aux appelés de "recevoir la promesse" (7,6b.8 et 9,15be).

En référence au *peuple* et à *la Loi*, les segments centraux (7,11-19) et (9,16-23) mettent en évidence la *nécessité*, ici, d'un changement de sacerdoce et de Loi et, là, de la "mort" du Christ car "sans effusion de sang, il n'y a pas de rémission":

- ici: ἐξ ἀνάγκη … μετάθεσις γίνεται - ἀθέτησις γίνεται (7,12b - 18a);
- là : ἀνάγκη … οὐ γίνεται ἄφεσις - ἀνάγκη … (9,16a - 22c.23a).

La remarque ici initiale que le sacerdoce lévitique "était la base de la législation donnée au peuple" est particulièrement développée là dans le récit dé-
taillé de l'inauguration de l'Alliance, où est proclamé"à tout le peuple chaque commandement selon la Loi" (7,11b et 9,19ss). Pareille mention d'un *parler*
de *Moïse*: ici, dans la détermination du sacerdoce (7,14c: οὐδὲν Μωϋσῆς ἐλάλησεν) ou, là, lors de la conclusion de l'Alliance (9,19: λαληθεύσης πάσης ἐντολῆς ὑπὸ Μωϋσέως). Ce terme d'*entolè* est caractéristique, deux fois employé ici
et,là, nominalement ou verbalement: en fait, cette lecture de "toute l'*entolè*"
(loi, commandement, disposition) est faite "selon la Loi"; or cette dernière
précision reprend les termes ici employés à propos du sacerdoce de Jésus, qui
se lève "non pas selon la loi - d'une *entolè* charnelle" (7,16a et 9,19a). Par
ailleurs, cette "*entolè* charnelle", ici, trouve aussi une complémentarité, là,
dans "le 'sang' de l'Alliance, qu'a disposé, ἐνετείλατο, pour vous Dieu" (7,16a
et 9,20b).

Pareille mention de la *vie* du Christ. Mais ici est exaltée la "puissance
de vie indestructible" qui caractérise son sacerdoce, tandis que là est déclarée la nécessité de sa mort pour la nouvelle Alliance, car "un testament... n'a
pas de force tant que vit le testateur". La"ressemblance, ὁμοιότητα" de son
sacerdoce avec celui de Melchisédech trouve un écho dans la"similitude, ὁμοίως"
de l'aspersion de sang sur la Tente et le Livre de l'Alliance (7,15b et 9,21b).
Enfin, au terme de ces deux segments centraux, la mention de la "meilleure
espérance", introduite par le sacerdoce de Notre Seigneur, trouve un dernier
parallèle dans les "meilleurs sacrifices" exigés pour la purification des réalités célestes (7,19b et 9,23e): sacrifices, θυσίαις, qu'évoquait déjà ici
l'autel, θυσιαστηρίῳ (7,13b).

Les correspondances entre les segments finaux (7,20-28) et (9,24-28) sont
particulièrement nombreuses, en raison notamment de leur semblable insistance
sur la permanence éternelle du sacerdoce du Fils de Dieu. Pour les présenter
il est expédient de suivre le texte du premier segment et d'en signaler les
parallèles dans le deuxième. Le schéma d'argumentation de la première péricope (7,20-22) est repris là dans la troisième (9,27-28):

- καὶ καθ'ὅσον ... κατὰ τοσοῦτο καὶ ... (7,20.22a);
- καὶ καθ'ὅσον ... οὕτως καὶ ... (9,27a.28a).

A cette différence toutefois, qu'est souligné ici la différence de l'investiture sacerdotale de Jésus par rapport à celle des autres prêtres (lui,"avec
serment"), et là la similitude de la condition mortelle du Christ par rapport
aux hommes (l'*unicité* de la vie et de la "mort" pour lui et pour eux). D'ailleurs, la mention des "hommes" était déjà faite ici en conclusion: elle ajou-
tait à leur condition mortelle, relevée précédemment au v. 23b, la nuance de
faiblesse morale, en opposition à la sainteté du Fils (7,28).

Les thèmes de la deuxième péricope (7,23-25) se retrouvent particulièrement là dans la péricope initiale et surtout finale (9,24.27-28). D'une part,
les prêtres lévitiques sont"nombreux, πλείονες",parce que la "mort, θανάτῳ"
interrompt leur ministère, tandis que "celui-ci", parce qu'il demeure éternel-
lement, peut continuellement "sauver, σῴζειν"; là, comme les hommes,"mort une
seule fois, ἅπαξ ἀποθανεῖν", le Christ s'est offert "pour la multitude, εἰς τὸ
πολλῶν" et le "salut, εἰς σωτηρίαν" des fidèles. D'autre part, cette efficacité
salvatrice du Christ est décrite: ici, "sauver... ceux qui s'approchent par lui
de Dieu - étant toujours vivant pour intercéder en leur faveur (7,25); là,
c'est, dans la péricope initiale, la marche et l'intercession cultuelle du

Christ: "entré dans le sanctuaire, le ciel même, pour paraître devant la Face de Dieu pour nous" (9,24); et c'est, dans la péricope finale, l'activité salvatrice ultime: "une seconde fois il se fera voir à ceux qui l'attendent pour leur salut (9,28).

Enfin, la troisième péricope (7,26-28) amorce ici le parallèle contrasté entre les liturgies des grands-prêtres lévitiques et du "Grand-prêtre... qui nous convenait": elle va marquer les trois péricopes du segment symétrique. La vision ici de ce "Grand-prêtre... devenu plus élevé que les cieux" est précisée là en la vision du Christ "entré dans un sanctuaire non fabriqué... mais dans le ciel même" (7,26d et 9,24ac). Ensuite, le contraste ici entre les grands-prêtres qui "chaque jour" d'abord "pour leurs propres péchés" sont contraints "d'élever des sacrifices", et notre Grand-prêtre qui, "séparé des pécheurs", a pu "une fois pour toutes" pour les seuls péchés du peuple "soi-même s'élever", – ce contraste se retrouve là explicité et développé. Contrairement, en effet, au "grand-prêtre qui entre dans le sanctuaire chaque année avec un sang étranger", le Christ "n'a pas plusieurs fois à s'offrir soi-même", car "une seule fois" il l'a fait "pour la rémission des péchés par son sacrifice": dernière affirmation que reprend la phrase de conclusion: "une seule fois offert pour enlever les péchés de beaucoup" (7,26-27 et 9,25-26.28). Finalement, après l'évocation de la condition des "hommes" que nous avons déjà notée, ces deux péricopes, et donc leurs Sections, s'achèvent sur une vision eschatologique, l'une préparant l'autre: ici, celle du "Fils pour l'éternité mené-à-l'accomplissement" et, là, celle de "l'apparition (du Christ) une seconde fois... pour le salut" (7,28a: εἰς τὸν αἰῶνα et 9,28cd: εἰς σωτηρίαν).

Symétrie parallèle (8=10)

Entre les segments initiaux (9,11-15)et (10,19-25)nous remarquons tout d'abord un parallélisme marqué, de péricope à péricope. Ainsi les premières péricopes (9,11-12 et 10,19-21)présentent-elles une *synthèse* de la destinée sacerdotale du "Christ" ou de "Jésus", en référence à la liturgie de la *Tente* et au thème de la *marche*, qui mettent en évidence sa chair et son sang. Voici l'essentiel de ces correspondances:
- ici:"Le *Christ* ... Grand-*prêtre* ... *par* la plus *grande Tente* ... *c'est-à-dire* pas de cette création ≠ ... *par* son propre *sang, est entré dans le sanctuaire*"
- là: "Nous avons... franchie *pour l'entrée du sanctuaire, dans le sang de Jésus, par le chemin* qu'il inaugura pour nous, ... vivant ≠ *par le voile, c'est-à-dire* sa *chair,* et un *Prêtre grand* ...".
Fortement structurées, ces deux péricopes sont polarisées par les deux extrêmes de la vie de Jésus, mais elles les présentent inversement en liaison avec les mots-clefs "Grand-prêtre - sanctuaire" ou "sanctuaire - Prêtre grand".

Les deuxièmes péricopes (9,13-14 et 10,22) mettent en évidence la *purification*. Ici, c'est un *a fortiori* sur la valeur purificatrice du sang du Christ: "si l'*aspersion*" du sang ... des rites antiques "*sanctifie* les *souillés* pour la *pureté* de la *chair* ✦ "combien plus le sang du Christ - qui s'est offert ... *sans tache - purifiera* notre *conscience* des *oeuvres mortes* pour rendre-le-culte au Dieu vivant". Là, nous constatons exp-érimentée par les chrétiens dès leur initiation cette vertu salutaire: "Avançons-nous avec un *coeur vrai* - (après avoir eu) par *aspersion* les *coeurs* (purifiés) de (toute) *conscience mauvaise* - et (ayant eu) le *corps* lavé d'une eau *pure*". Nous constatons encore une inversion dans l'opposition équivalente qui sous-tend l'une et l'autre péricope: "chair - conscience" et "conscience - corps". L'eau sacramentelle porte, là,

aux chrétiens l'efficace attestée, ici, du sang du Christ; et le "coeur vrai"
avec lequel ils s'avancent les font participer à l'offrande personnelle et
sans tache de Jésus.

Les troisièmes péricopes (9,15 et 10,23-25) mentionnent, ici, "la réception de la *promesse*", objet futur mérité par la médiation du Sauveur et, là,
la fidélité de "Celui qui-a-*promis* ", encouragement au maintien de l'espérance pour
recevoir effectivement cette promesse. Une évocation eschatologique, "l'héritage éternel" ou "l'approche du Jour", achève ces péricopes et donc ces segments: elle forme inclusion avec l'évocation eschatologique du début, "les
biens à venir" ou "l'entrée dans le sanctuaire",qui les ouvrait.

En dehors de ce parallélisme strict, voici d'autres correspondances:
- l'offrande personnelle du Christ nous ayant, ici, purifiés "pour servir le
  Dieu <u>vivant</u>" nous devons, là, nous avancer sur "le chemin… <u>vivant</u>" à nous
  ouvert par toute cette vie de Jésus (9,14d et 10,20ab);
- "les <u>oeuvres</u> mortes", dont nous sommes ici purifiés se changent, là, dans
  "les <u>oeuvres</u> bonnes", auxquelles nous sommes encouragés (9,14 et 10,24b);
- le graphisme de la "marche", sous-entendu ici dans la <u>traversée</u> de la Tente
  et explicité là dans l'image du "<u>chemin</u>", se manifeste ensuite ici dans la
  désignation des péchés comme de "<u>transgressions</u>" et là de la vie chrétienne
  comme d'un cheminement, "<u>avançons</u>…" (9,11c.15c et 10,20a.22a);
- sans oublier une argumentation *a fortiori* (9,13a.14a et 10,25) et l'usage
  "quadripolaire" sectionnel du pronom réfléchi ἑαυτοῦ, au singulier ici à
  propos du Christ et au pluriel là à propos des chrétiens (9,14b.25a et
  10,25a.34c).

Les segments centraux (9,16-23) et (10,26-31),consacrés ici à l'inauguration de l'Alliance et là au châtiment du pécheur, sembleraient ne devoir offrir
que fort peu de points communs. En réalité le parallélisme apparaît nettement
marqué, car il s'agit précisément ici de l'inauguration de l'une et de l'autre
Alliance et là du châtiment de celui ou de ceux qui manquent à l'une et à l'autre Alliance. Aussi est mis en évidence, ici et là en plein centre, "<u>le Sang
de l'Alliance</u>", contractée ou bafouée:

- Τοῦτο τὸ αἷμα τῆς διαθήκης, ἣν ἐνετείλατο …   ὁ θεός. (9,20);
- …καὶ τὸ αἷμα τῆς διαθήκης καινὸν ἡγησάμενος, ἐν ᾧ … (10,29cd).

Ici et là, sont pareillement mentionnés *Moïse,* la *Loi* et le *Peuple.* Moïse, ici,
"selon la Loi" lit les commandements au "peuple" et l'asperge de sang; là, le
violateur de "la Loi de Moïse" est passible de mort et le pécheur chrétien est
plus encore menacé, car "le Seigneur juge son peuple" (9,19-20a et 10,28a.30d).
Il n'est pas jusqu'à l'expression ici structurante de "*sans* (effusion) de sang",
qui ne trouve là un correspondant verbal dans la précision "*sans* pitié" (64).
De même, la "mort" du Testateur, ici du Christ médiateur, et qui a valeur de
"sacrifice" de purification (9,16-17.23) trouve un écho dans la "mort" du pécheur, qui s'est privé du bénéfice de tout "sacrifice *pour les péchés*" (10,26c.
28c). En contraste est évoquée, ici, la "vie" terrestre du Testateur, le Christ
(9,17c: ὅτε ζῇ) et, là, celle du "Dieu vivant" et vengeur (65).

La même temporalité de l'Eglise est englobée par les segments finaux (9,24-
28) et (10,32-39): ici, du Christ, depuis son "entrée" au sanctuaire céleste
jusqu'à sa "seconde" apparition (9,24a.28c); là,des chrétiens, depuis "les premiers jours" de leur illumination dans l'attente de "Celui qui-vient" (10,32a.
37b). De cette vie terrestre est relevée l'exigence, ici, de la "passion" du

Christ (9,26a: ἔδει ... παθεῖν) et, là, de la "passion" et "compassion" des chrétiens (10,32b.34a: πολλὴν ἄθλησιν ... παθημάτων ... συνεπαθήσατε). Ces segments et donc leurs Sections et Colonnes s'achèvent ici et là avec deux formules relatives au salut, de même forme et contenu:

- προσενεχθεὶς   εἰς τὸ πολλῶνἀνενεγκεῖν ἁμαρτίας
  ἀπεκδεχομένοις εἰς σωτηρίαν   (9,28bd);
- ὑποστολῆς   εἰς ἀπωλείαν
  πίστεως   εἰς περιποίησιν ψυχῆς   (10,39ab) (66).

Nous rappelons l'usage "quadripolaire" sectionnel du pronom réfléchi ἑαυτοῦ (cf. segments initiaux), qui est notable pour autant qu'ici il appartient au "syntagme caractéristique" structurant de la Section "soi-même s'offrir" et vice versa.

Symétrie parallèle (6=10)

En dépit de la différence de leur sujet, la comparaison ici des sacerdoces lévitique et messianique et les exigences là de la vie chrétienne, la symétrie de ces deux Sections est très forte. Cette importance se manifeste de deux façons. Par la similitude de structure de leurs segments extrêmes: leur trichotomie est soulignée,ici, par la triple répétition de l'opposition μὲν - δὲ ou οἱ μὲν - ὁ δὲ ... et, là, par la mention ou connotation des trois vertus théologales. Par le nombre élevé ensuite de leurs vocables "quadripolaires", qui va comme toujours jouer dans les symétries parallèle et concentrique.

Les segments initiaux (7,1-10) et (10,19-25) nous placent tous deux en face du Christ comme prêtre: ici, en Melchisédech son image, "prêtre du Dieu Très-Haut"; là, en personne même, lui "Prêtre grand sur la maison de Dieu" (7,1b et 10,21) (67). L'expression caractéristique du personnage de Melchisédech, "n'ayant ni commencement de jours ni fin de vie", trouve un écho là dans l'évocation, d'une part, de la voie "vivante" inaugurée par la vie de Jésus et, d'autre part, de l'approche du "Jour" (7,3b et 10,20b.25c) (68). Le changement d'Alliance, que la Section ici va expliciter, se manifeste déjà par le déplacement des destinataires. C'est dans un contexte péjoratif que les juifs sont qualifiés de "frères" et Abraham, de "celui qui a les promesses", puisqu'ils sont soumis les uns à la dîme et ce dernier, à la bénédiction; mais c'est dans un contexte bienveillant que là les chrétiens sont qualifiés de "frères" et Dieu, de "Celui qui-a-fait-promesse", puisqu'ils ont de par Jésus accès au sanctuaire (7,5c.6b et 10,19a.23b).

Trois mots thématiques importants se rencontrent dans les segments centraux (7,11-19) et (10,26-30), comme dans le segment central de la Section 8: *Moïse,* la *Loi* et le *Peuple.* Ils s'y rencontrent dans un semblable contexte de changement et en référence au sacerdoce ou au sacrifice. En bref, nous savons qu' ici le "peuple" a reçu la "Loi" fondée sur le "sacerdoce lévitique", selon l'institution de "Moïse": en raison de leur déficience, il y a "changement de sacerdoce" et donc "changement de Loi", c'est-à-dire "abrogation du commandement antérieur" (7,12.18: νόμου μετάθεσις - ἀθέτησις... ἐντολῆς). Or, c'est en référence à cette législation de l'A.T. qu'est montrée là la gravité du péché des chrétiens: "l'abrogateur de la Loi de Moïse" (10,28a: ἀθετήσας τις νόμον Μωϋσέως)ne trouvait déjà pas de sacrifice pour expier son péché mais... la mort; ainsi "n'y a-t-il plus de sacrifice pour les péchés"délibérés des chrétiens, mais terrible attente du Jugement, car "le Seigneur juge son peuple" (10,26c.30d) (69).

Dans ce contexte ici de changement d'Alliance où la nouvelle est exaltée et là de renversement d'Alliance où la nouvelle est elle aussi méprisée, nous percevons le contraste des correspondances suivantes: l'appartenance ici à "Notre Seigneur" est là rompue par "notre péché" (7,14b et 10,26a); l'allusion à la naissance corporelle de "Notre Seigneur", "pas selon la loi d'un commandement charnel" trouve son complémentaire dans la mention du "sang de l'Alliance" du "Fils de Dieu" (7,16b et 10,29c); enfin, la vision de "la vie" indissoluble de ce Seigneur, par qui "nous approchons de Dieu" se mue là dans l'attente terrible "de tomber entre les mains du Dieu vivant" (7,16b.19c et 10,31).

La prépondérance d'une même visée eschatologique a favorisé le parallélisme des segments finaux (7,20-28) et (10,32-39). Nous rencontrons évidemment les termes "quadripolaires" signalés dans les segments initiaux:
- les *jours* et la *vie*: ici, Jésus, parce qu'il est "toujours vivant", n'a plus besoin d'offrir "chaque jour"; là, le souvenir "des premiers jours" doit soutenir l'endurance des chrétiens, parce que "le juste par la foi vivra" (7,25c. 27a et 10,32a.38a);
- la *grandeur* eschatologique: ici, de Jésus "plus élevé que les cieux devenu"; et là, du chrétien dont "grande" est la récompense (7,26d et 10,35b);
- *Dieu*: vers qui ici les chrétiens "s'approchent" ou dont là, "faisant la volonté", ils obtiendront la promesse (7,25b et 10,36b);
- le verbe "avoir, ἔχειν": utilisé ici à propos des grands-prêtres "ayant de la faiblesse" et là à propos des chrétiens qui "d'endurance ont besoin" (7,28b et 10,36a).

Outre cette série de termes quadripolaires, nombreuses sont les correspondances idéales ou verbales. La "meilleure Alliance" dont Jésus est ici le garant, ainsi que la "permanence, μένειν" de sa vie fonde la conviction des chrétiens, là, d'avoir "une meilleure possession et permanente, μένουσαν" (7,22a.23b.24a et 10,34c). On peut aussi rapprocher "l'abondance" du nombre des "prêtres", πλείονες ἱερεῖς, de "l'abondant combat", πολλὴν ἄθλησιν, supporté par les chrétiens (7,23a et 10,32b) (70). De toute façon, l'opposition "multiplicité-unité" ici utilisant μὲν - δὲ... pourrait avoir influencé le choix du syntagme, hapax biblique du N.T., τοῦτο μὲν - τοῦτο δὲ ... et l'opposition entre "les biens, τῶν ὑπαρχόντων" spoliés et la "possession, ὕπαρξιν" espérée (7,20b.21a.23a.24a et 10,33-34). Nous rencontrons aussi un semblable usage de "faire" en relation implicite ou explicite avec la volonté de Dieu: accomplie ici par Jésus ("car cela il l'a fait une fois pour toutes soi-même s'offrant", 7,27d explicité par 10,9-10) ou à accomplir par les chrétiens ("faisant la volonté de Dieu", 10,36b) (71). Enfin, les deux Sections se concluent sur une opposition, dont le second terme (ὁ λόγος δὲ... ou Ἡμεῖς δὲ...) met en évidence le terme eschatologique, ici, du "Fils pour l'éternité mené-à-l'accomplissement" ou, là, des chrétiens hommes "de foi pour la possession de l'âme" (7,28cd: εἰς τὸν αἰῶνα et 10,39ab: εἰς περιποίησιν ...).

2. Structuration concentrique

F. Thien puis A. Descamps avaient déjà signalé la symétrie entre ce qui constitue nos Sections 5 et 10. Etendant ensuite leur analyse à toute cette Partie centrale, A. Vanhoye a manifesté plusieurs relations concentriques entre ces Sections (72). Ces constatations nous suggérèrent l'application de notre Méthode d'analyse au texte de l'Epître aux Hébreux, et en conséquence à la préciser et à la développer. Cette Méthode nous permet ici comme précédemment de confirmer ces relations, de les multiplier et d'en préciser le statut structurel. Résultats dont nous ne donnons d'ailleurs ici qu'une partie.

Symétrie concentrique (5 x 10)

Les Sections 5 et 10 constituent les Sections de *clôture* de la IIème Partie. Si leur différence statistique demeure notable, 377 et 291 occurrences, leur confrontation trichotomique est bonne: 119 + 143 + 115 et 92 + 89 + 110. La division binaire des segments ici initial et là final la favorise même. L'ensemble de ces deux Sections est du même genre littéraire *parénétique*.

Leur symétrie comprend quatre termes "quadripolaires": ils jouent en symétrie parallèle, encore que leur symétrie concentrique soit plus marquée. Le premier de ces termes est le *"nous"* chrétien: ce sont les deux seules Sections de l'Epître à faire, et très significativement, inclusion avec ce "nous" chrétien. Cet usage est d'autant plus marqué que le premier "nous" est suivi de plusieurs mentions du "vous", tandis que concentriquement le dernier "nous" est précédé de plusieurs mentions du "vous" (5,11a... 6,20a et 10,20a... 39a). "*Avoir,* ἔχειν" constitue le deuxième terme quadripolaire avec ses nombreuses occurrences (3 + 3 et 1 + 3): la plupart s'intègrent aux éléments précédents, puisque les segments initial ici et final là utilisent ce verbe avec le "vous", tandis que les segments concentriques final ici et initial là l'utilisent avec le "nous" (5,12bd 6,18c.19a et 10,19a.34c.36a). Le troisième terme est constitué par les occurrences du mot *"Dieu"* (3 + 3 et 1 + 1): ici, "les paroles de Dieu" et "(l'impossibilité de) mentir pour Dieu"; là, "la maison de Dieu" et "la volonté de Dieu". Notons à ce propos en ces deux Sections une semblable *inclusion interne*: ici, avec "*Dieu* qui permet" ou "*Dieu* qui promet" (6,3.13a) et, là, avec l'approche "du *Jour*" ou le souvenir "des premiers *jours*" (10,25c.32a). Enfin, le quatrième terme quadripolaire est fourni par le thème de la *marche*, comme nous le verrons.

Par ailleurs, les segments initial (5,11 - 6,3) et final (10,32-39), segments proprement inclusifs de la IIème Partie, offrent une concentrie fort marquée. Tous deux concernent la destinée des chrétiens, dont la totalité temporelle est évoquée - en ses débuts, en son entre-deux et en son terme. Les *débuts* s'expriment ici par le premier terme d'images "couplées", nombreuses comme nous l'avons vu. Qu'il suffise de rappeler les images "des premiers-éléments" ou "du fondement", ou "du commencement" soit des "paroles de Dieu" soit "du Christ" (5,12c et 6,1ac). Les débuts s'expriment là explicitement par l'évocation "des premiers jours" (10,32a).

L'*entre-deux* se manifeste par de nombreux termes caractéristiques. L'introduction reproche aux chrétiens que, "(loin d'être) didascales *avec le temps* (διὰ τὸν χρόνον) *besoin vous avez* (χρείαν ἔχετε) d'apprendre ... *les paroles de Dieu,* ... les propos de *justice,* ... la *foi en Dieu*". La conclusion affirme: "D'endurance *vous avez besoin* (ἔχετε χρείαν) pour faire *la volonté de Dieu* ... Celui qui vient ... *ne tarde pas* (οὐ χρονιεῖ): mon *juste* par la *foi* vivra". Quelques remarques permettent de prendre conscience de la force de cette inclusion concentrique si marquée. Les mentions temporelles, χρόνον et χρονιεῖ, sont les deux seules occurrences de leur Série en cette Partie. Remarquons aussi la forte inclusion , structurelle et structurale, entre la /lenteur/ reprochée aux chrétiens et la /non-lenteur/ attestée du Juge eschatologique (5,11b et 10,37b). Le syntagme "avoir besoin" ne connaît que ces trois occurrences; la concentrie de leur situation est soulignée par la concentrie de leurs éléments (10,36a est l'inverse de 5,12bd) et aussi par l'usage du "vous" en contraste avec le "nous" qui précède ou suit. La liaison structurale "Justice(juste)-Foi", explicitée là par la citation d'Habacuc 2,2-3 , constitue avec les mots précédants des mots marquants d'inclusion: la Série radicale /Foi/ ne se rencontre en cette Partie que dans ces deux Sections; la Série /Justice/ connaît encore : "Roi de justice" en 6/7,2b et "rites de justice" en 7/9,1a.10b , alors au centre même de l'Epître. Signalons deux autres traits: l'activité, exprimée ici par "les sens exercés par la pratique" (5,14b: γεγυμνασμένα), l'est là par "le lourd combat enduré (10,32b: ἄθλησιν); la réflexion oratoire "ne jetons pas de nouveau le fondement" (6,1c: μὴ ... καταβαλλόμενοι) trouve un écho dans l'invitation "ne rejetez pas votre assurance" (10,35a: μὴ ἀποβάλητε).

Le *terme*, enfin, s'exprime ici par "la résurrection des morts et le Jugement éternel"; là, par l'évocation de la venue du Juge, "Celui qui vient", et par le jugement éternel, "la perte" ou "l'acquisition de l'âme" (6,2b et 10, 37b.39ab).

La gravité d'une éventuelle *apostasie* marque les deux segments centraux (6,4-10) et (10,26-31). L'initiation chrétienne est une cause aggravante de la "chute" ou du "péché": il s'agit en effet, ici, de ceux qui ont été *illuminés* ... et qui sont *tombés*" ou, là, "(si) nous *péchions* délibérément après avoir reçu la *pleine connaissance* de la vérité" (6,4a.6a et 10,26ab). La description ici des bienfaits de l'initiation chrétienne (6,4b-5b) est résumée là dans "la pleine connaissance de la vérité". L'*impossible relèvement* est pareillement déclaré: ici, "il est impossible... de nouveau de les renouveler par la conversion" et, là, "il ne reste plus pour les péchés de sacrifice" (6,4a.6b et 10,26c). Au contraire, c'est la menace et l'attente du *feu vengeur*: ici, la terre stérile, image du pécheur, "estimée sans valeur et proche de la malédiction, finira par être brûlée"; là, c'est "une terrible attente du Jugement et l'ardeur d'un feu qui doit dévorer les rebelles". Signalons au passage le renversement de situation spirituelle que souligne le contraste entre ici le "*goûter*, γευσαμένους" initial des bienfaits divins, dont "des forces du monde à venir" et, là, "ce feu à venir qui *dévorera*, ἐσθίειν, les rebelles" (6,4b.5a et 10,27b). Même contraste entre "le *don*, δωρεᾶς, céleste" jadis goûté en salut et "la *rétribution*, ἀνταποδώσω" finale menacée en châtiment (6,4b et 10,30b).

Cette symétrie comprend des rapprochements encore plus marqués. Tout d'abord la mention de la *Trinité*, dans la description des bienfaits reçus ou méprisés par les chrétiens: ici, "participants d'*Esprit*- Saint", "ayant goûté à la parole de *Dieu*" et pourtant "crucifiant *le Fils de Dieu*" (6,4c.5a.6c); là, "*le Fils de Dieu* foulé-aux-pieds", "le Sang de l'*Alliance* profané", "l'*Esprit* de la grâce outragé"(10,29bce). La symétrie de ces deux ensembles trinitaires est soulignée par la double concentrie qui affecte et l'ordre de citation des Personnes divines et l'ordre dans la mention, initiale ici et finale là, de l'attitude relative du fidèle (73). Ensuite le pécheur qui ici "*est tombé*, παραπεσόντας", là, "*tombera* dans, ἐμπεσεῖν" les mains de Dieu (6,6a et 10,31). Cette dernière remarque est associée à un *graphisme* semblable (descendre/monter): ici, l'ondée divine *tombe* (litt. "vient sur") sur la terre que sont les hommes, tandis que de cette terre *lève* (litt. "sort, ἐκφέρουσα") sa végétation d'oeuvres humaines;

là, le pécheur qui "*lève* la main" contre Dieu, finalement "*tombera*" dans les mains de Dieu (6,7a.8a et 10,26a.31).

La concentrie des segments final (6,13-20) et initial (10,19-25) est tout aussi fortement marquée. Le segment s'ouvre ici sur la *Promesse* faite par Dieu à Abraham, ... γὰρ ἐπαγγειλάμενος ὁ θεός, avec la garantie du *Serment* : ces deux réalités sont présentées vers la fin comme un "*encouragement*" aux chrétiens "pour saisir l'*espérance* proposée", ἵνα ... παράκλησιν ἔχωμεν ... κρατῆσαι τῆς... ἐλπίδος (6,13a.18cd). L'exhortation reprend là ce vocabulaire: "Retenons la confession de l'*espérance* sans fléchir, car il est fidèle *Celui qui-a-promis* ... *encourageons-nous*", κατέχωμεν ... τῆς ἐλπίδος ἀκλινῆ, ... γὰρ ὁ ἐπαγγειλάμενος ..., παρακαλοῦντες (10,23ab). Le caractère de l'espérance d'être ici pour l'âme comme "une ancre fermement fixée", ἀσφαλῆ τε καὶ βεβαίαν, se retrouve là dans son maintien par le fidèle "sans fléchir", ἀκλινῆ (6,19a et 10,23a) (74). Par ailleurs , la "véracité" divine ici exaltée - "il est impossible à Dieu de mentir, ψεύσασθαι" - se retrouve désormais dans le   fidèle "au coeur vrai, ἀληθινῆς" (6,18b et 10,22a).

Enfin le segment s'achève ici ou s'ouvre là par une semblable participiale, qui offre une des correspondances les plus impressionnantes de l'Epître. En voici le convaincant parallèle avec les éléments plus concentriques:

- ... παράκλησιν ἔχωμεν   - Ἔχοντες...παρρ.εἰς τ.εἴσοδον τ.ἁγίων
- οἱ καταφυγόντες κρατῆσαι τ. ἐλπίδος - ἐν τῷ αἵματι Ἰησοῦ
- ἣν ὡς ἄγκυραν ἔχομεν τῆς ψυχῆς   - ἣν ἐνεκαίνισεν ἡμῖν ὁδὸν
    ἀσφαλῆ τε καὶ βεβαίαν   πρόσφατον καὶ ζῶσαν
- κ. εἰσερχομένην εἰς... καταπετάσματος - διὰ τοῦ καταπετάσματος
- ὅπου πρόδρομος ὑπ.ἡμῶν εἰσῆλθ.Ἰησοῦς - τουτ' ἔστιν τῆς σαρκὸς αὐτοῦ
- κ.τ.τ.Μελχ. ἀρχιερεύς γεν.εἰς τ.αἰῶ. - καὶ ἱερέα μέγαν ἐπὶ τὸν οἶκον τ.θεοῦ

Relevons des traits de cette symétrie. L'emploi quadripolaire de "avoir, ἔχειν" se fait avec le "nous", tandis qu'il se faisait avec le "vous" dans les segments inverses, ce qui accentue leur concentrie aux dépens de leur parallélisme: "nous avons" donc ici "encouragement" et là "assurance". L'objet de cette confiance s'exprime selon les deux thèmes de la *marche* et du *culte*, qui jouent selon une même isotopie thématique fondée sur le couple de totalité "Sortir-Entrer". Nous le savons, ce couple est l'une des expressions de la *marche* ou inversement du *séjour* (75). Nous rencontrons donc ici et là des termes liés au cheminement et à une entrée finale: "nous qui-nous-sommes-enfuis, οἱ καταφυγόντες", terme qui sous-entend aussi une sortie initiale (76); "entrant", terme prégnant qui signifie le lien permanent de l'espérance avec les réalités eschatologiques; "avant-coureur", "entré" et "inauguré", termes qui expriment le rôle de "pionnier" de Jésus (cf. 2/2,10d); et enfin, "entrée", "chemin" et "avançons", reprennent là ce même symbolisme à propos des fidèles à la suite de Jésus. Mais cette marche se double du symbolisme cultuel: "l'entrée" a lieu ici "au-delà du voile" ou là "dans le sanctuaire", et Jésus est qualifié ici de "Grand-prêtre" et là de "Prêtre *grand*".

Terminons en remarquant que le "nous" quadripolaire voit sa concentrie accentuée du fait qu'il s'agit ici et là d'une semblable activité de "Jésus" en notre faveur: "pour nous entré..." ou "inauguré (pour)nous".

A titre d'exemple exceptionnel ici d'une symétrie <u>triangulaire</u>, nous manifesterons d'abord selon ce type complexe de symétrie les relations entre les
segments extrêmes (5,11 - 6,3 et 6,13-20) et le segment central (10,26-30).

D'une part, le thème de l'*enseignement*, mis ici en évidence par l'inclusion
"didascales-didachè", trouve là son écho dans "la réception de la pleine-con=
naissance de la vérité" (5,12a. 6,2 et 10,26b). A l'inverse, le thème du *jugement*, mis là en évidence par l'inclusion "jugement-juge" ainsi que par la peine
de mort portée contre le coupable dans l'A.T., répond à la mention ici de "la
résurrection des morts et du jugement éternel" (10,27a.30d et 6,2b). Il n'est
pas jusqu'au"<u>discernement</u> du bon et du mauvais", privilège ici des "parfaits",
auquel ne soit fait là implicitement appel dans la demande aux destinataires:
"Quelle peine plus sévère, <u>pensez-vous</u>, ne méritera-t-il pas celui qui...?"
(5,14c et 10,29a). Même "l'imposition des <u>mains</u>" de l'initiation salvifique
ici ne forme-t-elle pas un saisissant contraste avec l'éventuel "tomber entre
les <u>mains</u> du Dieu vivant" du jugement condamnateur (6,2a et 10,30e) ?

D'autre part, les deux centres des segments opposent les "deux réalités",
qui attestent ici "l'immutabilité" du vouloir salvifique, aux "deux ou trois
témoins", qui là se portent contre le "violateur" de la Loi de Moïse (6,17c.18a:
τὸ ἀμετάθετον et 10,28ac: ἀθετήσας).

La symétrie entre le segment central (6,4-12) et les extrêmes (10,19-25 et
10,32-39) est fortement marquée. D'une part, dans les unités initiales c'est le
thème de la *nouveauté*: ici, le "renouveau de la conversion" impossible au pécheur et, là, "l'inauguration du chemin d'entrée au sanctuaire" pour les chrétiens (6,6a: ἀνακαινίζεινet 10,20a: ἐνεκαίνισεν). Dans les unités centrales et
surtout finales, ce sont ensuite avec une référence eschatologique les deux
seules mentions explicites dans l'Epître de la *triade théologale* (foi, espérance,
charité), mentions renforcées par un contexte ou des vocables semblables. Le raffinement fut de placer les quatre éléments de ces deux séries en parfaite symétrie concentrique:

[1] La référence eschatologique à la *proximité*, ici, de "la malédiction" de
la terre stérile et, là, du "Jour", est placée ici au centre et là à la fin du
segment (6,8b: ἐγγύς et 10,25c: ἐγγίζουσαν);

[2] La mention de la *charité* est liée à celle des "<u>oeuvres</u>": ici, Dieu n'oublie pas "votre oeuvre et votre charité" et, là, les chrétiens se stimulent à
"la charité et aux oeuvres bonnes" (6,10ab et 10,24b avec, on l'aura noté, la
concentrie des quatre termes);

[3] L'*espérance* est toujours associée à "<u>la persévérance</u>": il s'agit ici de
porter "l'espérance à son épanouissement jusqu'à la fin" et, là, "de maintenir
la confession de l'espérance sans fléchir" (6,11c et 10,23);

[4] La *foi*, enfin, accompagne "<u>la marche</u>": "ne devenez pas lents, mais imitateurs de la foi... de ceux qui héritent la promesse" ou, là, "avançons... dans
l'épanouissement de la foi"(6,12ab ou 10,22a). Ces correspondances se rencontrent, à l'inverse des premières, ici à la fin et là au centre du segment.

D'autre part, en tête presque des segments central et final, voici la référence, doublet occurrentiel, à "l'*illumination*" de l'initiation chrétienne
(6,4a et 10,32b: φωτισθέντας/τες). Voici ensuite une symétrie en triangulie
parfaite, très instructive au plan structurel. Nous venons de signaler la concentrie explicite des mentions des trois vertus théologales entre ce segment
central ici et le segment là initial; mais nous savons que, dans sa Section 10,

ce dernier segment comporte aussi une symétrie implicite ou explicite de ces trois vertus avec son segment final. Il est curieux de voir comment se réalise le principe : *"Deux segments symétriques à un troisième sont symétriques entre eux"*. En réalité nous faisons la constatation suivante: à propos de la *charité*, ici, Dieu "n'oublie pas" l'activité charitable des chrétiens et, là, de cette activité il leur est dit "Souvenez-vous..." (6,10b et 10,32a); à propos de l'*espérance*, les chrétiens sont invités ici "à montrer la même ardeur... jusqu'à la fin" et, là, "à ne pas rejeter leur assurance qui obtient grande récompense" eschatologique (6,11 et 10,35.36); à propos de la *foi*, enfin, la référence est cette fois explicite et liée, là comme ici, au thème de la "marche": "ne devenez pas lents, mais imitateurs de la foi..." a pour symétrique "Celui qui vient (bientôt) sera là: mon juste par la foi vivra" (6,12 et 10,37b.38a) (77).

Signalons encore les thèmes de la *participation* (6,4c et 10,33b), d'une conviction tendue vers "des choses meilleures" (6,9 et 10,34) et enfin de la *promesse*: ici, "pour que... (vous imitiez) ... ceux qui héritent les promesses" et, là, "pour que... vous obteniez la promesse" (6,12ac et 10,36bc).

Ce seul exemple montre combien la symétrie triangulaire peut enrichir les symétries parallèle et concentrique.

Symétrie concentrique (6 x 9)

L'énorme différence statistique, de 456 à 259 occurrences, s'aggrave de l'énormité du segment central de la Section 9; la confrontation des formules trichotomiques donne, en effet: 168 + 136 + 152 et 52 + 149 + 58.

En réalité la correspondance idéale de ces deux Sections est très forte: si la première est caractérisée par l'opposition des *sacerdoces*, lévitique et christique, la dernière est caractérisée par l'opposition des *offrandes et sacrifices*, lévitiques ou christique. Ces oppositions jouent en référence à la *Loi*, dont la thématique s'ouvre ici dans l'Epître et à une occurrence près – en 10/10,28a - se clôt là.

La symétrie des segments initial (7,1-10) et final (10,15-18) est très faible. Une pure similitude de contrastes, implicitement équivalents: ici, entre les sacerdoces de Melchisédech et des fils de Lévi; là, entre les deux Alliances, avec connotation de leurs sacrifices. Une mention temporelle: c'est Celui qui est "sans commencement de *jours* et sans fin de vie", dont le sacerdoce permettra "qu'après ces *jours*-là" le Seigneur institue sa nouvelle Alliance (7,3b et 10,16b). Une mention aussi d'un *témoignage* concernant, ici, la vie de Melchisédech et. là, l'instauration de la nouvelle Alliance (7,8c et 10,15a).

Par contre la symétrie des segments centraux (7,11-19) et (10,4-14) est extrêmement forte. Elle met en relief le thème du *changement* ici de sacerdoce et là de sacrifice. Les expressions du changement de sacerdoce sont fort nombreuses ici: "changé le sacerdoce", il y a "changement de Loi" et "abrogation ... de la précédante *entolè*"; à quoi s'oppose la triple formulation du surgissement nécessaire d'un "autre prêtre": "lever"/"se lever", ἀνιστάναι, deux fois, et ἀνατέλλειν, une fois (7,12ab.18a et 11d.14b.15c). Ce changement s'exprime là en plein centre: "il enlève le premier (culte) pour établir le second, ἀναρεῖ ... ἵνα... στήσῃ" (10,9b). On sait que ce dernier verbe est aussi là employé pour désigner l'attitude du prêtre lévitique qui demeure "debout, ἔστηκεν" tandis que Jésus-Christ "s'est assis" (10,11a). C'est en "se levant" ici que Jésus "enlève" là le sacerdoce ancien (78).

Ce changement se réalise, en effet, *dès l'incarnation*. Ce moment de la naissance est ici souligné par la double mention de la génération du prêtre messianique: elle est référée à la tribu dont il provient, "de Juda", et à la loi héréditaire du sacerdoce lévitique, "pas selon la loi d'une *entolè* charnelle" (7,14a.16a). Ce moment est là précisé comme celui de l'offrande sacrificielle: "en entrant dans le monde ..., il dit: 'Me voici pour faire... ta volonté'", ce qui est précisément "offrande de son Corps" (79).

Ce changement s'explique par l'<u>impuissance</u> de l'ordre sacerdotal ancien et l'<u>efficacité</u> du sacerdoce nouveau. L'impuissance, que sa mention inclusive met en relief, est ici présentée sous forme interrogative puis déclarative: "Si parfait accomplissement il y avait eu par le sacerdoce lévitique...?" - "La Loi n'a rien mené à l'accomplissement" (7,11a: εἰ τελείωσις... et 19a: οὐδὲν ἐτελείωσεν); et, en conséquence,"il y a abrogation de l'*entolè* antérieure en raison de sa faiblesse et de son inutilité" (7,18b: διὰ τὸ ... ἀσθενὲς καὶ ἀνωφελές". Cette impuissance est là plusieurs fois pareillement affirmée, mais à propos des sacrifices: "Il est impossible que du sang de taureaux ..." - des nombreux sacrifices anciens, Dieu "ne veut pas", ils "ne lui plaisent pas", "(ils) ne peuvent jamais enlever le péché" (10,4.5b.6a.8.11d). En contraste, ici, "la puissance de vie indestructible" dont jouit le prêtre messianique permet, par ce "lever" qu'est sa naissance, "l'introduction d'une meilleure espérance" (7,16b: δύναμιν... et 19b: ἐπεισαγωγὴ...). Cette "introduction" s'exprime là comme son "entrée dans le monde", telle que efficacement "nous avons été sanctifiés par l'offrande du Corps de Jésus-Christ (faite) une fois pour toutes": en fait, "par une offrande unique, il a mené pour toujours à l'accomplissement ceux qu'il sanctifie" (10,5a.10.14). Là où la Loi défaillait, Jésus Christ mène: à la perfection !

Relevons quelques marques structurelles très fortes. Les termes marquants et inclusifs que sont, ici, "<u>accomplissement</u>" et "<u>introduction</u>" et, là, "<u>entrant</u>" et "<u>a mené-à-l'accomplissement</u>", sont parfaitement concentriques entre eux (7,11a.19b et 10,5a.14b) (80). Enfin, voici l'unique et extraordinaire correspondance que forment les deux expressions centrales, ici, de la levée de Juda comme prêtre de *"Notre-Seigneur"* et, là, de l'offrande du Corps de *"Jésus Christ"*:

- ἐξ Ἰούδα ἀνατέταλκεν ὁ Κύριος ἡμῶν   (7,14);
- διὰ τῆς προσφορᾶς τοῦ σώματος Ἰησοῦ Χριστοῦ (10,10).

La complémentarité de ces deux titulatures forme l'unique mention dans toute l'Epître de "Notre Seigneur Jésus Christ" (81). Encore que l'une et l'autre titulature soit liée au même pôle de l'incarnation, ici et là *développé*, il est manifeste qu'en ce pôle la référence concerne ici davantage le *passé* (tribu de Juda non lévitique, Melchisédech recevant la dîme d'Abraham) et là davantage l'*avenir* (la vie d'offrande de J.C. couronnée par sa session), conformément d'ailleurs au développement de la Fresque historique de cette Partie.

La forte symétrie des segments final (7,20-28) et initial (10,1-3) assure, par-delà la Colonne centrale, la liaison des deux Colonnes extrêmes de la Partie centrale. Au centre de chaque segment voici tout d'abord un syntagme caractéristique soulignant le contraste entre, ici, l'efficacité du sacerdoce de Jésus, "<u>il peut sauver à jamais 'ceux qui-s'approchent'</u>... toujours vivant" - et, là, l'impuissance sacrificielle de la Loi, "<u>jamais elle ne peut 'ceux qui-s'approchent'</u> les mener-à-l'accomplissement":

- σῴζειν . εἰς τὸ παντελὲς . δύναται τοὺς προσερχομένους ... πάντοτε ζῶν
- οὐδέποτε . δύναται τοὺς προσερχομένους . τελειῶσαι (7,25 et 10,1e) (82).

Mais la symétrie la plus importante et la plus marquée se réalise entre la péricope finale (7,26-28) et l'ensemble du segment initial (10,1-3). Ces deux unités sont manifestement bâties selon un schéma semblable, dont les éléments sont symétriques entre eux. A la fin ici et au début là, nous rencontrons un contraste dont "la Loi" est le mot marquant: ici, "la Loi" établit grands-prêtres "des hommes... ayant faiblesse, ἔχοντας ασθένειαν" - mais le serment, "un Fils... mené-à-l'accomplissement" (7,28); là, "la Loi ayant l'ombre des biens à venir - pas l'image même des réalités ..., σκιὰν ἔχων ... οὐκ τὴν εἰκόνα (10,1ab). En bref, c'est un même contraste: déficience ≠ perfection, ou ombre ≠ réalitée niée. A l'opposé, au début ici et à la fin là, nous rencontrons un contraste similaire, mettant ici et là en jeu "les péchés/les pécheurs". Ces deux mentions ici et là forment les mots marquants. Ici, notre Grand-prêtre, d'une part, est "séparé des pécheurs" et par conséquent, d'autre part, "il n'a pas nécessité, οὐχ ἔχει ... ἀνάγκην" - comme les grands-prêtres lévitiques - d'offrir d'abord "pour ses propres péchés" (7,26c.27ab); là, les sacrifices offerts, d'une part, loin d'amener "à ne plus avoir aucune conscience des pé- chés, μηδεμίαν ἔχειν ... συνείδησιν", ne font par conséquent, d'autre part, que maintenir "le souvenir des péchés" (10,2bc.3). En bref, c'est un semblable con- traste: séparé des pécheurs ≠ pas pour des péchés personnels, ou pas aucune conscience des péchés ≠ souvenir des péchés. Ce dernier contraste est similaire au précédent mais inversé; on pourrait l'exprimer comme le premier: perfection ≠ pas déficience, ou pas réalité ≠ ombre. Enfin, un troisième contraste, intermé- diaire pour l'essentiel, possède comme mots marquants une double mention d'acti- vité sacrificielle: ici, "élever" et, là, "offrir" des sacrifices. Ici, les grands-prêtres lévitiques doivent "chaque jour . des sacrifices . élever" - tandis qu'il a suffi au nôtre "une fois pour toutes . soi-même . s'être élevé" (7,27); là, "chaque année . les mêmes sacrifices . ils offrent" - tandis que, évocation de la réalité non atteinte, "n'auraient-ils pas cessé . d'être offerts . (les adorateurs) une bonne fois purifiés" (10,1c.2ac). Ce sont des oppositions ex- primant idéalement les contrastes précédants, à un déplacement près: à la même multiplicité permanente des sacrifices de la Loi s'oppose ici "l'une fois pour toutes, l'ἐφάπαξ" de l'offrande de Jésus, et là "l'une fois, l'ἅπαξ" de la puri- fication des fidèles. Ce déplacement souligne la différence des points de vue des deux Sections; en fait, nous le savons, c'est cet ἐφάπαξ de Jésus qui réali- sera cet ἅπαξ des fidèles (83)... Et cette concentrie se poursuit au coeur même de l'Epître par la concentrie de la Colonne centrale (cf. § 13).

Concluons cette analyse de l'unité structurelle de la IIème Partie par quel- ques remarques d'ensemble. Alors que les centres de la Colonne centrale sont par- faitement unifiés par le thème propre à cette Colonne de l'*Alliance*, annonce du changement des Alliances et inauguration de celles-ci (15/21 occ.), les quatre autres centres sont caractérisés par des correspondances "quadripolaires", en fait partiellement parallèles et surtout concentriques. Nous avons deux lignes de correspondances concentriques: l'une, de $S^{5.10}$, met notamment en évidence la gravité de l'apostasie chrétienne; l'autre, de $S^{6.9}$, atteste comment l'incarna- tion opère le changement de l'A.T. au N.T. Ces deux lignes offrent en outre ce rapprochement que, d'une part, le péché des chrétiens apparaît comme une rup- ture d'Alliance et que, d'autre part, le changement d'Alliance est dû à la "faiblesse" des grands-prêtres et de leurs fidèles. Similitude de situation qui est soulignée par la similitude des *thèmes* - du changement, du rejet ou du châ= timent - et par celle des *images* verticales - tomber, se lever, enlever, tomber dans - dont les points d'application sont inverses.

Ces deux lignes concentriques laissent transparaître la surprenante *"Icône Xristique"* du " χ " structurel que tracent, pour une branche, les deux mentions de la <u>Passion</u> du "Fils de Dieu" (6,6c et 10,29b) et, pour l'autre branche, les deux mentions de l'<u>Incarnation</u> ici de "Notre Seigneur" et là de "Jésus Christ" (7,14b et 10,10b), mentions qui *se croisent* en plein centre de l'Epître sur le titre triomphant de "Christ" (9,11a):

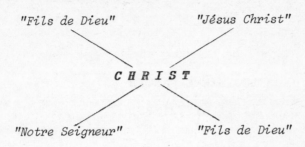

Rappelons-le, d'une part, "le Fils de Dieu" est évoqué avec la Trinité offensée par l'éventuelle apostasie du chrétien; et, d'autre part, l'unique titulature, dédoublée, de "Notre Seigneur . Jésus Christ" est mentionnée avec l'incarnation - "lever", qui est "introduction" de la Nouvelle Alliance, ou "entrée", qui est "enlèvement" de l'Ancienne, ce qui implique, ici, "rejet" de la première et, là, "fixation" de la seconde. Du fait que, cas presque unique (84), les segments centraux de la Colonne centrale sont dépourvus de nominations du Christ, "l'Icône Xristique" apparaît le signe le plus manifeste et le lien le plus fort de l'unité structurelle de la Partie centrale.

Remarquons enfin que les Sections christiques S^{6-9} ont pour armature le thème capital de *"l'accomplissement,* τελειοῦν*".* Ce thème y est supérieurement localisé et structurant. Il fait inclusion du bisegment final de S^6 et de son concentrique le bisegment initial de S^9; tandis qu'on en trouve encore deux mentions au centre même de l'Epître, l'une à la fin de S^7 et l'autre au début de S^8. Dans ces trois groupes de mentions (7,11(19)23 ✦ 9,9c.11c ✦ 10,1e.14b), la première est en défaveur de l'A.T. et la dernière en faveur de notre Grand-prê-tre: le premier groupe oppose les sacerdoces - le deuxième, les tentes, lieux de l'offrir sacerdotal - le troisième, l'inefficacité ou l'efficacité des offrandes et sacrifices. A ce thème de "l'accomplissement" sont liés les trois "une fois pour toutes, ἐφάπαξ "de l'Epître, toujours à propos de Jésus (son "élévation de soi-même", son "entrée dans le sanctuaire", "l'offrande de son Corps": 7,27d ✦ 9,12c ✦ 10,10b). Et pareillement, l'évocation de l'impuissance de la "chair" sous l'A.T. (7,16a: l'*entolè* "charnelle" de l'hérédité sacerdotale ✦ 9,10b.13c: "rites de chair" ou "pureté de la chair"), à laquelle s'oppose l'efficace purification du "Sang" du Christ ou l'offrande du "Corps" de Jésus Christ (9,12b.14a... ✦ 10,10b).

TROISIÈME PARTIE

(11,1 - 13,21/25)

La Troisième Partie de l'Epître aux Hébreux couvre les deux dernières Colonnes, soit de nouveau quatre Sections, de notre *Synopse structurelle*. Le "Billet d'envoi" s'y rattache. Cette troisième Fresque historique, celle-là évidente, décrit à partir de la *Création* les temporalités bibliques des *Origines*, d'*Abra-ham* et de *Moïse*, puis de la *Terre promise*. Après un rappel de la vie humiliée de *Jésus*, cette Fresque développe surtout la vie *ecclésiale*, notamment sous la conduite des "higoumènes" dans l'attente *eschatologique*.

§ 18 : ONZIÈME SECTION (11,1-31)

Cette Section commence notre sixième Colonne synoptique. Cette dernière présente la même particularité que notre 2ème Colonne synoptique: elle superpose deux schémas structurels. Le Plan de la 4ème Partie de A. Vanhoye correspond à l'un d'eux. Il la divise en deux Sections: A (11,1-40) et B (12,1-13). Sa Section A comprend quatre paragraphes: §1 (11,1-7), §2 (11,8-22), §3 (11, 23-31) et §4 (11,32-40); sa Section B, beaucoup plus courte, ne forme qu'une unité littéraire. Ce schéma correspond à la distinction des deux *sujets* dont la foi est décrite: les "anciens" et "nous" les chrétiens. Si la structuration de cet ensemble paraît assez complexe, une division apparaît "plus évidente": en 11,31 s'arrête l'impressionnante "série des πίστει anaphoriques", qui scandent une vingtaine de fois l'exposé des trois premiers paragraphes (1). En réalité, ce brusque changement révèle on ne peut plus manifestement un *autre schéma*, le schéma fondamental que notre Synopse structurelle a mis jusqu'ici en évidence: il s'agit de la ligne de *clivage* entre les deux Sections d'une Colonne synoptique. Notre 11ème Section comprend donc ces trois premiers paragraphes du Plan de A. Vanhoye; le quatrième formera avec sa Section B notre 12ème Section. Ce schéma structure et polarise autrement la suite historique: la Section 11 souligne l'aspect *marche* de la vie de foi, et place *la geste d'Abraham* au centre des temporalités antédiluvienne, patriarcale et mosaïque; la Section 12 souligne l'aspect d'*endurance* de la vie de foi, et place *la geste de Jésus* au centre des temporalités palestinienne et chrétienne.

L'équilibre statistique est excellent pour les 496 occurrences de cette Section, la plus forte de l'Epître, à savoir: 127 + 243 + 126, car l'énorme segment central est bien équilibré avec ses 97.65.81 occurrences. Le centre statistique n'est que de peu supérieur au centre structurel (2).

116

L'Histoire de la marche des justes dans la Foi s'ouvre, au premier segment, (11,1-7) avec l'évocation de *Patriarches antédiluviens*. Scandé comme le dernier par sept mentions de la Foi alors que le central en comptera huit, ce segment comprend cinq unités (vv. 1-2.3.4.5-6.7), verbalement inégales (15.15.27.43.27 occurrences) mais fortement concentrique en leur ensemble. Ces unités concernent la Foi, la Création, Abel, Hénoch, Noé.

La *Foi* est campée d'abord en deux premiers traits, eschatologique et noétique: "une manière de posséder (ὑπόστασις) déjà ce qu'on espère" - "un moyen de connaître (ἔλεγχος) des réalités qu'on ne voit pas". "C'est elle qui valut aux anciens un bon témoignage" (11,1-2).

L'évocation de la *Création* pose le pôle initial de toute temporalité et le cadre de toute histoire: "Par la Foi nous comprenons que les mondes ont été organisés (κατηρτίσθαι) par la parole de Dieu, en sorte que ce n'est pas de choses apparentes que ce que l'on voit a tiré origine (μὴ... τὸ βλεπόμενον)". Ces deux mentions des "anciens" et de "nous" chrétiens donnent à ces deux unités la référence personnelle caractéristique des trois autres; elles indiquent aussi les deux groupes de croyants typiques de l'A.T. et du N.T., dont la vie de Foi va être décrite.

Outre sa valeur d'évocation des origines de l'Humanité, la mention d'*Abel* confronté à son frère Caïn présente la vie de foi selon la symbolique sacrificielle. Elle connote des distinctions complexes. "Par la Foi, Abel offrit à Dieu un sacrifice meilleur que celui de Caïn ... et Dieu rendit témoignage à ses dons" (4abd). Ainsi en sa vie Abel offre "des dons, δώροις" et en sa mort "un sacrifice, θυσίαν". Sont connotés: la totalité de l'existence terrestre - la totalité des offrandes, sanglantes ou non selon un certain vocabulaire - l'application rituelle ("dons") ou personnelle ("sacrifice") de la symbolique sacrificielle, en ce qui concerne Abel - enfin l'opposition symbolique de ces deux offrants, dont le sacrifice est agréé ou rejeté (cf. Gn 4).

L'évocation d'*Hénoch* présente par complémentarité la vie de foi selon la symbolique de la marche. Le texte hébreu disait d'Hénoch: "il marcha avec Dieu", ce que les LXX glossèrent justement: "il plut à Dieu"; et, en conséquence, "on ne le retrouva pas, parce que Dieu l'avait enlevé" (Gn 5,22a.24). L'Auteur inverse le développement. En contraste avec Abel, dont il vient de dire que "bien que mort, il parle encore", l'Auteur commence par affirmer d'Hénoch: "Par la Foi, ... il fut enlevé pour ne pas voir la mort..."; puis: "il avait reçu le témoignage, qu'il avait été agréable à Dieu"; enfin, il lie "complaisance divine" et "vie de foi", l'exprimant alors comme une "marche": "sans la foi il est impossible de plaire à Dieu, car celui qui s'approche de Dieu doit croire...". L'expression du contenu de cette foi reprend l'image de la marche: "... croire qu'il existe, et que de ceux qui Le cherchent (τοῖς ἐκζητοῦσιν) il devient la récompense". Ce regard sur la fin se poursuit par la mention finale du dixième Patriarche biblique antédiluvien.

L'histoire de *Noé*, en effet, évoque la fin d'un monde déjà typique de la Fin du Monde, châtiment ou salut, antitype de la Création dont elle est le concentrique structurel et structural. "Par la Foi, divinement averti de ce qu'on ne voyait pas encore (τῶν μηδέπω βλεπομένων) ... Noé construisit une arche (κατεσκεύασεν) - pour le salut de sa maison. - Ainsi il condamna le monde (κατέκρινεν) - et de la justice de la foi (κατὰ πίστιν) il devint héritier".

La symétrie concentrique se manifeste presque de verset à verset! Allons des extrêmes vers le centre. "(La) Foi" fait inclusion (Πίστις et κατὰ πίστιν)

comme réalité eschatologique, possession et droit anticipé (ὑπόστασις et κληρονόμος) à des biens futurs. L'aspect noétique de la Foi s'exprime ici en sa
capacité de jugement sur l'invisible ou là en un cas concret de condamnation
du monde (ἔλεγχος ou κατέκρινεν). Se correspondent ensuite: la mention collective des "anciens" et la mention familiale de la "maison" de Noé; "l'organisation" créatrice des mondes et la "construction" salvatrice de l'arche; la venue
"non de choses apparentes de ce qu'on voit", lors de la création, et la venue
"de ce qu'on ne voyait pas encore", lors du déluge. Ainsi en ces unités extrêmes est évoquée une totalité symbolique de temps: Création - Jugement (3).
Compte-tenu d'un léger chevauchement, les évocations d'Abel et d'Hénoch accentuent cette concentrie. Ainsi se correspondent successivement: les deux approches de Dieu, sacrifice ou marche (προσήνεγκεν τῷ θεῷ - τὸν προσερχόμενον τῷ
θεῷ) - concentrie manifestement intentionnelle, puisque l'un et l'autre syntagme appartient à un "doublet syntagmatique" (8/9,14b = 11/11,4b et 6/7,25b =
11/11,6b) dont ils sont le seul cas où la liaison de "Dieu" avec le verbe ou
le participe est immédiate; puis, ici, deux mentions du "témoignage" dont la
seconde est précisée "… de Dieu" et, là, deux mentions de la "complaisance"
dont la première est précisée "… de Dieu"; enfin, deux mentions de la "mort"
et deux mentions du "transfert" (d'Hénoch), mentions qui impliquent une victoire sur la mort. Autour du nom d'Hénoch, les noms d'Abel (origines) et de
Noé (fin) sont concentriques.

Le segment central (11,8-22) est consacré à *la geste d'Abraham* et de ses
descendants. Il présente une structure concentrique très étudiée: il compte
sept unités, dont la centrale (11,13-16) exalte l'attitude fondamentale de la
"foi pérégrinale". L'ensemble est régi par le couple de totalité "Sortir-Entrer",
avec cette particularité que les trois premières unités insistent sur les débuts
et les trois dernières sur la fin.

Les deux unités extrêmes (11,8 et 11,22) font inclusion sur le thème de la
"Sortie/Exode". Ici, Abraham appelé "obéit (à l'ordre de) sortir … et il sortit sans savoir où il allait"; là, Joseph finissant "évoqua l'Exode des fils
d'Israël et il donna-des-ordres …". Ces deux phrases semblables évoquent une
situation semblable de départ, mais l'une au début et l'autre à la fin de la
temporalité patriarcale (4).

Les deux unités suivante (11,9-10) et précédente (11,20-21) manifestent
leur concentrie par l'identique mention d'*Isaac* et de *Jacob*. Ici, ils sont mon-
très participant à la condition pérégrinale d'Abraham: "il vint résider en
étranger dans la Terre promise, habitant sous la tente avec Isaac et Jacob …
Car il attendait la Ville munie de fondations …". Là, Isaac nous est montré
bénir Jacob et Esaü, puis Jacob bénir chacun des fils de Joseph, c'est-à-dire
pareillement deux enfants, Ephraïm et Manassé. Ces deux unités de construction
semblable ont pour termes marquants et concentriques internes, ici, la complémentarité de "tentes-Ville" et, là, l'identité de "il bénit…- il bénit…".
Dans cette seconde unité, si à propos d'Isaac il n'est pas précisé comme en Gn
27,1 qu'il était "devenu vieux", à propos de Jacob le moment est précisé: "sur
le point de mourir". Par ailleurs, le regard sur le futur qu'était "l'attente
de la Ville" ici s'exprime là dans la bénédiction "en vue de l'avenir".

Les deux unités qui entourent l'unité centrale, (11,11-12 et 11,17-19) sont
unifiées par la promesse divine à Abraham d'une *postérité*: tandis que la première concerne la naissance d'Isaac, la seconde concerne le sacrifice qu'Abraham fait d'Isaac. Les correspondances sont nombreuses, souvent marquées et
parfois nettement concentriques. Cette concentrie est notable dans les deux

premiers versets ici et dans les deux derniers versets là. Ici, Sara, "elle aussi reçut capacité pour la fondation d'une postérité … - parce qu'elle estima fidèle Celui qui fait-promesse"; là, Abraham offrit Isaac, "ayant-compté que même d'entre les morts Dieu (est) capable de réveiller - d'où lui aussi en parabole il l'obtint" (11,11ab et 11,19ab). Dans ces versets la "postérité" évoquée ici se retrouve là dans la promesse: "c'est par Isaac qu'une postérité te sera assurée"; à l'inverse, la résurrection "d'entre les morts" mentionnée là se trouve préfigurée ici dans la naissance merveilleuse d'un organisme "déjà mort". Par ailleurs, le fait que "d'un seul … naquit une multitude" trouve là son écho dans le sacrifice parabolique du "premier-né", dont la vie portait l'espérance de la postérité promise (5).

Ces trois premières et ces trois dernières unités forment deux ensembles dont l'unité est manifestée par la même mention: au début, de Abraham, "appelé, qui obéit" ou "qui offrit, éprouvé"; et, à la fin, de la postérité, "multitude… innombrable" ou nommément "les fils d'Israël".

L'évocation de cette "multitude innombrable" prépare *la généralisation* qu'offre sur la "foi pérégrinale" des Patriarches l'unité centrale (11,13-16). Elle s'ouvre sur une double rupture: celle de son "Selon la foi, Κατὰ πίστιν", qui interrompt le septénaire des "Par la foi, Πίστει" de ce segment central; celle de son abrupt: "ils moururent tous…", qui annonce la transmission des promesses à l'approche de la mort (dans les unités finales). Une certaine concentrie marque cette unité centrale. En plein centre est mentionnée la "Sortie, ἐξέβησαν" initiale des Patriarches hors de leur patrie en leur père Abraham; la durée, καιρὸν, de leur vie est inspirée, de part et d'autre, par un dynamisme de recherche, ἐπιζητοῦσιν, ou par un refus de retour, ἀνακάμψαι (vv. 14-15). Les péricopes extrêmes opposent concentriquement les deux lieux, ici, de la vie "sur terre" et, là, de son terme "au ciel"; elles mentionnent une attitude cultuelle d'une stupéfiante réciprocité, ici, des croyants qui se "confessent" étrangers et voyageurs et, là, de Dieu qui ne rougit pas d'être "invoqué" comme leur Dieu; enfin, semblable regard ou tension vers l'au-delà, ici, "voyant (les promesses) de loin" ou, là, "à une meilleure patrie ils aspirent". D'ailleurs, cette unité centrale est incluse, sinon dans la paronomase possible de Κατὰ πίστιν avec πόλιν, du moins dans la considération du terme: terrestre, "Dans la foi ils moururent tous, sans avoir obtenu …" - ou céleste, "il (Dieu) leur a préparé une Ville" (6).

La mention de l'Exode annonçait *la période mosaïque*, à laquelle est consacré le segment final (11,23-31). Scandé par un dernier septénaire de Πίστει, il compte comme le segment initial cinq unités (vv. 23.24-26.27-29.30.31), verbalement inégales (21.36.47.9.13 occurrences) mais comportant une notable concentrie. Les deux périodes de la vie de Moïse sont esquissées. La première est caractérisée par deux choix décisifs: l'un de ses parents, à sa naissance, "trois mois" ils cachent l'enfant (1ère unité); l'autre, de Moïse, à l'âge adulte. Le détail de ce choix (ἑλόμενος), initial d'une nouvelle vie, rappelle l'Hymne christologique de Paul en Ph 2,6-11. Ce choix est renoncement (ἠρνήσατο) à la sécurité d'un monde pécheur (honneurs, richesses et plaisirs, que lui apporterait la filiation royale égyptienne); ce choix est engagement (μείζονα… ἡγησάμενος) à une vie dure et humiliée, partagée avec ses frères (συνκακουχεῖσθαι), "l'opprobre du Christ" (7).

La seconde partie de cette vie de Moïse s'identifie presque entièrement avec le séjour au désert. La Section 3 y était consacrée. Ici, seuls les deux extrêmes de ce séjour sont évoqués. Son *début*, d'une part: l'abandon de l'Egypte, la célébration de la Pâque et la traversée de la Mer Rouge. Cette troisième unité a une structure concentrique (8). Son *terme*, d'autre part: la chute de Jéricho, dont on fit le tour pendant sept jours (4ème unité); et le salut de Rahab, qui ne périt pas avec les indociles (5ème unité). De ce séjour ne sont ainsi mentionnées que les coordonnées externes, selon le schéma du couple de totalité "Sortir-Entrer", dont le vocabulaire cependant est soigneusement évité. Du séjour ne sont ainsi rappelés que les extrêmes qui furent décision de foi, tandis que l'entre-deux portait les stigmates de l'infidélité!

Ce segment présente une notable concentrie. Aux extrémités, ce sont la première et la dernière mentions du septénaire des Πίστει. Ensuite une notation temporelle salvifique: "trois mois" ou "sept jours". En ce contexte, remarquer la connotation: Moïse est sauvé parce qu'il "est caché" (cf. Ex 2,2), tandis que Rahab est sauvée parce qu'elle a caché "les espions" (cf. Jos 2,4 et 6,17) (9). A"l'arrêt du Roi" (d'Egypte) bravé dès sa naissance - arrêt qui ordonnait de "jeter au Fleuve (du Nil)" tous les fils des Hébreux (Ex 1,22) - correspond en son âge adulte "l'engloutissement des Egyptiens" (11,23d et 29b). Au renoncement au titre de "fils de la fille de Pharaon", motivé par le choix "d'être maltraité avec le peuple de Dieu" correspond, motivé par "la célébration de la Pâque et l'effusion du sang", la soustraction des "premiers-nés" d'Israël à l'Extermina-teur. Cette concentrie marque d'ailleurs un renversement des situations: le changement de filiation, de païenne à croyante, opère le changement de condition, de servitude souffrante à libération victorieuse. Enfin, le renoncement "aux trésors de l'Egypte" trouve son aboutissement dans le "(départ, l'abandon de) l'Egypte" (11,26b.27a).

Ce premier volet de la vie des justes dans la Foi, sous son aspect pérégrinal, comporte donc trois périodes fortement unifiées chacune par la concentrie de leur segment. Cet ensemble est lui-même fortement unifié.

Unité structurelle de la 11ème Section

Déjà marquée par les trois septénaires des mentions de la Foi, caractéristiques de ses trois segments, l'unité structurelle de cette Section est comme toutes les autres marquée par des éléments propres de concentrie.

Voici donc les éléments de concentrie des deux segments extrêmes (11,1-7) et (11,23-31) autour du segment central, si fortement marqué aux extrêmes et au centre même par le thème de la "Sortie". Nous décelons tout d'abord une similitude de structuration parallèle. Même nombre de versets, soit 22, comportant, parfaitement concentriques en leur segment, deux mentions cultuelles, pareillement situées ici et là. Ce sont (11,4b.6b et 25a.28a):

+ προσένεγκεν τῷ θεῷ (θυσίαν)   + συγκακουχεῖσθαι τῷ λαῷ τοῦ θεοῦ
+ τὸν προσερχόμενον τῷ θεῷ   + πεποίηκεν τὸ Πάσχα κ.τ.πρόσχυσιν τ.αἵματος

Ces deux segments s'achèvent par une traversée de l'eau, Déluge ou Mer Rouge, qui possède double valeur de Jugement (κατέκρινεν ou κατεπόθησαν: 11,7b.29b; cf. Gn 14,15)et de Salut (εἰς σωτηρίαν et οὐ συναπώλετο:11,7c.31a) (10). Hors ce parallélisme, notons le recours au thème du "voir", selon les deux Séries Radicales βλέπειν et εἶδον. Ainsi, la triple mention ici du "visible" (οὐ βλεπομένων ...: 1b.3b.7b) est rappelée dans l'attitude de Moïse "les yeux fixés sur la récompense" (ἀπέβλεπεν εἰς ..., 26d). Ainsi, l'expression à propos d'Hénoch de "ne pas *voir* la mort ... *parce que* Dieu l'avait enlevé" (μὴ ἰδεῖν ... διότι...) se retrouve à propos des parents de Moïse qui le "cachèrent, *parce* qu'ils *virent* la beauté de l'enfant" (… διότι εἶδον …:5ab et 23c) (11).

Une certaine concentrie se décèle entre les cinq unités de ces deux segments. L'évocation de la *Foi* et des anciens, hommes de foi, est ainsi mise en relation avec la foi de Rahab, ancêtre du Messie (cf. Mt 1,5), la seule femme avec Sara qui soit mentionnée nommément dans la liste des héros de la foi (11, 1 et 31). La *Création*, ici explicitée en une expression spatio-temporelle, τοὺς αἰῶνας, est là évoquée dans les "sept jours" d'encerclement de Jéricho: la liaison des sept jours avec la création sera confirmée par le rapprochement structurel avec 3/4,4b qui parle du repos de Dieu "au septième jour"(11,3a et 30). La destinée d'*Abel* et son "sacrifice", d'une part, et l'épopée de la Pâque et son "aspersion du sang", d'autre part, se correspondent idéalement. L'opposition entre Caïn et Abel, finalement marquée par la mort, se retrouve dans l'antagonisme entre les Egyptiens et les Hébreux, finalement marqué par la mort mais alors des persécuteurs (11,4 et 27-29) (12). Pour autant que la vie et l'enlèvement d'*Hénoch* sont présentés par la Bible comme une séparation d'avec les pécheurs (cf. Gn 5,24; Sg 4,10-11; Si 44,16), elle est imitée par la vie de Moïse, qui renonce "à la jouissance du péché" pour participer à la vie rude du peuple de Dieu. De toute façon la similitude de leur attitude spirituelle est soulignée par celle de leur espérance: ici, Dieu "*rémunérateur*, μισθαποδότης" ou, là, "la *rétribution*, μισθαποδοσίαν" par Dieu (11,5-6 et 24-26). Enfin, "le salut de la famille (litt. de la maison)" de *Noé* assuré par "l'Arche" et "(la condamnation) du monde" qu'il implique, se renouvelle dans la naissance de Moïse, dont "les parents" sauvent la vie en le cachant "sans craindre le décret du Roi" (13). Si discrètes soient-elles, ces correspondances confirment la division des segments extrêmes en cinq unités et renforcent l'unité de cette Section.

La symétrie triangulaire ou *bisegmentale* est bien marquée. Dans l'écheveau des correspondances verbales nous pouvons distinguer les points suivants. Tout d'abord, entre les segments initial (11,1-7) et central (11,8-22). A partir d'une *"offrande"* sacrificielle, ici d'Abel et là d'Abraham/Isaac (προσήνεγκεν et προσενήνοχεν/προσέφερεν: 4b et 17ab), se développe un thème /*mort-Résurrection*/ : ici, la mort est explicitée pour Abel et la résurrection figurée dans l'enlèvement d'Hénoch (4e.5abc); là, la résurrection est explicitée comme foi d'Abraham au sujet d'Isaac exposé en figure, et la mort est mentionnée au sujet de Jacob (19a.21a). Référence aussi à la *capacité* ici de plaire à Dieu et là de ressusciter de Dieu (5d.6a et 19a). La description de la foi, ici, d'Hénoch "qui *marchait* avec Dieu" (Gn 6,9 hébreu) et, là, des Patriarches "voyageurs sur la terre", s'exprime pareillement comme une *recherche*, ἐκζητοῦσιν et ἐπιζητοῦσιν (6c et 14). Enfin, nous rencontrons deux fois le syntagme "selon la foi" pour exprimer l'âme de la vie des justes (7e et 13a).

Ensuite, voici entre le segment central (11,8-22) et le segment final (11, 28-31) les points importants de correspondance. Les unités (11,9-12) au début et (11,28-31) à la fin sont les lieux de nombreux rapprochements. Un thème… comment dire ? /*migration-habitation*/ polarise la description avec un thème /*filiation*/. Ici, Abraham "réside sur la Terre de la promesse comme (sur une terre) étrangère", dans l'attente "de la Ville… dont l'architecte est Dieu" (9a.10ab); là, les israélites "traversèrent la Mer Rouge comme (à travers) une terre sèche" dans l'attente de la conquête finale où "les murs de Jéricho tombèrent" (29a.30): Jéricho est le type de la ville terrestre et périssable en opposition à la Ville céleste et permanente,"qui a des fondations". Le thème de la filiation groupe, ici, "Sara" et la "naissance" d'une multitude comme sable au bord de la Mer (11a.12ac); là, cette multitude des "premiers-nés" traverse la Mer Rouge, puis est nommée une autre femme "Rahab", ancêtre du Messie (21.28b.31).

Les trois emplois divers de la SR "accueillir/δέχεσθαι", à savoir: ἐξεδέχετο, ἀναδεξάμενος et δεξαμένη (10a.17b et 31b) semblent structurer ce bisegment comme les trois mentions du "mourir/ ἀποθνήσκειν" le font dans le bisegment précédent (4e.13a et 21a). Nous rencontrons ensuite deux mentions temporelles qui caractérisent le renoncement de la foi: l'un, celui des Patriarches qui "auraient eu le temps, εἶχον ἄν καιρὸν" de retⰠourner dans leur patrie; l'autre, celui de Moïse qui renonça "à jouir pour un temps, πρόσκαιρον, du péché" (15b et 25b). Enfin, ce sont de nombreuses expressions de "filiation": "fils unique", "fils", "une fois né" (17b.21b.22b.23a.24b).

Une *postérité* et une *terre*, n'était-ce pas l'objet immédiat des promesses à Abraham?

§ 19 : DOUZIÈME SECTION (11,32 - 12,13)

La Fresque historique sur la vie des justes dans la Foi se poursuit en trois autres temporalités. Selon le Plan de A. Vanhoye elle comprend son § 4 (11,32-40, où s'achève l'évocation des "anciens", et sa Section B (12,1-13), où est exaltée "l'Endurance nécessaire" aux chrétiens. Cet exégète subdivise ce §4 en deux exposés sur les "héros triomphants" et sur les "héros souffrants" (11, 32-35a et 35b-38), et une conclusion (vv. 39-40); il subdivise sa Section B en une introduction (12,1-3), un développement en deux exposés (12,4-8 et 9-11) et une conclusion (vv. 12-13). Avec une légère modification de ces divisions, nous les regroupons dans les trois segments suivants: (11,32-38), (11,39 - 12,7) et (12,8-13). L'équilibre statistique de cette segmentation est excellent pour ses 365 occurrences: 114 + 139 + 112. La formule détaillée, que l'exposé justifiera est assez complexe comme on peut le constater: 22.35.57 + 32.67.40 + 22.21.22. 23.24 (14).

Le segment initial (11,32-38) est consacré à la vie des israélites après leur entrée en *Palestine*. Il s'agit là d'une"éloquente généralisation". Au lieu d'être scandé comme les trois précédents par un septénaire de "Par la foi, Πίστει", il s'ouvre sur une énumération de "sept personnages", pour autant que "les prophètes" peuvent être considérés comme un personnage collectif. Curieusement l'ordre d'énumération inverse l'ordre historique de la Bible, deux à deux: 2.1 4.3 6.5 7 (15) ! Nous rencontrons ensuite deux groupes de justes affrontés à des épreuves, *dominées* ou *dominantes*: "les héros triomphants" et "les héros souffrants" (11,33-35a et 35b-38). En dépit de la différence de densité verbale, 28 et 57 occurrences, ces deux groupes possèdent un centre semblable, expresssif du contraste entre leur deux points de vue: "ils *échappèrent* au tranchant de l'épée" ≠ "à coup d'épée ils *moururent*" (11,34b et 37b). Dans leur intervalle, parfaitement concentriques, ce sont deux mentions de la "résurrection", accueillie sur terre ou attendue au ciel (11,35a et 35bc), et trois mentions d'altérité: ἀλλοτρίων, ἄλλοι et ἕτεροι (11,34e.35b.36a). La position concentrique en leur verset de ces vocables accentue la position concentrique dans leur segment. Ainsi une certaine symétrie semble régir ces accumulations d'épreuves: guerres… - mort évitée - … guerres + résurrection obtenue / meilleure résurrection + persécutions … - mort reçue - persécutions… Ainsi ces longues listes d'épreuves, surmontées ou subies, reçoivent-elles un minimum de structuration d'ensemble.

Notre segment central (11,39 - 12,7) paraîtra composite, avouons-le, du fait qu'il inclut la conclusion du segment précédent (11,39-40) et l'introduction du segment suivant (12,5-7). Le passage de la description des anciens aux chrétiens s'opère manifestement avec le début du chapitre 12. Structurellement l'unité (12,1c-4) forme un ensemble dont la concentrie est supérieurement étudiée, et il doit se placer manifestement au centre de la Section. Mais littérairement il reste fortement lié par son début (vv. 12,1ab) à la conclusion précédente et par sa fin (12,4ab) à l'introduction suivante. L'art de la transition atteint ici un sommet.

Considérons l'unité précédant ce corps central (11,39 - 12,1ab), littérairement composite... Elle comprend d'abord une phrase de quatre versets. Les deux premiers constatent que "tous ceux-là" - les croyants dont il est parlé depuis le début de cette IIIème Partie - "s'ils ont reçu bon témoignage, μαρτυρηθέντες, grâce à la foi n'ont cependant pas obtenu (la réalisation de) la promesse". Les deux versets suivants en donnent la raison, qui "nous" concerne: "puisque Dieu prévoyait pour nous mieux encore, ils ne devaient pas arriver sans nous à l'accomplissement". Le passage s'opère ainsi à la vie des chrétiens: "Ainsi donc, nous aussi, qui avons une si importante autour de nous nuée de témoins ..." Cette phrase se prolonge dans l'unité centrale. Tout en mettant ces deux derniers versets en retrait pour souligner leur caractère introductoire, nous constatons qu'ils sont liés aux quatre précédents par l'inclusion de μαρτυρηθέντες avec μαρτύρων (11,39a et 12,1b): tous ceux qui ont "reçu bon témoignage" deviennent désormais les "témoins" de la vie des chrétiens.

Toute la vie des chrétiens est *course* et *combat*, qui doivent se mener à l'exemple de Jésus: tel est le sujet de l'unité centrale (12,1c-4b). Aux deux extrémités, ce sont trois versets où la vie chrétienne est connotée ici à son *début* (12,1c-2a) et là à sa *fin* (12,3c-4). Cet ensemble est intelligible à soi seul: le v. 2a se poursuit parfaitement en 3c. Au centre de ces deux petites unités se rencontre le verbe principal exprimant l'image dominante, ici de la course, τρέχωμεν, et là du combat, ἀντικατέστητε. La concentrie des versets est parfaite et fait successivement correspondre:
- au rejet initial "du péché", la lutte continuelle contre "le péché":
  ... ἀποθέμενοι... τὴν... ἁμαρτίαν - πρὸς τὴν ἁμαρτίαν ἀνταγωνιξόμενοι (16);
- à la course avec endurance, la lutte jusqu'au sang:
  δι᾽ὑπομονῆς τρέχωμεν ... ἀγῶνα - ... μέχρις αἵματος ἀντικατέστητε;
- au regard fixé sur Jésus, le refus du découragement:
  ἀφορῶντες εἰς τὸν ...᾽Ιησοῦν - ἵνα μὴ ... ἐκλυόμενοι.

L'unité centrale (12,2b-3b) de cinq versets développe l'exemple de la vie de "Jésus", sur qui les chrétiens doivent "fixer leur regard". En correspondance encore parfaitement concentrique nous rencontrons:
- "au lieu" de la joie "à lui" offerte, "l'opposition" continuelle des pêcheurs "contre lui":
  ἀντὶ ... αὐτῷ χαρᾶς - ... εἰς ἑαυτον ἀντιλογίαν;
- à "l'endurance" de la Croix, toute honte "méprisée" par Jésus, c'est la "considération" par les chrétiens de "ce qu'il-a-enduré":
  ὑπέμεινεν ... καταφρονήσας - ᾽Αναλογίσασθε ... ὑπομεμενηκότα;
- en plein centre, enfin, c'est l'achèvement triomphal de cette vie de Jésus: " Il s'est assis à la droite du trône de Dieu" (17).

Cette concentrie de situation des versets est renforcée par la concentrie en chacun des versets, des termes concentriques. C'est cette forte concentrie qui, liant le v. 4 aux précédants, oblige de le distinguer de quelque façon de l'unité suivante.

Cette dernière unité (12,5-7) commence, en fait, un long exposé sur la *pédagogie* paternelle de Dieu. Elle est caractérisée par une longue citation de Pr 3,11-12 (de quatre versets), entourée par une introduction et une conclusion (de deux versets chacune). Ces dernières comportent la très forte inclusion d'un même syntagme aux éléments concentriques: "à vous comme à des fils, ὑμῖν ὡς υἱοῖς" s'adresse l'exhortation; et, "comme à des fils à vous, ὡς υἱοῖς ὑμῖν" s'offre Dieu (12,5b et 7b). En transformant le ἐλέγχει des LXX en παιδεύει, l'Auteur obtient la suite concentrique dans la citation:

υἱέ ... παιδείας Κυρίου ... / ... Κύριος παιδεύει ... υἱὸν ...

Sans compter la concentrie de "correction - corrige - correction" (5c.6a.7a).

Signalons enfin d'autres éléments d'intégration des deux unités extrêmes avec l'unité centrale. La désignation des chrétiens par le "nous" dans la première unité se poursuit dans la première moitié de l'unité centrale (4 + 2 usages), tandis que le "vous", apparu dans la seconde moitié de cette unité centrale, se poursuit dans la troisième unité (3 + 4 usages). Deux des mots caractéristiques de l'unité centrale, τελειωτὴν et ἐκλυόμενοι, en opposition idéale (de Jésus "perfectionneur" et de chrétiens "découragés") et en situation concentrique, se trouvent dans deux mots de l'une et de l'autre unités extrêmes, ἵνα μὴ ... τελειωθῶσιν et μηδὲ ἐκλύου) dans une semblable opposition idéale (de "tous" les anciens "pas sans nous menés-à-la-perfection" ou de "tout" fils, chrétien comme les anciens, qui ne doit "pas se décourager") et pareillement en situation concentrique (11,40b 12,2a.3c.5d). C'est dans ce segment, enfin, que se rencontrent les trois seules mentions de "Dieu" dans la Section, ici aux extrémités et au centre (11,40a 12,2d.7b).

Le segment final (12,7c-13) se présente sous la forme de cinq quatrains (12,7c-8 9 10 11 12-13), qui poursuivent la description de la *pédagogie* paternelle de Dieu. Chacun de ces quatrains est nettement caractérisé.

Le premier (12,7c-8c) présente la "correction, παιδεία" comme preuve de la "filiation" légitime. Il utilise le "vous" et fait inclusion avec le mot "fils". Les trois suivants soulignent une opposition entre la pédagogie humaine et la pédagogie divine. Cette opposition est exprimée par l'emploi semblable des particules:

- τοὺς μὲν ...   - ... οὐ πολὺ (δὲ) ... τῷ   (v. 9);
- οἱ μὲν ...   - ...   ὁ   δὲ ...   (v. 10);
- πρὸς μὲν τὸ παρὸν   - ... ὕστερον δὲ ...   (v. 11).

Ainsi, le deuxième quatrain, qui seul en tout cet exposé des vv. 5 à 13 utilise le "nous", présente en parfaite concentrie : "de notre chair les pères" et "le Père des esprits". Le troisième: "ceux-ci selon leur impression" et "Celui-là pour notre profit". Le quatrième oppose "le présent" pénible et "l'avenir" radieux. Le cinquième quatrain, enfin, reprend les images de la lutte et du combat en exhortant les chrétiens au "redressement". De nouveau le "vous" est utilisé; cet usage du "vous" fait donc inclusion avec celui du premier quatrain. Par ailleurs, les trois quatrains intermédiaires s'achèvent sur une mention salutaire: "... et nous vivrons" - "... faire partager sa sainteté" - "... donne un fruit... de justice" (12,9d.10d.11d).

Nous envisagerons plus loin l'hypothèse d'un "septénaire" de quatrains, qui regrouperait tout l'exposé sur la pédagogie divine (12,5-13).

Unité structurelle de la 12ème Section

Alors que la symétrie concentrique du segment central est extraordinairement forte, la symétrie des segments extrêmes est verbalement moins marquée. Cette apparente faiblesse est compensée par une symétrie bisegmentale importante.

Idéalement la concentrie est excellente. Le climat de souffrance, dont triomphent ou pâtissent ici les justes de l'A.T. correspond au climat de la "correction" divine, dont souffrent ou profitent les chrétiens du N.T. D'ailleurs, la remarque faite à ceux-ci, que de cette correction "tous ont eu leur part" (12,8b), laisse entendre que ceux-là pareillement y ont participé. De toute façon, la Section possède une inclusion bien marquée: la description des épreuves commence par *"eux qui, grâce à la foi, conquirent des royaumes, mirent en oeuvre la justice ...";* et la description de la pédagogie divine s'achève par *"à ceux qui, grâce à elle exercés,* elle produit (un fruit) de *justice"* (11,33ab: οἳ διὰ πίστεως κατηγωνίσαντο ... ἠργάσαντο δικαιοσύνης; 2,11d: τοῖς δι' αὐτῆς γεγυμνασμένοις ἀποδίδωσιν δικαιοσύνης). A la mention ici des "femmes", de mères, et de la "résurrection" correspond là la mention des "pères de notre chair" et du "Père" qui donnera "la vie, καὶ ζήσομεν" (11,35ac et 12,9ad). L'emploi voisin de l'hapax du N.T., ἐμπαιγμῶν, avec μαστίγων (livrés en jouet et au fouet) prépare et évoque la Série, là si importante, de la "correction", notamment des pères παιδευτὰς (11,36a et 12,9 ...); le second terme est lui aussi expressif de la pédagogie divine: μαστιγοῖ ... ὃν παραδέχεται (12,6b: doublet radical). Enfin, dernière correspondance concentrique. Le "jugement insolite", au dire de C. Spicq, "eux dont le monde n'était pas digne, οὐκ ἦν ἄξιος", à propos des persécutés, trouve un correspondant dans l'affirmation "privés de la correction, ... vous n'êtes pas des fils, οὐχ υἱοί ἐστε": les persécutés ne sont pas dignes du monde et les non-corrigés ne sont pas dignes de Dieu (11,38a et 12,8ac)!

La formule complexe de la concentrie de cette Section peut s'écrire:
A.T. ＋ AT NT.Xt.NT NT ＋ N.T.

la symétrie *bisegmentale* est très marquée. Les deux thèmes de la *course* et du *combat*, que nous rencontrons aux deux extrémités de l'unité centrale du segment central, se trouvent inversés aux deux extrémités de la Section. "Ils con-quirent des royaumes", au début, a pour correspondant "votre combat contre le péché" (11,33a: κατηγωνίσαντο et 12,4b: ἀνταγωνιζόμενοι; ce sont là deux hapax bibliques, la forme simple du dernier verbe n'est rapportée que par P[46,13]); "courons ... l'épreuve" a pour correspondant à la fin "des coursières (ou pis-tes droites) faites-vous" (12,1d: τρέχωμεν et 13a: τροχιὰς; ce second terme, hapax du N.T., forme avec le premier un doublet nominal). Ces marques si fortes sont renforcées par d'autres. Les segments initial et central présentent d'abord les termes qui constituent l'inclusion du § 4 de A. Vanhoye: *"Eux* qui, *grâce à la foi* conquirent des royaumes, ... virent se *réaliser* des *promesses"* avec *"Eux* tous, s'ils ont reçu bon témoignage *grâce à la foi* n'ont pas obtenu la réalisation de la *promesse"* (11,33ab et 39ab: οἳ διὰ πίστεως ... ἐπέτυχον ἐπαγγελιῶν - Οὗτοι ... διὰ πίστεως οὐκ ἐκομίσαντο τὴν ἐπαγγελίαν). Ajoutons, compléments mineurs: *"Que dire ... au sujet ... des prophètes"* semble se reflé-ter dans "Dieu *à notre sujet quelque chose* de meilleur *prévoyait"* (11,32: τί ... περὶ ... προφητῶν et 11,40: περὶ... τι προβλεψαμένου, ce dernier verbe est encore un hapax du N.T.); par ailleurs, "ce quelque chose de meilleur" fait écho à "la meilleure résurrection", qui est moyen et réalité de la "meilleure espé-rance" ou des "meilleures promesses" (11,35c et 40a; cf. 6/7,19b et 7/8,6c);

tandis que μαστίγων a un écho dans μαστιγοῖ (11,36a et 12,6b).

Les segments central et final présentent d'abord une forte unité de développement sur la *pédagogie* divine (12,5-13 explicitement). L'unité finale de
notre segment central, unité qui commence ce développement (12,5-7), pourrait
se diviser en deux quatrains. Le deuxième commencerait par "Ὃν γὰρ ἀγαπᾷ…"
et se présenterait comme une explication du précédent, à l'instar des quatrains
suivants qui commencent par "Τίς γὰρ υἱὸς …" ou bien par "Οἱ μὲν γὰρ …"
(12,7c.10a). Nous aurions ainsi un *septénaire* de quatrains: le quatrième se
trouverait au centre (vv. 9abcd, unique avec le "nous") et tous les quatrains,
sauf le sernier, seraient marqués par le thème de la παιδεία. Mais nous avons
renoncé à cette suggestion pour ne pas briser et la citation et la forte inclusion qui enserre les vv. 5-7.

De toute façon ce bisegment est bien unifié. Complétant concentriquement
la correspondance caractéristique de "courons" avec "coursières", nous rencontrons dans le contexte de l'*endurance* (δι᾽ ὑπομονῆς) l'exemple de Jésus qui
"au lieu de la *joie* … méprisa la *honte*"(..χαρᾶς/αἰσχύνης); et, à l'opposé, la
douloureuse expérience des hommes, "pas la *joie*, mais la *tristesse*" (οὐ χαρᾶς/
λύπης) dans le contexte de la *correction* (δι᾽ αὐτῆς) (12,1d.2bc et 11bd). S'y
ajoute la correspondance de "ne fais pas *peu de cas* de la correction du Seigneur" et de "pour *peu de* jours… (nos pères nous) corrigeaient" (12,5c: μὴ
ὀλιγώρει παιδείας Κ.; et 12,10ab: πρὸς ὀλίγας ἡμέρας … ἐπαίδευον). Enfin, la
remarque que "tous" les anciens ne seront "pas sans nous" menés-à-l'accomplis=
sement se retrouve dans la réflexion faite aux chrétiens que "pas sans correction", dont "tous" ont leur part, ils ne sauraient vivre (11,39a.40b et 12,8ab).

Les correspondances de ces deux bisegments ont une situation à peu près
inverse de celles de leur opposé.

§ 20 : UNITÉ STRUCTURELLE DE LA 6ème COLONNE (UC)

Cette Colonne possède la plus forte densité verbale de l'Epître, avec 861
occurrences, et ses Sections la plus grande différence, avec 496 et 365 occurrences. Ces Sections comportent pourtant des segments extrêmes presque égaux:
l'énorme différence porte donc sur les segments centraux, et plus précisément
sur leurs péricopes extrêmes puisque leurs péricopes centrales sont égales!
Voici en effet les formules détaillées de ces Sections:
        127 + 97.65.81 + 126   et   114 + 32.67.40 + 112.

Dans les segments initial (11,1-7) et final (12,7c-13), c'est l'idée de
justice qui fait inclusion de cette première moitié de l'ultime Fresque historique: depuis le premier juste, Abel, dont il est ici affirmé: "par elle (la
foi) il reçut témoignage d'être juste", jusqu'aux derniers, les chrétiens, dont
il est là déclaré: "par elle (la correction) exercés ils produisent (un fruit)
de justice" (11,4c: δι᾽ ἧς ἐμαρτυρήθη εἶναι δίκαιος, cf. 7e; et 12,11d: δι᾽
αὐτῆς γεγυμνασμένοις ἀποδίδωσιν δικαιοσύνης). Ainsi la justice qui, au terme de
la Colonne précédante, avait été mise en évidence par la citation d'Habacuc 2,3:
"mon juste par la foi vivra" (10,38a),prend valeur d'annonce du terme inclusif
de la Colonne suivante. Cette inclusion est complétée par une déclaration semblable: ici, au sujet de la Foi, "sans elle il est impossible de plaire à Dieu"
(11,6a: χωρὶς δὲ …); là, au sujet de la correction divine, "sans elle… vous

n'êtes pas des fils" (12,8ac: Εἰ δὲ χωρίς …).

Rapprochements mineurs: 1. l'idée d'*adaptation*, ici au début, des mondes à la parole de Dieu et, là à la fin, des membres à la marche (11,3a: κατηρτίσ-θαι; et 12,12b.13a: ἀνορθώσατε… τρ. ὀρθάς); 2. l'idée de *participation*, ici à la fin, à "l'héritage" et, là au début, à "la correction" (11,7e: δικαιοσύ-νης ἐγένετο κληρονόμος; et 12,18ab: παιδείας ἧς μέτοχοι γεγόνασιν πάντες); rapprochement d'autant plus plausible qu'il fait liaison avec le segment sui-vant ou précédent: ici, avec "le lieu qu'il devait (Abraham) recevoir en héri-tage"; et, là, avec "(c'est) à-titre-de correction (que) vous endurez" (11,8b: εἰς κληρονομίαν; et 12,7a: εἰς παιδείαν).

Les segments centraux (11,8-22) et (11,39-12,7), notamment leur péricope centrale (11,13-16 ou 12,1c-4), esquissent des totalités de vie, de son origine à son terme dans la Foi. Ici, il s'agit des croyants de l'A.T. dont la geste d'*Abraham* offre un premier centre historique et typique; là, il s'agit des fidèles du N.T. dont la geste de *Jésus* offre un second centre, en fait récapi-tulatif de toute l'Histoire la faisant passer de l'A.T. au N.T. Cette corres-pondance est des plus marquées.

Voici tout d'abord un ensemble important, où des éléments de description ici de la foi des anciens sont repris là pour introduire la description de la foi des chrétiens: "<u>Dans la foi</u> ils moururent <u>tous</u>, <u>sans avoir obtenu les pro-messes</u> (…) en fait, c'est à une <u>meilleure</u> (patrie) qu'ils aspirent", la Ville <u>"préparée par Dieu"</u> ✦ "Eux <u>tous</u>, s'ils ont reçu bon témoignage <u>grâce à la foi</u>, <u>n'ont pas obtenu la promesse. Dieu prévoyait</u> pour nous <u>mieux encore</u>" (11,13a. 16a et 11,39ab.40a):

- Κατα πίστιν ἀπέθανον οὗτοι πάντες,   μὴ κομισάμενοι τὰς ἐπαγγελίας
  Νῦν δὲ κρείττονος ὀρέγονται (ὁ θεός … ἡτοίμασεν… πόλιν)
- Οὗτοι πάντες μαρτυρηθέντες δια τῆς πίστεως οὐκ ἐκομίσαντο τὴν ἐπαγγελίαν
  … τοῦ θεοῦ … κρεῖττον τι προβλεψαμένου

"La multitude… innombrable" mentionnée ici se retrouve là évoquée dans "la nuée de témoins", qui désormais contemple la vie des chrétiens (11,12bc et 12,1ab).

La relation des chrétiens et de Jésus à la foi est aussi soulignée: "ceux-ci doivent fixer leur regard sur Celui (qui est) de la foi l'*initiateur* et l'*accomplisseur*, τὸν τῆς πίστεως ἀρχηγὸν καὶ τελειωτὴν" (12,2a). De cet extraor-dinaire couple de totalité de vie, nous rencontrons des équivalences dans la description de la vie des anciens croyants et de la nôtre, tracée en ses divers moments et en ses aspects de *marche* ou de *souffrance*:
- son *début* : "la sortie", ἐξέβησαν, de leur patrie, pour les anciens; "le re-noncement à la joie", ἀντὶ… χαρᾶς, pour Jésus; "le rejet", ἀποθέμενοι, de tout fardeau et péché, pour les chrétiens (11,15a et 12,1c.2b);
- l'*entre-deux* de la vie : "la vue au loin" sur les promesses, les anciens "recherchent" la patrie céleste et y "aspirent", ἰδόντες … ἐπιζητοῦσιν … ὀρέγονται; Jésus "endure … l'opposition", ὑπομεμενηκότα … ἀντιλογίαν; "le regard fixé" sur Jésus, les chrétiens "courent" et "luttent", ἀφορῶντες … τρέχωμεν … ἀνταγωνιζόμενοι (11,13b.14.16a et 12,1d.4b avec 3ab) (18);
- son *terme* : "la mort", ἀπέθανον, qui impitoyablement frappe; "la croix", endurée par Jésus; le combat contre le péché, "jusqu'au sang". Si les anciens fixent la "Ville… céleste", les chrétiens fixent"Jésus … assis à la droite du trône de Dieu" (11,10.16 et 12,2) (19).

Enfin, les péricopes centrales contiennent avec la *Foi* une autre marque importante: l'*humilité*, ici de Dieu qui "n'a pas honte", οὐκ ἐπαισχύνεται, d'être appelé le Dieu des justes pérégrinants, atteint son sommet là en Jésus qui, "au mépris de la honte", αἰσχύνης καταφρονήσας, endura la croix (11,16b et 12,2c).

Au-delà de ce centre strict, le parallélisme se poursuit avec d'autres rapprochements. Il s'agit d'une série de termes relatifs à la *filiation*, thème qui ici et là se prolonge dans le segment suivant: ici, de 11,17 à 28 où l'on parle de "fils unique", des "fils" et des "premiers-nés"; là, de 12,5 à 11 où l'on parle de/des "fils", de/des "pères" et de la "pédagogie". N'oublions pas, enfin, la réciprocité d'offrande entre Dieu et le fidèle, manifestée ici par Abraham, qui "a offert son fils unique" à Dieu, et là par Dieu, qui "s'offre à vous comme à des fils" (11,17ab et 12,7ab).

Les segments final (11,23-31) et initial (11,32-38) possèdent en commun le thème des *héros souffrants ou triomphants*. Ces deux segments possèdent en effet deux positions caractéristiques et concentriques où ces thèmes sont exprimés: ces positions sont entre elles quatre concentriques. Le thème des héros souffrants s'exprime ici par le choix de Moïse "d'être-maltraité, συγκακου-χεῖσθαι, avec le peuple de Dieu"; et là, par les israélites "tués à coup d'épée ils moururent", centre d'une énumération de nombreux maux dont "le support de mauvais traitements, κακουχούμενοι" (11,25a et 37bd). Inversement, le thème des héros triomphants s'exprime ici notamment par le sacrifice de la Pâque et l'aspersion du sang, "afin que l'Exterminateur ne touchât point aux premiers-nés"; là, par les israélites qui "échappèrent au tranchant de l'épée" (11,28ab et 34b).

Les rapprochements sont en fait plus nombreux. Au début ici Moïse enfant "est caché" et à la fin là les israélites persécutés se cachent "dans les grottes et les cavités de la terre" (11,23b et 38bc); Moïse ici "renonça à la jouissance du péché" et là les justes "n'accueillirent pas la délivrance":le premier parce qu'il "regardait la récompense" et les autres parce qu'ils espé- raient "une meilleure résurrection" (11,24b.26d et 35bc); Moïse ici "par la foi quitta l'Egypte sans craindre la colère du Roi", et des israélites là "grâce à la foi conquirent des Royaumes" (11,27ab et 33a); ici, "les remparts de Jéri- cho tombèrent" et là "ils renversèrent des camps étrangers" (11,30 et 34e); à la force d'âme maintenue ici par Moïse correspond là la force du corps retrou- vée ou celle de l'âme aguerrie (11,27c et 34cd). Notons aussi le syntagme dou- blet "πεῖραν λαβόντες - πεῖραν ἔλαβον", à propos ici des Egyptiens engloutis et là à propos des fidèles fouettés (11,29b et 36a). Enfin, ici au terme et là au début, le même symbolisme numérique: des "sept jours" d'encerclement de Jéricho et les sept personnages énumérés de même en tournoyant en tête de la 12ème Section!

§ 21 : TREIZIÈME SECTION (12,14-29)

La Fresque historique se poursuit et s'achève par des développements sur la vie *ecclésiale* dans l'attente eschatologique en cette septième et dernière Colon- ne de notre Synopse structurelle. Cette septième Colonne correspond à la Vème Partie du Plan de A. Vanhoye qui, à la suite de L. Vaganay, en a vigoureusement manifesté l'unité. Cet ensemble lui paraît cependant "moins vigoureusement struc- turé", encore qu'on puisse "aisément y distinguer plusieurs paragraphes diffé-

rents". Il distingue trois paragraphes: 12,14-29 13,1-3 et 13,7-18 - puis une
conclusion 13,20-21 avec un *Billet d'envoi* 13,22-25. Notre analyse confirme
l'unité de cet ensemble qui constitue une Colonne synoptique de deux Sections
structurelles (20).   Reprenant les trois subdivisions du 1er § de A. Vanhoye
pour segments, nous obtenons pour cette 13ème Section une formule statistique
équilibrée de ses 246 occurrences: 70 + 91 + 85 ou bien 35.35 + 50.41 + 23.39.
23 . Le centre statistique correspond exactement au centre structurel.

Tout en conservant l'image fondamentale de la marche, cette Colonne souligne le caractère cultuel et sacrificiel de la vie chrétienne et la rattache au
mystère eucharistique. Une mise en garde eschatologique se développe tout d'a-
bord en cette Section.

Le segment initial (12,14-17) s'ouvre sur une image de marche et d'effort
spirituel: "La Paix poursuivez, διώκετε, avec tous et la sanctification, sans
quoi personne ne verra le Seigneur". L'appel à la vigilance, ἐπισκοποῦντες, se
concrétise en trois *exemples*, μή τις …, qui marquent l'unité du segment. Cependant les deux premiers forment avec cette introduction une première unité, tandis que le troisième plus développé forme une seconde unité. Les deux premiers
exemples - "ne pas se soustraire à la grâce de Dieu" et "qu'aucune racine amère,
πικρίας, ne vienne à pousser et à infecter, μιανῶσιν, la communauté" - évoquent
l'épreuve du début de l'Exode "au temps de l'exaspération, παραπικρασμῷ" et qui
fut dommageable pour tous (cf. 3/3,8.15.16 et les mises en garde de 3,12 et
4,1). Inclusion probable de cette péricope avec πάντων et οἱ πολλοί (21).

Le troisième exemple est emprunté à l'histoire d'Esaü qui, après avoir
"vendu son droit d'aînesse pour un seul plat", fut exclu de la bénédiction. Est
ainsi évoquée la geste des patriarches abrahamites, dont on retrouve le vocabulaire: "la bénédiction", qui transmet le droit d'aînesse, et la "recherche"
d'un "lieu" (cf. 11/11,8c.14.20-21). Une certaine concentrie apparaît entre les
idées "d'échange/changement", ἀντὶ/μετανοίας, et de "rupture", ἀπέδοτο/ἀπεδοκι-
μάσθη, qui déjà se trouvaient au centre de la première péricope, ὑστερῶν ἀπὸ …
(12,15ab et 16c.17c).

L'unité de ces deux péricopes est renforcée par une concentrie notable:
aux deux extrémités, une même image de poursuite avec un complément: … διώκετε μετὰ … / μετὰ … ἐκζητήσας …; puis "sanctification" et "changement,
μετανοίας", dernier mot qui connote la nuance de "conversion"; l'exclusion-
οὗ χωρὶς avec l'exclusion-ἀπεδοκιμάσθη;"la grâce" et "la bénédiction"; enfin
aux deux versets internes, ici la "contagion", μιανθῶσιν, et là "pécheur ou
profane", πόρνος ἢ βέβηλος. Signalons aussi la correspondance idéale entre les
deux centres de ces péricopes: de ὑστερῶν, dont le sens immédiat signifie "être
en retard", avec μετέπειτα, "plus tard": le chrétien ne doit pas imiter Esaü,
celui qui arrive "en retard" pour recevoir la bénédiction (Gn 27,30.33.36).

Le segment central (12,18-24)oppose la double *approche*, προσεληλύθατε, des
deux montagnes saintes des deux *Alliances*:le "Sinaï", à vrai dire non nommé,
et la "Jérusalem céleste". Deux péricopes sont ainsi en contraste: Οὐ …'Αλλὰ …
(12,18-21 et 22-24). L'atmosphère de la promulgation de la Loi est toute de
crainte. Sept réalités terrifiantes sont énumérées (vv. 18ab.19a). Outre la
correspondance des quatre καὶ/κἄν, on décèle une certaine concentrie entre les
réalités *visibles* énumérées en 18b (feu, obscurité, ténèbre, ouragan) et leur
résumé visuel en 21a (τὸ φανταζόμενον); à l'intérieur ce sont des réalités *au-
dibles*, avec l'opposition entre le refus en 19b (παρῃτήσαντο) et la défense en
20a (τὸ διαστελλόμενον), qui place en évidence en plein centre "la parole".

L'atmosphère de la Jérusalem céleste est de fête. Sept réalités attirantes
sont énumérées (22), doublées de sept "et, καὶ" qui soulignent la concentrie
et la multitude de l'énumération. Ainsi se correspondent: "la Ville du Dieu
vivant" et "(le) Sang de l'aspersion", deux réalités liées à la vie; "les
myriades d'Anges en-réunion-de-fête" et "le Médiateur d'une Alliance neuve",
Anges et Jésus que confrontait la première Colonne; "l'Eglise des premiers-nés
inscrits dans les cieux" et "les Esprits des justes parvenus-à-l'accomplisse=
ment"; enfin, en plein centre, "Dieu, le Juge de tous". Ce centre correspond
au premier, pour autant que 4/4,12-13 attribuait une fonction judicatrice,
κριτικὸς, à "la parole". D'ailleurs, la multitude, exprimée là autour de ce
centre par "l'Eglise..." et "les Esprits...", l'est pareillement ici autour de
son centre par "ceux qui-l'entendirent..." et "ils ne supportaient pas...". De
toute façon ces deux péricopes, qui ont commencé par une semblable "approche",
s'achèvent pareillement par un "parler", de Moïse ou du Sang.

En référence encore aux événements du *Sinaï*, le segment final (12,25-29)
achève cette mise en garde eschatologique par l'évocation des *bouleversements
cosmiques* de la Fin du monde. Ce segment est composé de trois péricopes. La
première (12,25) oppose deux *parlers* divins, nettement personnalisés (τὸν λαλοῦντα et τὸν χρηματίζοντα), caractérisés par leur lieu de parole, sur terre
aux israélites et du ciel aux chrétiens: si ceux-là "n'ont pas échappé" au
châtiment pour avoir refusé d'entendre, "à plus forte raison nous", chrétiens,
si nous venions à nous détourner ! La deuxième péricope (12,26-27) renforce cet
avertissement par un second *a fortiori*, dont une citation d'Aggée 2,6 offre le
second terme: tandis qu'au Sinaï la voix divine ébranla la terre, aux derniers
jours elle secouera "le ciel et la terre". Cette déclaration, que l'Auteur accentue en "non seulement la terre, mais aussi le ciel", est au centre de la péricope, entre les deux mentions textuelle ou explicative de "une fois encore";
l'inclusion s'opère par l'opposition entre "l'ébranlement, ἐσάλευσεν" de la
terre jadis et la permanence future de "(réalités) inébranlables, τὰ μὴ σαλευό-
μενα". La troisième péricope (12,28-29) en indique les conséquences, Διὸ...,
pour nous, chrétiens. Tout en dépendant de la très courte proposition principale "ἔχωμεν χάριν", "tenons bien cette grâce" (23), l'ensemble est concentrique. Au centre, l'attitude générale: "rendre-culte de-manière-agréable à Dieu";
d'une part, un aspect joyeux de la condition chrétienne, précédé de son motif:
"Puisque, Διὸ..., nous recevons un royaume inébranlable - tenons bien cette
grâce"; d'autre part, un aspect austère de cette condition, suivi de son motif:
"... avec soumission et crainte - car, γὰρ..., notre Dieu aussi est un feu dévo-
rant".

L'ensemble de ce segment présente une concentrie verbale et idéale. Aux
éléments verbaux bien marqués de la péricope centrale, nous pouvons ajouter:
les versets extrêmes des 1ère et 3ème péricopes sont des participes verbaux
qui désignent, le premier et le dernier, "Dieu" - et les deux proches du centre, "les chrétiens". De plus, Dieu est nommé concentriquement ici deux fois
sous forme verbale, τὸν λαλοῦντα et τὸν χρηματίζοντα, et là deux fois sous
forme nominale, τῷ θεῷ et ὁ θεὸς. Pareillement, les chrétiens sont désignés
encore concentriquement et en évidence, ici, πολὺ μᾶλλον ἡμεῖς et, là, ἔχωμεν
χάριν (12,25d et 28b).

Unité structurelle de la 13ème Section

L'unité de cette Section provient de la forte structuration de ses trois segments, qui tous trois font appel à l'exemple de châtiments empruntés à l'A.T. pour mettre en garde les chrétiens contre les conséquences redoutables de l'infidélité. Cette unité de sujet est renforcée, en plus de l'usage du "vous" au début de chaque segment, par des marques de concentrie. La plus manifeste est l'inclusion avec le mot *"grâce"*, en liaison avec *"Dieu"*, et en opposition d'attitude chrétienne: ici, "... que nul ne se *soustraie* à la *grâce de Dieu"*; et là, "... *tenons* (bien cette) *grâce*, par laquelle nous rendons-culte à *Dieu"* (12,15ab et 28bc). Cette inclusion est accentuée par la correspondance de la mention ici et là de *deux vertus*: ici, "(la) paix" et "la sanctification"; là, "soumission et crainte" - avec référence cultuelle: ici, "sans elle personne ne verra le Seigneur"; là, "par elle nous rendons-culte d'une manière agréable" (12,14 et 28cd). Autre marque de concentrie, sous forme d'*inclusion interne* à la fin ou au début des segments extrêmes, c'est l'évocation du châtiment de l'infidélité: ici, d'Esaü, *"car de possibilité de changement, il n'en trouva pas"*; là, des israélites, *"car ceux-là n'ont pas échappé"* (12,17d et 25b). Traits mineurs: se "détourner" de Dieu (12,15a.25e: ὑστερῶν ἀπό ... - οἱ... ἀποστρεφόμενοι); le "changement" (12,17d: μετανοίας de la décision ou 27b: μετάθεσις de la création); "l'attitude" circonstantielle (12, 17e et 28d: "avec larmes" ou "avec soumission").

La symétrie triangulaire ou *bisegmentale* est brève mais nette.
Pour le bisegment initial, un terme de l'une et de l'autre péricope, "tous" et "premier-né (droits du)", du segment initial se retrouvent tous deux, "premiers-nés" et "tous", concentriquement vers la fin du segment central (12,14a. 16c avec 23ab). A l'inverse, pour le bisegment final, trois termes dont un syntagme - "un consumé feu", "voix" et "se soustraire" - vers le début de la première péricope du segment central se retrouvent distribués concentriquement dans chacune des trois péricopes du segment final - "se soustraire" (bis), "voix" et "feu consumant" (12,18b.19ab avec 25ac.26a.29). A cette symétrie il faut ajouter les mentions de la Série "ciel/céleste". Il y en a quatre, presque parfaitement concentriques par leur situation et entre elles, à savoir: "la Jérusalem céleste" et "inscrits dans les cieux" avec "Celui qui parle des cieux" et "... aussi le ciel" (12,22b.23a avec 25e.26d). Enfin, l'opposition fondamentale des deux péricopes du segment central ("pas... mais...") se retrouve au centre du segment final ("pas seulement... mais aussi..."), avec la même référence implicite ou explicite à la "terre" ou au "ciel" (12,18a.22a avec 26d).

§ 22 : QUATORZIÈME SECTION (13,1-21/25)

Nous divisons cette dernière Section de l'Epître aux Hébreux, de 329 occurrences, en trois segments de formule: 105 + 120 + 104. Du fait de la subdivision de ces segments en péricopes ou unités diverses (vv. 1-6.7-8 + 9-10.11-14. 15-16 + 17-19.20-21), la formule statistique détaillée se présente comme suit: 74.31 + 32.57.31 + 51.53. Les centres structurel et statistique coïncident parfaitement. Nous constaterons que la dernière péricope, constituée par la *Doxologie* de 53 occ., joue dans la structuration de la Section un rôle semblable

à celui du *Billet d'envoi* de 49 occ. (13,22-25), c'est-à-dire que les symétries jouent avec l'une ou avec l'autre et attestent de ce fait leur unité d'Auteur (24).

Notre segment initial regroupe deux péricopes (13,1-6) et (13,7-8). La première consiste en un rappel de devoirs concrets, qui évoquent une totalité de vertus opposées aux trois concupiscences. En bref, au centre, la *pureté*, avec la menace de "Dieu qui juge" et qui vaut ainsi pour l'ensemble; puis, d'une part, la *charité* fraternelle et, d'autre part, la *pauvreté* confiante. Nous structurons ainsi le détail de cette péricope. Au centre, trois versets: c'est-à-dire autour de la mention de "Dieu qui juge", les deux versets 4a et 5a en raison de leur même facture initiale: Τίμιος ὁ γάμος ... et Ἀφιλάργυρος ὁ τρόπος ... Avant ce centre, une unité de cinq versets explicite, par le recours à deux cas particuliers, le devoir de la "charité-fraternelle", ἡ φιλαδελφία : "L'hospitalité ne l'oubliez pas ..." et "Souvenez-vous des prisonniers ...", avec la correspondance concentrique des deux mentions du "souvenir". Après ce centre, deux citations encouragent au désintéressement des richesses par la confiance en Dieu, avec la correspondance concentrique de "... Je ne t'abandonnerai pas" et de "Le Seigneur est mon secours ..." (25).

La seconde péricope ouvre un premier aperçu sur la totalité de la *charge pastorale* vis-à-vis des fidèles au long du temps de l'Eglise. Ces premières considérations, du présent se reportent au passé. Les chrétiens sont invités à se remémorer la vie de leurs chefs, de leurs "higoumènes", désormais défunts: de ce temps passé où ils leur prêchèrent "la parole de Dieu", et l'exemple de leur "sortie" de ce monde (26). Ce fut une vie de foi: qu'ils l'imitent. La confession de foi: "Jésus-Christ hier et aujourd'hui est le même, il le sera pour l'éternité" (12,8ab) amorce l'ouverture sur le futur. Pas de marques de structuration!

Un dernier parallèle entre *le culte ancien* et *le culte nouveau* est institué dans le segment central (13,9-16). Il est fort important pour sa référence eucharistique et pour son expression sacrificielle de la vie chrétienne. Ce segment comprend cinq unités, regroupables en trois péricopes.

Les trois unités centrales (13,11abcd - 12abc - 13ab.14ab) ou péricope centrale développent trois considérations sacrificielles fondées sur le thème du *"Sortir-Entrer"*. La première concerne le culte passé. Le rituel de l'Expiation (Lv 16,27) ordonne que, des victimes (ζώων) dont le *sang* est *porté dans* (εἰσφέρεται εἰς) le sanctuaire, le *corps* soit brûlé *hors du* camp (ἔξω...). La phrase, de structure concentrique, met en relief les deux extrêmes encore inversés ici pour mettre en relief le "sortir": porter dans - le sang ≠ les corps - en dehors. Sont ainsi utilisés deux couples de totalité: l'un, d'*activité*, "Sortir-Entrer"; et l'autre, d'*être*, "Corps-Sang" (27). Ce rituel est confronté, dans la considération centrale, avec la Passion de Jésus: "C'est pourquoi Jésus lui aussi, pour sanctifier le peuple par son propre sang, a souffert *hors de* la Porte". Le rituel ancien est déjà dépassé sur deux points: là, le sang et le corps sont ceux d'une victime à l'état de mort; ici, Jésus qui souffre et le Sang qui sera porté dans le sanctuaire sont ceux d'un *vivant*. L'emploi de "Porte" (de la Ville) réfère historiquement à la sortie de Jérusalem pour la crucifixion, et prépare l'application spirituelle aux chrétiens. En cette application, c'est la troisième considération, la "Sortie" (à valeur initiale) se trouve littérairement à sa place. Elle commence une totalité de vie chrétienne très richement exprimée: "Par conséquent *sortons vers* Lui, ἐξερχώμεθα πρὸς αὐτόν, en portant son opprobre,

τὸν ὀνειδισμὸν αὐτοῦ φέροντες, car nous n'avons pas ici de Ville permanente, mais la future nous recherchons". La "sortie... hors du camp" manifeste la correspondance concentrique qui relie au culte ancien (v.11); le "portement de l'opprobre" évoque immédiatement le "portement de croix" de Jésus (cf. v. 12), mais aussi - pour noter ici des correspondances plus lointaines - la geste de l'Exode (cf. 11/11,26c); pareillement, la "recherche de la Ville à venir" assimile l'Exode chrétien à celui d'Abraham et des patriarches, comme nous le verrons. Ces trois considérations s'enchaînent (... - Διὸ... - Τοίνυν...) comme participation à un même mystère de culte au cours de l'Histoire: la première s'exprime dans un symbole rituel antique; la deuxième dans un événement typique de la vie de Jésus; la troisième, dans la participation personnelle de la vie des chrétiens. Une dernière fois, voilà encore évoquée la totalité de l' Histoire !

Les deux unités qui encadrent ces considérations, de semblable atmosphère cultuelle, sont la première plus rituelle (vv. 9-10, comme le v.11 qui suit) et la dernière plus personnelle (vv. 15-16, comme les vv. 13-14 qui précèdent). Ainsi dans la première, une opposition est dressée entre deux moyens d'affermissement de la vie spirituelle, "(la) grâce" et "(les) aliments, χάριτι et βρώμασιν: l'un est excellent, l'autre s'est avéré inutile "à ceux qui ont marché en cette voie". Cependant l'Auteur ajoute, sans avoir conscience d'une inconséquence: "Nous avons un Autel, θυσιαστήριον, dont ne sont pas autorisés à *manger* ceux qui font-le-culte de la Tente". La seule autre mention de l'Autel, en 6/7,13, en faveur du sacerdoce de "Notre-Seigneur" nous invite à y voir l'indication de l'*eucharistie*, "offrande du Corps de Jésus-Christ" et communion "au Sang de l'Alliance" (9/10,10b et 10/10,29c). En correspondance concentrique, la dernière unité de ce segment central présente la vie personnelle chrétienne sous des images cultuelles (13,15-16). "Par Lui faisons monter un sacrifice de louange en tout temps à Dieu, c'est-à-dire le fruit de lèvres qui confessent son Nom. N'oubliez pas la bienfaisance et l'entraide-communautaire, car ce sont de tels sacrifices qui plaisent à Dieu". Ce culte concerne donc Dieu et les frères. La symétrie concentrique laisse à penser qu'un mode privilégié pour les chrétiens de vivre leur vie de sacrifice "par Lui" sera de se nourrir de l'Autel qui est le leur, où ils mangent le Corps et le Sang du Christ: par l'un et par l'autre ne sanctifie-t-il pas son peuple (cf. 9/10,14 avec 10/10,29c et ici 13,12) ?

Relevons ou reprenons les éléments de la concentrie verbale de ce segment central. Au début et à la fin des unités extrêmes (13,9-10 et 15-16), ce sont deux phrases de facture semblable: une principale, dont le verbe de mise en garde (ne vous laissez pas entraîner... - n'oubliez pas ...) *suit* deux qualificatifs ou deux vertus; puis une explicative introduite par "car...". Les termes marquants sont "Autel (de sacrifice)" et "sacrifice/s" (vv. 10a et 15a.16b). Au centre, en fin du dernier verset ou en fin du premier verset de la 1ère et de la 3ème unité centrales, un syntagme marquant: "en dehors du camp" (vv. 11d et 13a).

Notre segment final (13,17-21/25) regroupe deux péricopes (vv. 17-19 et 20-21), cette dernière constituant la *Doxologie*; mais, en raison du *Billet d'envoi* (vv. 22-25), nous pourrions parler de... trois péricopes! Sous cette réserve, qui vaudra pour toutes les confrontations de cette Section avec une autre, que *Doxologie* et *Billet d'envoi* sont interchangeables: les symétries s'opèrent avec l'une et/ou l'autre.

La première péricope présente un second aperçu sur la totalité de la *charge pastorale*. Il s'agit cette fois des chefs actuels de l'Eglise. Cette péricope est formée de deux petites unités au plan semblable (28) : elles concernent l'une les "higoumènes" et l'autre l'Auteur en personne. Les fidèles doivent "obéir" et "être dociles" à leurs "higoumènes", car ceux-ci tels des bergers "veillent, ἀγρυπνοῦσιν" sur leurs âmes, dont ils devront "rendre compte" (vv. 17abc). Cette dernière remarque assigne à cette charge son terme eschatologique. Dans la seconde unité l'Auteur se recommande aux prières des destinataires, pour qu'il leur soit plus vite rendu. Tandis que la première unité ne mentionne que le "vous", la seconde - encore incluse avec le "vous" - passe ensuite du "nous" individuel au "je" personnel de l'Auteur: ces changements prendront leur signification dans leur confrontation avec le *Billet d'envoi*.

la *Doxologie* offre une dernière structure qui met en évidence les deux coordonnées de la destinée du Christ et des chrétiens. L'incarnation - pôle initial - évoquée et participée, est mise en relief par l'unique verbe principal placé au centre "καταρτίσαι, adapter et organiser". Ce verbe nous réfère au mystère initial de la *Création* (11/11,3a), où il indique l'ordre des êtres et la providence de leur histoire, et au mystère de l'*Incarnation* (9/10,5c.7ac: "Tu m'as adapté un Corps ... alors j'ai dit: Me voici, ô Dieu, pour faire ta volonté"). Ce mystère initial doit se renouveler dans les destinataires: "Que Dieu vous *rende-apte* à faire sa volonté, faisant en vous ce qui lui plait". "Jésus-Christ" en est le médiateur (διὰ) jusqu'à la "Résurrection des morts" - pôle final, anticipé en Lui - où il fut consacré "le grand Pasteur des brebis", "en un Sang d'Alliance éternelle". "A Lui soit la gloire dans les siècles des siècles!". Ainsi dans cette structure, l'Incarnation est évoquée au centre et, aux extrêmes, les fins dernières, la Résurrection qui ouvre sur l'éternité des siècles; dans l'entre-deux, d'une part, l'oeuvre déjà réalisée par le Christ et, d'autre part, l'oeuvre à réaliser par les chrétiens.

La Synopse structurelle peut apporter quelque lumière au problème soulevé par le *Billet d'envoi*. Si l' "on ne peut sans invraisemblance psychologique attribuer à saint Paul le sermon que constitue Hé 1,1 - 13,21 ", au dire de C. Spicq, reste la question de savoir si le Billet a le même Auteur ou non. Envisageant le cas d'une même main, A. Vanhoye oppose à la rédaction "avec grand soin" du sermon, le "style négligé" du Billet. dont les versets "ne cherchent d'ailleurs même pas à s'assimiler à lui" (29) . Compte-tenu de la différence du genre littéraire, l'analyse structurelle nous invite au contraire à estimer que le même Auteur a rédigé l'Epître et son Billet d'envoi, réussissant même par un raffinement d'art à intégrer fortement son Billet à son oeuvre entière!

Certes, il y a peu d'indices d'une structuration propre. Au centre, nous plaçons l'espoir d'un revoir proche, entouré de deux adresses: "Sachez ..." et "Saluez ..." (23ab.24a). Si le "vous", verbal ou pronominal, se rencontre à tous les versets, sauf deux, trois fois dans la première moitié se retrouve le "Je" verbal et une seule fois le "nous" pronominal. Nous retrouvons donc l'abondance pronominale de la première péricope de notre segment final! Ce qui nous incite à les comparer et nous conduit à découvrir que leur ensemble forme un tout cohérent et structuré.

L'ensemble (13,17-21) présente des éléments de concentrie. Le centre est marqué par la correspondance manifeste entre "... δὲ παρακαλῶ ..." et "... παρακαλῶ δὲ ..." - qui fonctionne comme un véritable "mot-crochet" de liaison, sinon d'intégration des deux péricopes. Autre correspondance marquante: "Priez pour nous ..., Προσεύχεσθε περὶ ἡμῶν ..." et "Sachez que notre frère Timothée ...,

Γινώσκετε τὸν ἀδελφὸν ἡμῶν Τιμόθεον ..." (13,18a et 23a); ce sont ici et là les deux seules formes pronominales du "nous" dans l'ensemble. Avec ce premier "nous" pronominal, suivi de deux autres verbaux, l'Auteur commence à se désigner avant de le faire avec le "Je" verbal jusqu'au prochain "nous" pronominal, collectif chrétien. La référence personnelle se trouve donc rassemblée vers le centre. Par ailleurs, l'abondance en cet ensemble du "vous" - aux mentions pour la plupart concentriques - contribue à l'unité structurelle. Voilà donc des premiers éléments de preuve que d'autres confirmeront par la suite.

Nous pouvons déjà remarquer que la *Doxologie* s'harmonise aussi avec la première péricope. Deux marques notables de concentrie attirent l'attention. l'une se réalise comme précédemment avec le "nous": à l'expression "Priez pour *nous* ..." correspond cette fois-ci "*Notre* Seigneur Jésus" (13,18a et 20d); or, cette dernière expression correspond à celle du Billet (v. 23a):

τὸν ἀδελφὸν ἡμῶν Τιμόθεον et τὸν Κύριον ἡμῶν Ἰησοῦν

La seconde marque s'opère avec le "faire" son devoir ici ou la volonté de Dieu là; cette mention du "faire" est d'ailleurs doublée ici et là (13,17d.19a et 21bc). Il y a aussi des correspondances idéales: aux "higoumènes" qui "veillent" correspond "le grand Pasteur des brebis"; à la "volonté" de l'Auteur "en tout" de se bien conduire, c'est notre adaptation par Dieu "à tout bien" pour faire "sa volonté" (13,18c et 21ab). De telles correspondances se trouvent aussi avec le *Billet* avec les mentions ici et là: de la "parole" - d'un retour ou d'une venue "rapide, τάχιον" - et des "higoumènes" (13,17ac.19b.22b.24a).

Unité structurelle de la 14ème Section

Nous envisageons l'unité de cette Section en nous reportant d'abord à la *Doxologie*, c'est-à-dire au segment final l'incluant. Avec cette dernière donc la première péricope de la Section présente les correspondances suivantes. La plus marquée consiste dans la complémentarité entre ici "dans un corps, ἐν σώματι", à propos des chrétiens maltraités et donc victimes, et "dans un Sang, ἐν αἵματι", à propos du triomphe de la résurrection sur la passion (13,3b et 20c): "corps" et "sang", nous le savons, c'est le couple sacrificiel placé en plein centre de cette Section (13,11bd.12b). Une correspondance eschatologique ensuite, ici, de "Dieu qui juge" et, là, de "Dieu qui a fait remonter (Jésus) des morts" (13,4b et 20a). Cette symétrie est liée au moins implicitement au thème *"se coucher - se lever"*, qu'on trouve ici en ἡ κοίτη (la couche) et là en ἀναγαγὼν - synonyme d'éveiller pour la résurrection en 11/11,19a - et en ἀγρυπνοῦσιν (la veille des pasteurs chrétiens) (13,4a et 17b.20a). Enfin, ici la seule mention du "nous" est liée au "Seigneur": "... *nous* pouvons dire: le Seigneur est mon secours...", comme nous l'avons constaté là dans la titulature "*Notre* Seigneur Jésus" (13,6ab et 20d).

Les péricopes suivante ou précédente (13,7-8 ou 17-19) concernent toutes deux la *charge pastorale*. Elles sont complémentaires, évoquant ici le passé et là l'avenir. Trois termes importants marquent cette concentrie: la mention des "higoumènes", unique dans l'Epître, puisque la troisième se trouve dans le Billet; l'évocation de la "parole", ici prêchée dans le passé et là à rendre au jugement, selon les deux sens offerts dans l'Eloge de la Parole de Dieu, cf. 4/4, 12a.13c; la "conduite" chrétienne, ἀναστροφῆς, hapax, ou le "se conduire" en chrétien, ἀναστρέφεσθαι, doublet dont le premier usage est parallèle en 10/10,33b. Ces trois termes concernant ici et là les seuls pasteurs (13, 7abc et 17ac.18c).

Enfin, chevauchant sur l'une ou l'autre péricope de ces segments extrêmes et en fait situées en leurs versets finaux, la confession de foi "Jésus-Christ est le même… et dans les siècles" anticipe la Doxologie "… par Jésus-Christ, à qui la gloire dans les siècles…" (13,8ab et 21de).

Envisageons maintenant l'unité de cette Section en nous reportant au *Billet d'envoi*. Avec ce dernier la première péricope présente aussi les correspondances suivantes. La Section commence par le souhait: "Que l'amour-fraternel demeure!" et le Billet s'achève par le souhait adressé aux "frères": "Que la grâce soit avec vous tous!" (13,1a et 22a.25). "L'hospitalité", la réception des étrangers et des voyageurs, recommandée au début, trouve un correspondant concret dans les projets de voyage de l'Auteur "… j'irai vous voir" et dans le salut de "ceux d'Italie" aux destinataires (13,2ab et 23b.24c). L'invitation à se souvenir "des prisonniers comme liés avec eux" prépare au début la nouvelle annoncée à la fin de "la libération de Timothée" (13,3a et 23a). L'appellation de "notre frère" fait jouer aussi l'unique mention du "nous" au début (13,6a et 23a). N'y aurait-il pas, par ailleurs, une discrète paronomase entre "Τίμιος … ὁ θεός" et le nom de "Τιμόθεος" (13,4ab et 23a) ?

Un dernier rapprochement est fort significatif de cette intégration du Billet à la structure même de cette Section. Le passage par l'Auteur du pluriel littéraire "nous" (30) au singulier "Je", du verset 18 au verset 19 - et qu'on retrouve se poursuivant au début du Billet, aux versets 22-23 - a toujours étonné les commentateurs, car on ne rencontre ce singulier et encore rhétorique qu'en 11,32: "Et que dirais-je encore ? …". Or, nous remarquons précisément dans la péricope initiale ou mieux encore au centre du segment initial, un semblable usage du singulier "Je" par Dieu: "Non, je ne te lâcherai pas; non, je ne t'abandonnerai pas". Cet usage est d'autant plus notable que Dt 31,6 utilise la 3ème personne du singulier, comme le note C. Spicq. Pareillement nous y rencontrons un passage du "nous" au "Je": "si bien que… *nous* pouvons dire: 'Le Seigneur est *mon* secours, *je* ne craindrai rien. Que peut *me* faire un homme?'" (13,5c-6c).

Nous sommes donc amené à estimer de la même main le *Billet d'envoi* et la *Doxologie*. Ils ont été composés ensemble et ils sont en quelque sorte interchangeables. Aussi le *Billet d'envoi*, tout en demeurant sous l'aspect épistolaire extérieur à l'Epître qu'il transmet aux destinataires, lui demeure sous l'aspect structurel intérieur du fait qu'il lui est parfaitement intégré: dans la structure de l'Epître, il joue un rôle analogue à celui de la *Doxologie*.

La symétrie *bisegmentale* est particulièrement marquée et située. A ce point que les éléments de symétrie d'un bisegment apparaissent situés à l'inverse des éléments de l'autre segment. Voici donc les éléments de symétrie du premier segment: 1. Aux deux extrémités, c'est la même invitation: "… n'oubliez pas, μὴ ἐπιλανθάνεσθε" - *après* la mention de deux vertus communautaires: ici, "l'amour-fraternel" et "l'hospitalité" et, là, "la bienfaisance" et l'entraide-commune" (13,1-2a et 16a): 2. en correspondance de versets du début de l'un et de l'autre segment, c'est le même thème de l'*étranger*, ici positif, "l'hospitalité" et "l'accueil des hôtes" à exercer et, là négatif, "les doctrines étrangères" à éviter (13,2ab: φιλοξενίας - ξενίσαντες et 9a: ξέναις); 3. en correspondance du début d'ici avec le centre de là, la même mention du *corps*, avec connotation sacrificielle, ici, des chrétiens compatissants et, là, des victimes sacrificielles (13,3b: ἐν σώματι et 11d: τὰ σώματα); 4. hors cette symétrie miroir, la *permanence,* de "l'amour fraternel" ici ou de la "Ville" de l'au-delà (13,1 et 14a).

Voici maintenant les éléments de symétrie du bisegment final: 1. aux deux extrémités, c'est la mention de la *grâce:*"il est bon par la grâce de fortifier le coeur" et, là mais dans le *Billet,* "Que la grâce soit avec vous tous !" (13,9b: χάριτι et 25: Ἡ χάρις); 2. en correspondance de versets de la fin de l'un et de l'autre segment, c'est la *médiation* de "Jésus (Christ)" pour nous obtenir la *complaisance* de Dieu: ici, "Par Lui" nous offrons à "Dieu" un sacrifice de louange, tandis que "bienfaisance" et "entraide-commune" sont des sacrifices "agréables à Dieu"; là, "Que Dieu ... fasse en nous ce qui lui est agréable par Jésus Christ" (13,15a.16ab: δι' αὐτοῦ... εὐποιΐας ... εὐαρεστεῖται ὁ θεὸς; et 20a.21cd: ὁ θεὸς ποιῶν ἐν ὑμῖν τὸ εὐάρεστον ... διὰ Ἰησοῦ Χριστοῦ); 3. en correspondance ici du centre et là de la fin, la même mention du *Sang* de Jésus avec connotation sacrificielle, ici, en référence à sa Passion et, là, en référence à sa résurrection (13,12b et 20c). Le *Billet* fournit selon cette correspondance la semblable mention, ici, de la "*sanctification,* ἵνα ἁγιάσῃ" et précisément avec le Sang de Jésus et, là, des "saints, τοὺς ἁγίους" (13,12b et 20c.24b); 4. hors cette symétrie miroir, la *beauté* morale, de se nourrir de la grâce ou de l'agir pastoral (13,9b: καλὸν γὰρ ... et 18b: γὰρ ... καλὴν ... καλῶς).

Le *Billet d'envoi,* nous l'aurons noté au passage, s'intègre donc encore à cette symétrie bisegmentale.

§ 23 : UNITÉ STRUCTURELLE DE LA 7ème COLONNE (UC)

La différence de densité verbale, de 246 et 329 occurrences, est parfaitement compensée par l'excellente trichotomie de ces deux Sections: 70 + 91 + 85 et 105 + 120 + 104 . Leurs centres statistiques et structurels coïncident à la perfection.

L'interchangeabilité structurelle entre *Doxologie* et *Billet d'envoi* va se manifester avec éclat dans la concentrie des segments initial (12,14-17) et final (13,17-21/25). Et à l'évidence en leurs péricopes extrêmes, (12,14-15) et (13,20-21 ou 22-25). La péricope initiale ici de la mise en garde eschatologique offre, en effet, deux suites de correspondances là avec un terme 'hors suite' (h.s.) :

1. une suite parallèle avec la *Doxologie* :

-     Εἰρήνην - τὸν Κύριον - διὰ (ταυτῆς) + (h.s.) ... τοῦ θεοῦ
- τῆς εἰρήνης - τὸν Κύριον - διὰ (Ι. Χρ.) + (h.s.) ὁ θεὸς ...

2. une suite concentrique avec le *Billet* :

- ... μετὰ πάντων - ἁγιασμόν - οὗ χωρὶς ... ὄψεται + (h.s.) ἀπὸ τῆς χάριτος
- μεθ'οὗ ὄψομαι - τ.ἁγίους - ... μετὰ πάντων + (h.s.) Ἡ χάρις μετὰ...

Nous constatons que deux termes importants marquent l'une et l'autre de ces correspondances: "Paix" avec la *Doxologie* et "Grâce" avec le *Billet.* Or ce qui est frappant, c'est l'*imbrication* de ces correspondances, l'une de la Doxologie et l'autre du Billet, en un même syntagme sinon deux: Paix et Grâce sont rapportées en l'une et en l'autre Section et à *"Dieu"* et à *"avec tous"* !

- Εἰρήνην ... μετὰ πάντων

- ... τῆς χάριτος τοῦ θεοῦ

- Ὁ θεὸς τῆς εἰρήνης

- Ἡ χάρις μετὰ πάντων

En voici le tableau ci-contre: en caractères gras nous soulignons les symétries plus inattendues avec le Billet.

Mais il y a davantage: encore un autre syntagme imbriqué. Ainsi dans l'expression "sans quoi nul ne verra le Seigneur","le Seigneur" anticipe la Doxologie, tandis que le reste évoque le Billet: "avec qui (Timothée) ... je vous verrai" (12,14c et 13,20d/23b). Rappelons-nous que Timothée est dans le Billet le correspondant structurel de "le Seigneur" dans la Doxologie. Cette correspondance donne au retour de l'Auteur une valeur typologique pour le retour du Seigneur!

Cette concentrie si impressionnante se prolonge dans les seconde ou première péricopes de ces segments extrêmes (12,16-17) et (13,17-19). L'infidélité d'Esaü contraste avec la fidélité des "higoumènes". Esaü "rend" (litt. "vend", ἀπέδοτο) son droit d'aînesse, abandonnant ses responsabilités messianiques; les "higoumènes", au contraire, veillent sur les fidèles, conscients d'avoir à en "rendre compte" (ὡς λόγον ἀποδώσοντες). Esaü, velléitaire, "veut" (θέλων) tardivement hériter la promesse; l'Auteur, voire les "higoumènes", volontaires, "veulent" (θέλοντες) constamment bien se conduire. Enfin, aux "pleurs" d'Esaü (καίπερ μετὰ δακρύων ἐκζητήσας αὐτήν) s'oppose la "joie" des "higoumènes" (ἵνα μετὰ χαρᾶς τοῦτο ποιῶσιν) (12,16c.17be et 13,17cd.18c). On remarquera, enfin, que ce dernier contraste "avec larmes" ou "avec joie" forme en chacun de ces segments une inclusion, parfaite ici ou presque là, avec le syntagme "avec tous", qui est lui parfaitement *inclusif* de cette Colonne (31)

Une forte opposition de l'A.T. et du N.T. se développe dans les segments centraux (12,18-24) et (13,9-16) selon une même thématique *cultuelle*, qui emprunte la double symbolique de la *marche* et du *sacrifice*. Ainsi, dans l'opposition des deux *"approches"* des israélites du Sinaï ou des chrétiens de la Jérusalem céleste, est-il rappelé ici aux chrétiens: "Vous vous êtes approchés pas d'une réalité palpable ... mais de la montagne de Sion et de la *Ville* du Dieu vivant" (12,18a.22a: ... προσεληλύθατε ... πόλει ...); là, dans l'opposition des deux *marches* sacrificielles du grand-prêtre israélite et de Jésus, est-il intimé aux chrétiens: "Sortons vers Lui ..., car nous n'avons pas ici de *Ville* permanente, mais la future nous recherchons" (13,13a.14ab: ἐξερχώμεθα πρὸς αὐτόν ..., πόλιν ... τὴν μέλλουσαν). Le mouvement d'approche de l'entre-deux, exprimé ici dans le verbe, se retrouve dans la préposition (πρός) qui précise le terme final de la "sortie" initiale, *prégnante*. L'expression de l'opposition (Οὐ γὰρ ... ἀλλά ...), qui porte ici sur les "montagnes" (le Sinaï ou Sion), porte là sur les "Villes" ("pas ici ..., mais la future"). On notera les transpositions suivantes: "la montagne de Sion ..., la Jérusalem *céleste*" désigne nommément ici, mais transposé au ciel, le lieu *terrestre* non nommé où là "hors de la Porte" Jésus a souffert. Pareillement le ciel, nommé ici, ne l'est qu'implicitement là, pour autant que "l'entrée dans le sanctuaire" terrestre pour le grand-prêtre la connote mais céleste pour Jésus.

En ce contexte nous pouvons aussi relever les correspondances suivantes: 1. du *feu*: ici, le "feu consommé, κεκαυμένῳ πυρί" et, là, le corps des victimes "brûlé, κατακαύεται" (12,18b et 13,11d); 2. le *"Sang"* de *"Jésus"* évoqués ici au ciel et là en sa Passion (12,24bc et 13,12ab); 3. la *vie*: caractéristique ici du "Dieu vivant" ou là des victimes "êtres vivants, ζῴων" (12,22b et 13,11a); 4. le *support*, ici, de la parole de Dieu, refusé par les israélites et, là, de l'opprobre de Jésus, accepté par les chrétiens (12,20a: οὐκ ἔφερον et 13,13b:

φέροντες); 5. enfin ici, la *joie* céleste, πανηγύρει, et là la louange terrestre, θυσίαν αἰνέσεως (12,22c et 13,15a).

Les segments final (12,25-29) et initial (13,1-8) présentent une concentrie moins marquée mais suffisante. La première unité d'ici (12,25) offre, comme la seconde péricope de là (13,7-8), à "nous" chrétiens une invitation à la réflexion ("Veillez à ... / Souvenez-vous ...") - sur la parole du/des messagers (τὸν λαλοῦντα / οὕτινες ἐλάλησαν) - pour éviter ici d'être de ceux qui "se détournent" de Dieu (οἱ... ἀποστρεφόμενοι) et pour imiter là ceux qui "se tournèrent" vers Lui (... τῆς ἀναστροφῆς, μιμεῖσθε) (12,25ae et 13,7abc). Au centre ensuite des segments, voici une citation où est en relief le "moi" de Dieu, qui ici ébranlera finalement terre et ciel, et là n'abandonne pas le fidèle et finalement "juge" (12,26cd et 13,4b.5d). Aux extrémités, deux usages de "διὰ" qui est "quadripolaire" (12,28c: δι' ἧς, la grâce, et 13,2b: διὰ ταύτης, l'hospitalité). Enfin, comme ici l'Auteur insiste sur la permanence des réalités eschatologiques, ainsi là invite-t-il à la permanence de l'amour fraternel (12,27c: ἵνα μείνῃ ... et 13,1a: ... μενέτω).

N'oublions pas finalement ce trait caractéristique de cette Colonne: ses six segments commencent avec un verbe en "vous" et cinq fois sur six ce verbe a valeur impérative.

§ 24 : UNITÉ STRUCTURELLE DE LA IIIème PARTIE (CS)

L'unité structurelle de cette IIIème Partie est de même forme que celle de la Ière Partie, du fait que l'une et l'autre couvrent deux Colonnes synoptiques. Cette unité, rappelons-le, distingue fortement notre structuration de celle de A. Vanhoye.
Notre démonstration se bornera ici aux symétries suivantes:
1. dans la structuration parallèle, à la symétrie parallèle des Sections parallèles, soit $(S^{11=13})$ et $(S^{12=14})$;
2. dans la structuration concentrique, à la symétrie concentrique des Sections concentriques, soit (S^{11x14}) et (S^{12x13}).

1. Structuration parallèle

Remarque générale. A part la Doxologie et quelques éléments (12/12,2-3b et 14/13,12: centres inférieurs), disparaissent les développements sur le Christ en toute cette Partie: le début de la Fresque historique concernant l'A.T. occupe les 2/3 de la Colonne C^6, où dans le bisegment final son histoire şe lie à celle des chrétiens - histoire qui se poursuivra dans toute la Colonne C^7, mais encore en référence avec l'A.T. (Esaü, Exode et Sinaï).
Ses quatre Sections font inclusion avec "διὰ (génitif)", accompagné - sauf une fois (11/11,29a: διέβησαν...διὰ...) - d'un nom de vertu ou, dans la Doxologie, de personne. Cette Partie est le lieu de mention des *vertus*, notamment de la *foi*, ou de vices. Les quatre Sections font toutes inclusion, et souvent strictement, avec une ou deux mentions de vertus ou équivalences:
S^{11} : "La *foi*, substance des réalités-*espérées*"/ "Par la *foi*, elle accueillit ... avec *paix*";
S^{12} : "Eux qui grâce à la *foi*..., mirent-en-oeuvre la *justice*" / "Ceux qui grâce à elle (la correction) exercés donnent un fruit de *paix* et de *justice*";

S^{13} : "La *paix* poursuivez... et la *sanctification*" /"... nous servons Dieu avec
soumission et *crainte*";

S^{14} : "Que l'*amour-fraternel* demeure! L'*hospitalité* ..." /"Que le Dieu de *paix*...
La *grâce* soit avec vous tous!"

Symétrie parallèle (11 = 13)

Nous l'avons noté, les segments initiaux (11,1-7) et (12,14-17) commencent
par une ou deux vertus: la "Foi (espérance)" ou "la Paix... et la sanctification". L'importance de l'une ou de l'autre est relevée: "sans la Foi il est impossible d'être agréable à Dieu" ou bien "sans elle (la sanctification) nul ne
verra le Seigneur" (11,6a et 12,14c). Au sort d'Hénoch s'oppose le sort d'Esaü:
le premier, ici, "n'est pas trouvé, οὐκ ηὑρίσκετο" parce que Dieu "l'avait enlevé, μετέθηκεν" du fait qu'il avait vécu comme "ceux qui Le recherchent, τοῖς
ἐκζητοῦσιν αὐτὸν" (11,5ab.6c); le second, là, "ne trouva pas, οὐχ εὗρεν" lieu
d'un "changement, μετανοίας" bien qu'il "l'eût recherché, ἐκζητήσας αὐτήν" du
fait qu'il avait auparavant vendu son droit d'aînesse (12,17de). Enfin, la précision que Noé devint "héritier" de la justice contraste pareillement avec la
précision que Esaü "ne put hériter" la bénédiction (11,7e et 12,17b) (32). A
la "condamnation" du monde correspond enfin le "rejet" d'Esaü.

L'opposition fondamentale en chacun des segments centraux (11,8-22) et
(12,18-24) est celle de la *terre* et du *ciel*. Ici, c'est l'opposition (μὴ ...
ἀλλὰ...) de la condition pérégrinante des Patriarches "sur la terre", en quête
d'une meilleure patrie, la "céleste", dans la "Ville" préparée par "Dieu"
(11,13c.16ac avec 11ab). Là, c'est l'opposition (οὐ γὰρ... ἀλλὰ ...) des deux
montagnes dont "se sont approchés" israélites et chrétiens: l'une, le Sinaï,
sera au segment suivant désignée "sur terre" et l'autre, le Mont Sion, "la Ville
du Dieu vivant, la Jérusalem céleste" (12,18ss.22ab.25c). Ce thème de la marche
qu'implique là "l'approche" des montagnes correspond aux expressions de la marche patriarcale dont la plus typique est ici le "Sortir" (12,18a.22a et 11,8a.
15a.22b). Par ailleurs, "l'obéissance" d'Abraham à "l'appel" de Dieu (11,8a:
ὑπήκουσεν ... καλούμενος) aggrave le refus là des israélites "d'entendre" davantage
la "parole" (12,19bc: οἱ ἀκούσαντες παρητήσαντο ... λόγον). Le thème de la filiation , au vocabulaire si varié ici avec la mention de la "multitude" de la des=
cendance, se retrouve dans l'évocation céleste de "l'Eglise des premiers-nés"
et de "Dieu de tous" (11,12.17-22 passim et 12,23ab). Enfin, la qualification
de "meilleure patrie", la céleste, est reprise pour le "Sang" de Jésus qui au
ciel "parle mieux" que celui d'Abel (11,16a et 12,24c).

Les segments finaux (11,23-31) et (12,25-29) confrontent les changements
liés à la geste de *Moïse* ou de la *Fin du monde*. Le terme marquant est ici "Roi"
et là "Royaume": ici, comme jadis ses parents, Moïse ne craint pas le "Roi"
d'Egypte et il "quitta" ce pays (11,23d.27ab); là, les chrétiens bien davantage doivent-ils craindre de ne "pas échapper" au châtiment divin, et bien tenir
la grâce puisqu'ils "reçoivent un Royaume inébranlable" (12,25.28ab). Ce rapprochement fait jouer d'autres rencontres verbales et idéales. Le "renoncement,
ἠρνήσατο" louable de Moïse à la filiation pharaonique et à "avoir jouissance"
du péché s'oppose au "refus, μὴ παραιτήσησθε..." redoutable des chrétiens à entendre Celui qui parle du ciel , alors qu'il faut "avoir grâce" (11,24b.25 et
12,25ad.28b). Enfin, les deux Sections s'achèvent par la mention de vertus:
"par la foi, Raab... accueillit... *avec* paix" et "nous servons Dieu *avec* soumission et crainte" (11,31b et 12,28d).

Symétrie parallèle (12 = 14)

Les segments initiaux (11,32-38) et (13,1-8) mettent en parallèle la condition ici des justes triomphants ou souffrants et la condition là des chrétiens et de leurs pasteurs. Un usage "quadripolaire" de διὰ(par) ouvre dès le début le parallélisme sur une vertu: "par la foi…" ou "par celle-ci (l'hospitalité)…" (11,33a et 13,4a). L'évocation des "femmes", de mères, a un écho dans celle du "mariage": ce sont deux hapax de l'Epître (11,35 et 13,4a). Enfin, et c'est la plus forte marque, les "liens", les "mauvais traitements" et les "privations" des justes souffrants (11,36b.37d: δεσμῶν - ὑστερούμενοι… κακουχούμενοι) sont aussi expérimentés par les chrétiens, qui doivent se souvenir des "liés comme liés avec eux" et des "maltraités", et réfréner le désir de l'argent (13,3ab.5a: τῶν δεσμίων ὡς συνδεδεμένοι, τῶν κακουχουμένων… - ἀφιλάργυρος… ἀρκούμενοι …).

Les deux segments centraux (11,39 - 12,7) et (13,9-16) sont marqués par une même évocation de *la Passion de Jésus*, en plein centre d'un exposé où la condition chrétienne est référée à l'ancienne. Les deux segments commencent par une confrontation entre l'A.T. et le N.T. (33): ici, elle est positive, à propos de la vie de foi: les anciens justes (οὗτοι) sont témoins de la vie des chrétiens (ἡμεῖς … ἔχοντες… νέφος); là, elle est négative, à propos des réalités sacrificielles: les israélites (οἱ… οἱ…) n'ont pas tiré profit des leurs et ils n'ont pas le droit de manger à l'Autel que nous avons (ἔχομεν θυσιαστήριον) (11,39 12,1ab et 13,9-10).

Au centre des segments (11,2-3) et (13,12) est évoquée la Passion de Jésus en sa vie souffrante, modèle pour les chrétiens. Cette description se caractérise par la *complémentarité* des détails relatifs soit à la passion de Jésus soit à la participation des chrétiens, de telle sorte que ce qui est ici exprimé de Jésus l'est là des chrétiens et vice versa ! Ainsi, ici Jésus "endura la *croix* au mépris de la *honte*" et, là, les chrétiens doivent "*porter* son *opprobre*" (12, 2c: ὑπέμεινεν σταυρὸν, αἰσχύνης καταφρονήσας; et 13,13b: τὸν ὀνειδισμὸν αὐτοῦ φέροντες). Ici, les chrétiens doivent résister "jusqu'au *sang* dans leur lutte contre le *péché*";là, le "*Sang*" de Jésus est présenté comme "le *sang* (des sacrifices) pour le *péché*" (12,4ab: μέχρις αἵματος … πρὸς τὴν ἁμαρτίαν; et 13,11b. 12b: ἵνα ἁγιάσῃ διὰ… αἵματος - … περὶ ἁμαρτίας).S'y ajoutent des traits, ici ou là, communs à Jésus et aux chrétiens, et ils se correspondent d'un segment à l'autre. Ainsi, ici, Jésus est "Celui qui a *enduré* de la part des *pécheurs* une telle *opposition* contre lui", et les chrétiens doivent "avec *endurance* courir…" ou "*lutter* contre le *péché*" (12,3ab: τὸν… ὑπομεμενηκότα … εἰς ἑαυτὸν ἀντιλογίαν; et 1d.4b: δι'ὑπομονῆς τρέχωμεν … - … πρὸς τὴν ἁμαρτίαν ἀνταγωνιζόμενοι). Là, Jésus "*hors de* la Porte a souffert", et les chrétiens doivent *(sortir)* vers Lui en *dehors du* camp" (13,12c: ἔξω τῆς πύλης ἔπαθεν et 13a : ἐξερχώμεθα πρὸς αὐτὸν ἔξω τῆς παρεμβολῆς). On notera qu'à la "Session" ici explicite de Jésus "à la droite du trône de Dieu" correspond son "Entrée" là implicite "dans le sanctuaire" (12,2d et 13,11).

Les deux segments s'achèvent par une invitation, ici, à l'endurance de la pédagogie divine et, là, aux vertus de la charité chrétienne. Cette invitation emprunte la même forme: "Et *avez-vous oublié*…" ou bien "N'*oubliez pas*…" (12,5a et 13,16a); et ces vertus mettent en jeu la même réciprocité, ici, entre les fils et leur Père : "comme à des fils *à vous s'offre Dieu*" - et, là, entre les adorateurs et leur Dieu : "par de tels sacrifices (*vous*) êtes *agréables à Dieu*" (12,7b : προσφέρεται ὁ θεός; et 13,16b : εὐαρεστεῖται ὁ θεός).

Les segments finaux (12,8-13) et (13,17-21/25) offrent encore des parallélismes bien marqués. L'un se fait avec la péricope concernant les "higoumènes": ici, la "correction" sur le moment ne paraît "pas cause de joie mais de tristesse", pourtant plus tard elle "rend" (produit) son fruit...; là, la "veille" des higoumènes sur les fidèles, dont ils "rendront" compte, doit pouvoir s'exercer "avec joie et sans gémir" (12,11bd: οὐ ... χαρᾶς... ἀλλὰ λύπης - ἀποδίδωσιν; et 13,17cde: ἀποδώσοντες - μετὰ χαρᾶς... μὴ στενάζοντες). L'autre parallélisme a lieu avec la *Doxologie* ou avec le *Billet d'envoi*: ici, la correction tend à la participation de la "sainteté" divine et elle produit un fruit de "paix"; là, la Doxologie s'adresse au "Dieu de la paix", et le Billet prie de saluer "tous les saints" (12,10d.11c et 13,20a.24b) (34).

Nous rencontrons encore les deux usages du διά quadripolaire: "par elle (la correction)" et "par Jésus Christ" (12,11d et 13,21d).

2. Structuration concentrique

Les éléments inclusifs (διά et *vertus*) des Sections, signalés dans la structuration parallèle, jouent aussi dans cette structuration concentrique.

Cette Partie, comme la première, possède une importante thématique de la "filiation/parenté", mais elle ne concerne plus le "Fils (de Dieu)". Les thèmes plus précis de la "filiation" et de la "fraternité", de distribution moins nette qu'en P^1, se retrouvent importants mais dans une situation inverse. Ainsi, le thème de la "fraternité" est inclusif du bisegment initial de S^{11} et inclusif de S^{14}. A l'inverse, bien qu'il marque déjà le bisegment final de S^{11}, le thème de la "filiation" marque le bisegment final de S^{12} et le bisegment initial de S^{13}, bien que les mentions d'Esaü et d'Abel y introduisent aussi le thème de la fraternité.

Symétrie concentrique (11 x 14)

Comme on peut s'y attendre, cette symétrie est particulièrement forte et marquée, notamment aux extrêmes où elle souligne la *clôture* de la Partie.

Les segments initial (11,1-7) et final (13,17-21/25) s'ouvre presque et se ferme sur l'action divine, ici créatrice et là recréatrice:

... κατηρτίσθαι τοὺς αἰῶνας ... εἰς τὸ ... γεγονέναι (11,3ab);
... καταρτίσαι   ὑμᾶς   ... εἰς τὸ ... ποιῆσαι   (13,21ab).

"Dieu" renouvelle dans les chrétiens son action créatrice et organisatrice, ici et là exprimée par ce même verbe καταρτίζειν qui est le terme *inclusif caractéristique* de cette IIIème Partie. Les "siècles", ici le terme à valeur spatio-temporelle de cette action, sont aussi mentionnés là dans leur permanence éternelle "pour les siècles des siècles", et même dans l'effet de la rédemption, "Sang d'Alliance éternelle" (13,20c.21e). Le "nous" chrétien, inclus ici dans le "(nous) comprenons" ce mystère de la création, se trouve là explicite dans le "faisant en nous" ce mystère de la recréation (11,3a et 13,21c).

La lecture connotative met en jeu la geste d'*Abel* le juste. En effet là Dieu "fait remonter... le *Pasteur* des brebis par le *Sang* d'une Alliance éternelle" (13,20bc). Or Abel était précisément "pasteur de brebis" et son "sang" fut répandu par son frère Caïn (Gn 4,2.10-11). Le texte fera d'ailleurs explicitement la liaison entre le sang d'Abel et le Sang de Jésus (13,12.24). Ajoutons que ce thème de la "fraternité" est repris dans le *Billet* (13,22a.23a).

La destinée d'*Hénoch* offre des éléments importants de concentrie. Symbole premier de la *résurrection*, "pour ne pas voir la <u>mort</u>…, <u>Dieu</u> l'avait <u>enlevé</u>": en effet "il avait été *agréable* à Dieu" (11,5abd.6a: εὐαρεστηκέναι). Là aussi en plein centre du segment, la *Doxologie* exalte "le <u>Dieu</u> de la paix, qui a fait <u>remonter</u> d'entre les <u>morts</u> le grand Pasteur des brebis"; et ajoute ensuite "qu'il fasse en nous ce qui est *agréable* à ses yeux" (13,20ab.21c: τὸ εὐάρεστον ἐνώπιον αὐτοῦ). Notons-le, cette dernière précision "devant lui, à ses yeux" évoque aussi le contexte si visuel du segment initial (11,1b.3b.7a: série βλέπειν).

Le "jugement du monde" par *Noé* trouve un écho là dans "le compte à rendre" au jugement par les higoumènes (11,7d et 13,17c).

La *condition pérégrinale* des Patriarches se renouvelle dans la condition pérégrinale des chrétiens: tel est le thème central des segments centraux (11,8-22) et (13,9-16). Les Patriarches en effet "<u>n'obtiennent pas</u>" les promesses, "<u>mais</u>" les voient de loin; "<u>se confessant</u> étrangers… sur terre", ils manifestent qu'ils "<u>recherchent</u>" une patrie autre que celle dont "ils sont <u>sortis</u>", une patrie céleste, "la <u>Ville</u>" préparée par Dieu (11,13-16). Les chrétiens pareillement "<u>sortent</u>" vers Jésus hors du camp, car ils "<u>n'ont pas</u>" ici-bas de "<u>Ville</u>" permanente, "<u>mais</u>" ils "<u>recherchent</u>" la Ville future, "<u>confessant</u>" toute leur vie le nom de Dieu (13,12-16). Voici ce vocabulaire si marqué:

- μὴ… ἀλλά… - ὁμολογήσαντες - ἐπιζητοῦσιν - ἐξέβησαν … πόλιν …
- ἐξερχώμεθα… οὐ… πόλιν - ἀλλά… ἐπιζητοῦμεν - ὁμολογούντων … (35).

Ce rapprochement considérable de la condition pérégrinale de la foi, antique ou chrétienne, est souligné par d'autres rencontres, verbales ou idéales:
- les Patriarches vivaient dans des "<u>tentes</u>" et en condition "<u>d'étrangers</u>" (11,9b.13c); les chrétiens sont mis en garde au contraire contre des doctrines "<u>étrangères</u>", celles de ceux qui desservent "<u>la Tente</u>" (13,9a.10b);
- la multitude des fils d'Abraham comparable au sable sur "le bord (litt. la <u>lèvre</u>, τὸ χεῖλος) de la mer" (11,12c) se retrouve dans les chrétiens dont la louange, "<u>les lèvres</u>, τῶν χειλέων" confessent le Nom (13,15b);
- la patrie céleste "<u>à venir</u>" est mentionnée ici équivalemment, en 11,8b et 20a, et là explicitement, en 13,14b.

Enfin, en plus de la "confession", relevons le vocabulaire cultuel, ici, de "<u>l'invocation</u>, ἐπικαλεῖσθαι" et de "l'offrande <u>sacrificielle</u>" d'Isaac par Abraham, προσενήνοχεν et προσέφερεν (11,16c.17ab); et là, si varié et passant du rituel au personnel, le vocabulaire de "<u>l'Autel</u>", du/des "<u>sacrifices</u>" notamment "pour le péché", le "sang" et les "corps", "l'entrée dans le sanctuaire" et l'offrir du "<u>sacrifice de louange</u>" ou des sacrifices que sont les vertus communautaires (13,9-16 passim).

Les segments final (11,23-31) et initial (13,1-8) poursuivent cette forte concentrie des Sections. La *condition souffrante* des Hébreux en Egypte et leur délivrance trouve une correspondance idéale avec les chrétiens persécutés. Nous trouvons ainsi pareillement évoqué ici et là:
- la compassion envers les "<u>maltraités</u>", celle de Moïse ou des chrétiens: μᾶλλον ἑλόμενος συγκακουχεῖσθαι τῷ λαῷ (11,25a) ou μιμνήσκετε… ὡς **συν**δεδεμένοι, τῶν κακουχουμένων (13,3ab);
- le <u>détachement de la richesse</u>: de Moïse, qui estime l'opprobre du Christ "une richesse meilleure que les trésors de l'Egypte" (11,26ab); du chrétien, dont "la conduite doit être sans cupidité" et se contentant de ce qu'il a (13,5a);
- l'<u>absence de crainte</u> des puissances humaines: de Moïse et de ses parents

(11,23d.27b); des chrétiens (13,6b).
- l'absence de pureté: jadis en Raab, ἡ πόρνη, sauvée ensuite par sa foi (11, 31); ou parfois dans les chrétiens, πόρνους..., et menacés du jugement (cf. le développement en 13,4ab);
- la vertu d'hospitalité: pratiquée jadis par Raab, qui "accueillit, δεξαμένη" et *cacha* les explorateurs israélites (11,31b; cf. Jos 2,4 et 6,17); pratiquée maintenant par les chrétiens: "N'oubliez pas l'hospitalité", qui permit à certains d'accueillir des anges *à leur insu*, ἔλαθον (13,2). Thème de personnages "cachés", qui est d'ailleurs explicite ici en Moïse enfant "caché, ἐκρύβη" (11,23b).

A ces correspondances il faut sans doute ajouter celle de "il quitta, κατέλιπεν (l'Egypte)" à propos de Moïse , et de "Je ne t'abandonnerai pas, μὴ σε ἐγκαταλίπω" à propos des chrétiens (11,27a et 13,5c). En effet, cette dernière citation est empruntée à Dt 31,6.8: il s'agit d'une exhortation de Moïse au peuple ou à Josué, les assurant de l'assistance de Yahvé pour la conquête de la Terre promise, implicitement évoquée ici encore (11,30-31).

Symétrie concentrique (12 x 13)

Les segments initial (11,32-38) et final (12,25-29) évoquent châtiment ou gloire, jadis temporels et finalement éternels, ici, dans le contraste des justes triomphants ou souffrants et, là, dans le contraste des bouleversements sinaïtiques ou eschatologiques. Les correspondances, concentrées ici surtout au début, sont dispersées là dans l'ensemble. Elles concernent surtout les justes triomphants ici en des situations souvent inverses de celles décrites là.

Ainsi, les justes "conquirent des Royaumes" et là les chrétiens "reçoivent un Royaume inébranlable" (11,33a et 12,28). Ici, des justes "éteignirent la puissance du feu" et là notre Dieu aussi est "un Feu consumant": victoire des justes sur le feu des hommes ou feu de Dieu victorieux des hommes injustes (11,34a et 12,29). Ici, des justes "échappèrent au tranchant de l'épée, ἔφυγον στόματα..." et là les israélites "n'échappèrent pas" au châtiment, refusant d'écouter "Celui qui-les-avertissait", οὐκ ἐξέφυγον ... τὸν χρηματίζοντα: la parole divine est, nous le savons, plus pénétrante qu'une épée à deux tranchants, cf 4/4,12 (11,34b et 12,25bc). Ainsi *Royaume, Feu, Fuite* possèdent-ils des valeurs inverses; mais c'est Dieu qui, "par la foi" ou par lui-même, fonde les valeurs positives, fût-ce le châtiment.

Ajoutons: ici l'obtention passée "de promesses" et, là, l'attente présente de "la promesse, ἐπήγγελται" des événements eschatologiques (11,33b et 12,26b); l'errance des persécutés "sur... la terre" et la révélation sinaïtique "sur terre" (11,38c et 12,25c).

La *marche* et l'*accomplissement*, entre autres nombreux thèmes, marquent les correspondances, souvent concentriques, des segments centraux (11,39 - 12,7b) et (12,18-24). Voici d'abord deux suites de vocables ou thèmes concentriques:
- le thème du *"meilleur*, κρεῖττον" - fondamental en cette Epître où il exprime la supériorité du N.T. sur l'A.T.: ici, Dieu prévoit "pour nous" "quelque chose de meilleur" que pour les justes de l'A.T.; là, le Sang de Jésus "parle mieux que celui d'Abel" (11,40 et 12,24c);
- le thème capital de l'*accomplissement* en *Jésus*: ici, après avoir déclaré que les anciens "ne devaient pas sans nous arriver à l'accomplissement, μὴ... τελειωθῶσιν", l'Auteur présente "l'initiateur et l'accomplisseur de la foi, Jésus, τὸν ... Ἀρχηγὸν καὶ Τελειωτὴν Ἰησοῦν " (11,40b et 12,2a); là, la description

de la Jérusalem céleste nous montre "les esprits des justes parvenus à l'accomplissement, τετελειωμένων", et de "l'Alliance neuve (le) Médiateur, Jésus"
(12,23c.24a);
- au centre même correspondent, ici, "la droite du trône de Dieu" où "Jésus"
finalement "s'asseoit" et, là, "la Ville du Dieu vivant, la Jérusalem céleste"
où se tient le "Médiateur Jésus" (12,2d et 12,22a);
- ensuite, au-delà ou en-deçà, sont confrontées les attitudes des chrétiens ou
des israélites vis-à-vis de la *parole de Dieu*: ici, "avez-vous oublié l'exhortation qui s'adresse à vous" et, là, les israélites "refusèrent d'écouter davantage la parole" (12,5ab et 12,19bc);
- enfin, ces deux suites s'achève ou commence par la mention de deux *approches*
ici, "comme à des fils s'offre à vous Dieu, προσφέρεται"; là, "vous vous êtes
approchés, προσεληλύθατε", une fois niée en référence au Sinaï et la seconde
fois affirmée en relation à la Jérusalem céleste (12,7b et 12,18a.22a).

D'ailleurs, ce thème de la marche, si net dans l'approche des deux montagnes, l'est ici dans la désignation de Jésus comme *Archègon* et dans l'exhortation "courons, τρέχωμεν" (12,1d.2a). Et ce thème cultuel sacrificiel est pareillement évoqué ici par la lutte des chrétiens "contre le péché jusqu'au *sang*"
et là par leur "aspersion du *Sang*" de Jésus (12,4ab et 12,24b). Enfin, l'universalité de la *filiation* divine s'exprime, ici, aux deux extrémités du segment: au début, il est affirmé de "*tous* ceux-là" que "Dieu" prévoit que "pas
sans nous" ils parviennent à l'accomplissement - et, à la fin, que "*tout* fils"
est corrigé et que "Dieu" s'offre "à nous comme à des fils" (11,39a.40ab et
12,6b.7b); là, la déclaration universelle de "Dieu juge de *tous*" est placée au
centre de deux expressions de la multitude des élus, dont l'une les désigne
comme "Eglise des premiers-nés" (12,23abc) (36) .

Enfin, les segments final (12,8-13) et initial (12,14-17) complètent cette
concentrie, qui assure en fait la liaison des deux Colonnes intégrantes de la
IIIème Partie. La concentrie la plus marquée est celle des deux mentions, concentriques entre elles, de la *sainteté* et de la *paix*: ici, la pédagogie divine
fait participer "à sa sainteté" et elle produit "un fruit de paix"; là, c'est
l'exhortation: "La paix poursuivez ... et la sanctification" (12,10d.11c et
12,14ab). Ces deux termes ont fonction d'*annonce* de l'inclusion de la dernière
Colonne qui, nous l'avons noté, s'opère entre autres par ces thèmes de la "paix"
et de la "sainteté" (cf. 13,20a.24b).

D'ailleurs, l'expression entière ici "plus tard, ὕστερον, un fruit de paix
(elle produit)" offre là deux autres termes concentriques: "que personne ne
tarde, μὴ τις ὑστερῶν" loin de la grâce, et "que personne racine amère, ῥίζα...,
ne s'élève" (12,11c et 15ac). Ensuite correspondent deux nécessités de la vie
spirituelle: ici, de ne pas être "sans correction" et, là, de la sainteté
"sans laquelle" nul ne verra le Seigneur (12,8a et 14bc). Le thème de la *filiation*, si développé ici avec les vocables de "fils, père, παιδεία" trouve un
écho là dans le rappel d'Esaü qui vendit son "droit-d'aînesse" (12,7c-11a passim, et 12,16c). L'aspect de "tristesse, λύπης", caractéristique de la correction subie, a pour pendant "les larmes, δακρύων" alors vaines d'Esaü (12,11b
et 17e) (37).

→ → →

En chacune des trois Parties nous avons donc retrouvé la même complexité du système structurel de l'Epître. Nous avons ainsi constaté pareillement en chacune les trois mêmes niveaux de symétries: la symétrie concentrique et bi-segmentale de leurs (4/6) Sections; la symétrie concentrique de leurs (2/3) Colonnes; la symétrie parallèle de leurs Sections parallèles et la symétrie concentrique de leurs Sections concentriques.

La complexité des réseaux de symétries se réalise encore à un autre niveau.

CONCENTRIE GÉNÉRALE DE L'ÉPITRE

L'unité structurelle et sémantique de l'*Ensemble de l'Epître* constitue
le 4ème niveau de structuration. L'unité structurelle se manifeste par divers
procédés littéraires. La distribution des sept Colonnes en trois Parties de
2 + 3 + 2 Colonnes, en égalisant les Parties extrêmes les équilibre autour de la
Partie centrale et rehausse son importance. A. Vanhoye a déjà relevé de nombreuses correspondances entre les Parties concentriques de son Plan en cinq Parties,
c'est-à-dire entre les Parties I et V (nos Colonnes 1 et 7) et entre les Parties
II et IV (nos Colonnes 2 et 6), cf. SLEH pp. 230-235. Notre analyse multiplie
ces correspondances et précise leur position dans la surface textuelle. Mais
ici comme précédemment nous réduisons l'exposé à quelques symétries seulement,
à savoir à la symétrie concentrique des Sections concentriques appartenant aux
Colonnes concentriques $C^{1\cdot7}$ puis $C^{2\cdot6}$: c'est-à-dire de $(S^{1\times14})$, $(S^{2\times13})$, $(S^{3\times12})$
et $(S^{4\times11})$.

Symétrie concentrique (1 x 14)

La symétrie entre l'*Introduction* et la *Doxologie*, péricopes initiale
(1,1-6) ou finale (13,17-21/25), symbolise en quelque sorte les extrêmes de
toute la concentrie de l'Epître. Introduction et Doxologie exaltent l'activité
première de Dieu, la médiation du Fils et le salut des hommes. L'une et l'autre
emprunte un schéma semblable:

ὁ Θεὸς λαλήσας ἐν τοῖς προφήταις - ἐλάλησεν ὑμῖν ἐν υἱῷ ...

ὁ Θεὸς ... ὁ ἀναγαγὼν ... ἐν αἵματι - ποιῶν ἐν ὑμῖν ...

En relation à Dieu, la "gloire" et "les siècles" sont ici référés à la préexistence du Fils et là à sa postexistence: ici, Dieu fit "les siècles" par le Fils,
"resplendissement de sa gloire"; et là, à Dieu "par Jésus-Christ, la gloire dans
les siècles des siècles" (1,2c.3a et 13,21de). Sa médiation, ici créatrice
(δι'οὗ ἐποίησεν), est là rédemptrice (ποιῶν ... διὰ Ι. Χρ.: 1,2c et 13,21cd).
Au reste, le "faire" est ici aussi celui sauveur du Fils (καθαρισμὸν ποιησά-
μενος) et là sanctificateur de Dieu (εἰς τὸ ποιῆσαι τὸ θέλημα αὐτοῦ : 1,3c et
13,21b). La rédemption est ici, négativement, "purification des péchés" et là,
positivement, "Sang d'Alliance éternelle" (1,3c et 13,20c). L'activité de Dieu,
ici révélatrice ("il nous a parlé en un Fils"), est là intime, sacrificielle
("faisant en nous ce qui lui plaît": 1,2b et 13,21c). Les deux extrêmes du
pôle final de la vie terrestre , résurrection et session, sont qualifiés par
la *grandeur*: ici, "après avoir fait la purification des péchés - il s'est assis
à la droite de la *Majesté*, μεγαλωσύνης, dans les *hauteurs*"; là, Dieu (a fait)
remonter des morts le *grand*, τὸν μέγαν, Pasteur des brebis - en Sang d'Alliance
éternelle" (1,3cd et 13,20abc). L'universalité de l'univers (πάντων ... τὰ πάντα),
dont le Fils est ici placé héritier, a pour correspondant là l'universalité des
activités chrétiennes, que Dieu par Jésus-Christ veut opérer en nous (ἐν παντὶ
ἀγαθῷ: 1,2c.3b et 13,21a). On retrouve aussi cette universalité dans celle, trois
fois mentionnée (πάντας/πάντων), des destinataires auxquels s'adresse personnellement le *Billet d'envoi* (13,24ab.25). La "parole d'exhortation" qu'est l'Epître
selon ce Billet étend à ses destinataires le "parler" divin sur lequel s'ouvre
l'Introduction (1,1b.2b et 13,22b).

Les secondes péricopes offrent la rencontre, expression ou symbole du retour eschatologique, de la "nouvelle introduction" à propos du Fils ou de la "restitution" à propos de l'Auteur (1,6a: πάλιν εἰσαγάγῃ et 13,19b: ἀποκατασταθῶ).

Les segments centraux (1,7-9) et (13,9-16) s'ouvrent dans un même contexte liturgique: la qualification des Anges "serviteurs, flammes de feu", λειτουργοὺς... πυρὸς φλόγα, est dédoublée là dans la mention des "desservants de la Tente", λατρεύοντες, et de la combustion des victimes sacrificielles, κατακαύεται (1,7c et 13,10b.11d). Graphisme semblable de la parole adressée au Fils, πρὸς... τὸν υἱόν, et de la marche chrétienne vers Jésus, ... πρὸς αὐτὸν (1,8a et 13,13a). Semblables mentions, d'ailleurs, par équivalences verbales: de la passion salvatrice ("Tu aimas la justice et détesta l'iniquité" = "pour sanctifier par son propre sang le peuple"); de la liaison causale entre la passion et la gloire: διὰ τοῦτο ἔχρισέν σε = Διὸ καὶ Ἰησοῦς... ἔξω... ἔπαθεν: cette "sortie" seule explicitée connote évidemment "l'entrée dans le sanctuaire" exprimée auparavant (1,9ab et 13,12 avec 11ac); de la mention de l'au-delà, ici de la "royauté" éternelle et, là, de "la Ville future" recherchée par les chrétiens (1,8bc et 13,14).

Les segments final (1,10-14) et initial (13,1-8) présentent une forte correspondance: la *permanence* du "Seigneur", Fils créateur ici ou Jésus-Christ sauveur là, s'exprime par le même syntagme d'identité: "Toi, tu es le même, σὺ δὲ ὁ αὐτὸς, et tes années ne tourneront pas court" = "Jésus Christ, hier et aujourd'hui est le même, ὁ αὐτὸς, et pour les siècles" (1,12c et 13, 8ab). Enfin, semblable évocation des "Anges" *voyageurs*: ici, envoyés, ἀποστελλόμενα et, là, accueillis, ξενίσαντες (1,14b et 13,2b).

Symétrie concentrique (2x13)

Une semblable évocation de *châtiment* ouvre les deux segments initial (2,1-8) et final (12,25-29). Ici et là, le châtiment passé des israélites est occasion de l'avertissement aux chrétiens. Ici: "Car si la parole annoncée par des Anges (a vu toute transgression justement punie), comment nous-mêmes *échapperons-nous*, (si) nous négligions un tel salut"; là: "Car si ceux-là n'ont pas *échappé* (au châtiment...), à plus forte raison nous non plus, (si) nous nous détournons ..." (2,2-3 et 12,25):

- Εἰ γὰρ ...   - πῶς ἡμεῖς ἐκφευξόμεθα   ἀμελήσαντες ...
- Εἰ γὰρ ... οὐκ ἐξέφυγον...πολὺ μᾶλλον ἡμεῖς ... οἱ... ἀποστρεφόμενοι...

Cette parfaite correspondance est renforcée par les paronomases que constituent les composés en "παρα—", qui expriment ici la transgression (παραρυῶμεν, παράβασις et παρακοὴ)et là le refus pareillement d'écouter (παραιτήσησθε et παραιτησάμενοι; 2,1c.2b et 12,25ac). L'interprétation de citations met ici et là en évidence la situation présente, νῦν δὲ... (2,8d et 12,26b). Enfin, correspondent ici l'homme "couronné" et là la réception du "Royaume": c'est parvenu au royaume de l'univers éternisé, que l'homme se verra effectivement couronné roi de cet univers (2,7b et 12,28a).

Les segments centraux (2,9-10) et (12,18-24), marqués par des couples ou des schémas de totalité, évoquent les thèmes de la *marche*, de la *souffrance*, et de leur terme *glorieux* dans l'*accomplissement* de l'au-delà. Thème de la marche: ici, marche à la gloire de"nombreux fils", ... εἰς δόξαν ἀγαγόντα et de leur "Pionnier, ἀρχηγὸν"; là, c'est "l'approche, προσεληλύθατε" de la "Jérusalem céleste", demeure des "premiers-nés" (1,10cd et 12,18a.22a.23a). Thème de la souffrance: ici, exprimé sous les vocables de "l'abaissement" - qui connote

148

l'incarnation -, "des souffrances" et de "la mort"; là, résumé en ce qui concerne Jésus, dans la mention de "l'aspersion du sang" (2,9ac.10e et 12,24b).
C'est en liaison avec ce thème que "Jésus", ici et là, est confronté avec les
"Anges" (2,9a et 12,22c) et là aussi avec "Abel". Enfin, thème de l'accomplissement glorieux - avec Dieu, Jésus et une multitude en fête. Ici, c'est "par la
grâce de Dieu" que Jésus meurt "pour tout (homme)", ce Dieu "pour qui et par
qui (sont) toutes choses" et qui "mène beaucoup de fils à la gloire" - comme
ce Jésus que nous voyons "de gloire et d'honneur couronné", que "par les souffrances il a mené-à-l'accomplissemnt, τελειῶσαι" (2,9-10 passim). Là, voici
"le Dieu vivant" contemplé dans sa Ville, "la Jérusalem céleste", lui qui est
"juge de tous" - de cette multitude que de nombreux vocables impliquent, tels
que "Ville, myriades, assemblée, réunion de fête" - bref de justes "menés-à-
l'accomplissement, τετελειωμένων", avec "Jésus, Médiateur d'une Alliance neuve"
(12,22-24). Ce sont ici le premier et là le dernier usage du thème capital en
cette Epître de "l'accomplissement, τελειοῦν".

Le thème de la *sainteté* ouvre les segments final (2,11-18) et initial (12,
14-17). Ici, "Le Sanctificateur et les sanctifiés ont tous même origine"; là,
"La paix recherchez avec tous et la sanctification ...". En fait, ce thème se
rencontre au centre de chaque Partie.

Symétrie concentrique (3 x 12)

Nous passons à la concentrie des Colonnes 2 et 6. Si différents par leur
sujet, les segments initial (3,1-6) et final (12,8-13) offrent cependant un
minimum marqué de correspondances. Les deux qualificatifs ici - de "frères
saints" et de "*participants* d'une vocation céleste" - s'explicitent là à la
lumière de la nécessaire pédagogie divine, puisque "tous en sont *participants*"
pour être authentiquement "fils" et que par elle Dieu "fait participer à sa
sainteté" (3,1a et 12,8b.10d). Au reste, le titre de "Fils", ici donné au
Christ dont "nous sommes la maison", l'est là donné aux chrétiens, "fils vous
êtes" (3,6a et 12,7c-8c).

Fort importantes les correspondances des segments centraux (3,7-19) et
(11,39 - 12,7b). Leurs trois péricopes présentent une symétrie nettement concentrique. Les péricopes initiale (3,7-11) et finale (12,5-7b) sont surtout
constituées par une *citation* de l'Ecriture invitant, ici, à l'écoute de la
parole de Dieu et, là, au support patient de la correction de Dieu. Les péricopes centrales (3,12-14) et (12,1c-4b) encouragent les chrétiens avec des
expressions de contenu semblable. Ici, ils doivent veiller à ce que "nul ne se
détache du Dieu vivant", mais "s'encourager afin que nul ne s'endurcisse par
la tromperie du péché"; ils resteront "participants du Christ" à condition que
le commencement de la réalité jusqu'à la fin ils le maintiennent" (3,12c.13c.
14abc). Là, ils doivent, "se déchargeant... du péché si bien attachant", fixer
"l'initiateur et l'accomplisseur de la foi", Jésus, "afin que vos âmes ne se
découragent pas", mais "jusqu'au sang (sachent) résister" (12,1c.2a.3c). Ici
et là, nous le constatons, le *péché* est présenté comme séduisant ou attachant:
il y a complémentarité structurale entre "le péché séduisant qui détache de
Dieu" et "le détachement du péché attachant"; ici et là, "l'endurcissement" ou
"le découragement" sont à éviter par la considération de la participation au
Christ ou de la vie même de Jésus; un même schéma de couple de totalité *"Com-
mencement-Fin"* est employé en entier, ici, pour les chrétiens en référence au
Christ et, là, pour Jésus en référence aux chrétiens. La *foi* est en cause:

ici doublement, comme "<u>incrédulité</u>" à éviter et comme "<u>commencement</u> de la <u>réa-</u><u>lité</u>", c'est-à-dire de la foi (cf. 11,1a), à maintenir; là, en Celui qui est "<u>l'origine</u> et la fin de la <u>foi</u>" (3,12b et 12,2a). N'oublions pas que l'expression explicite de "<u>l'encouragement</u>", ici παρακελεῦτε, se retrouve là, τῆς παρα-κλήσεως (3,13a et 12,5a; c'est précisément sur leur ligne de jonction que se placent dans la Partie centrale les deux autres mentions - qui y sont aussi concentriques - de "l'encouragement" et toujours à propos des chrétiens (5/6,18c et 10/10,25b), et même sa mention finale, dans le *Billet* (14/13,22b)!

Enfin, les péricopes finale (3,15-19) et initiale (11,39 - 12,1b) opposent des considérations générales sur l'A.T.: ici, sur l'<u>incrédulité</u> de la généra-tion du désert et, là, sur la <u>foi</u> de tous les justes anciens. De ces deux tota-lités symboliques (πάντες οἱ..., et οὗτοι πάντες...) est affirmée la non obten-tion du terme: ici, en réalisation d'un châtiment prédit, "Nous <u>voyons</u>, βλέπο-μεν, qu'<u>ils ne purent entrer</u> . <u>à cause de leur incrédulité</u>, δι' ἀπιστίαν" (3,16b.19); là, pour la réalisation d'un plan prévu, "S'ils ont reçu bon témoi-gnage <u>grâce à la foi</u>, διὰ τῆς πίστεως . <u>ils n'ont</u> (cependant) <u>pas obtenu</u> la promesse - parce que Dieu <u>prévoyait</u>, προβλεψαμένου, pour nous mieux encore" (11,39-40a). Confirmant cette concentrie interne entre ces segments, on notera le passage ici du "vous" au "nous" et là, inversement, du "nous" au "vous".

Moins marquée, la concentrie des segments final (4,1-5) et initial (11,32-38) offre d'abord la mention des "croyants" chrétiens, οἱ πιστευσάντες - en opposition aux israélites, qui n'avaient pas joint "la foi, τῇ πίστει" à ce qu'ils avaient entendu - et , là, celle des "croyants" justes de l'A.T., οἱ διὰ πίστεως (4,2c.4a et 11,33a); puis, encore qu'avec une nuance notable, la mention regrettable d'un chrétien"resté en retrait", ὑστερηκέναι, ou la mention louangeuse de justes anciens "soumis à la privation", ὑστερούμενοι (4,1c et 11,37d). Autres rencontres: du "<u>monde</u>" et des "<u>oeuvres</u>" de Dieu et, là, de "<u>l'oeuvrer</u>" des justes et du "<u>monde</u>" les méprisant (4,3d.4c et 11,33b.38a); enfin, de la "<u>promesse</u>" qui demeure et, là, de l'obtention "de <u>promesses</u>" (4,1a et 11,33b).

Symétrie concentrique (4 x 11)

Les segments initial (4,6-13) et final (11,23-31) confrontent les deux périodes du *"Peuple de Dieu"* - les deux seules fois où il est ainsi nommé (4,9 et 11,25a) - que sont ici le séjour en Terre promise et là le terme du séjour en Egypte. L'inclusion de la première péricope ici se fait avec la non-entrée de la génération du désert "à cause d'indocilité" et avec l'avertis-sement aux chrétiens que "nul ne *tombe* dans le même exemple d'*indocilité*, μὴ... πέσῃ τῆς ἀπειθείας" (4,6b.11b). La conclusion reprend là ces thèmes: lors de l'entrée en Terre promise "les remparts de Jéricho *tombèrent*", et "par la foi, Raab ... ne périt pas avec les *indociles, ...* ἔπεσαν ... τοῖς ἀπειθήσασιν" (11, 30.31a). Le symbolisme du "septième jour" joue ici dans le repos "<u>sabbatique</u>" et là dans "<u>les sept jours</u>" d'encerclement de Jéricho et sa chute au septième (4,9 et 11,30).

Les segments centraux (4,14 - 5,4) et (11,8-22) offrent une des plus fortes symétries de l'Epître : les termes marqués sont nombreux et beaucoup se trouvent en parfaite concentrie. Nous commencerons par signaler ceux-ci. Ces segments, rappelons-le, concernent ici le sacerdoce, christique et aaronique, et là les patriarches abrahamites. A Jésus *"Fils* de Dieu", qui "a <u>traversé</u>" les cieux, correspond "l'<u>Exode</u> des *fils* d'Israël" (4,14b et 11,22b) * aux deux mentions structurantes de la *"capacité"*, ici de compassion de Jésus et de commisération de tout grand-prêtre, correspondent les deux mentions structurantes de la *"capacité"*, là donnée par Dieu à Sara d'engendrer ou possédée par Dieu de réveiller d'entre les morts (4,15a 5,2a: δυνάμενον et δυνάμενος; 11,11a et 19a: δύναμιν et δυνατὸς) ✦ à Jésus *"éprouvé, πεπειρασμένον"* correspond Abraham *"éprouvé, πειραζόμενος* (4,15d et 11,17a) ✦ une comparaison ici, καθὼς... οὕτως καὶ..., et une comparaison là, καθὼς... καὶ ὡς... (5,3ab et 11,12bc) ✦ enfin, la considération finale ici que nul ne se *"prend, λαμβάνει"* l'honneur du sacerdoce, mais y est *"appelé, καλούμενος"* par Dieu comme *"Aaron"*, a encore pour parfait concentrique la considération initiale là de *"Abraham"*, qui *"appelé, καλούμενος"* sort vers le lieu à *"recevoir, λαμβάνειν"* en héritage (5,4ab et 11,8ab). Participant, au centre, à la fois à cette concentrie et au parallélisme, c'est en des termes variés *la marche* vers l'au-delà: ici, προσερχώμεθα et, là, ἐξέβησαν... ἐπιζητοῦσιν...; et aussi la *temporalité* favorable: ici, du secours divin opportun, εὔκαιρον et, là, d'un éventuel retour en arrière, εἶχον ἂν καιρὸν (4,14ab et 11, 13-15 passim).

Passant aux autres termes en symétrie, nous remarquons que ce thème de la "marche" était là indiqué dès le début en Abraham, qui "sortit sans savoir où il allait" (11,8c). En liaison avec ce thème, la remarque ici initiale que, ayant un tel Grand-prêtre qui a traversé "les *cieux*", nous devons tenir "la *confession*", nous place dans l'attitude des anciens, avec l'assurance de parvenir là où ils aspiraient: là, en effet, les anciens *"confessaient"* être des étrangers sur terre et ils recherchaient la patrie *"céleste"* (4,14ab et 11,13c. 16a). Enfin, les deux mentions ici de "l'*offrir*" du grand-prêtre correspondent là aux deux mentions de "l'*offrir*" d'Abraham son fils Isaac (5,1c.3b et 11, 17ab).

Achevant cette concentrie des Parties extrêmes, les segments final (5,5-10) et initial (11,1-7) confrontent la vie souffrante et triomphante, ici, du Christ Grand-prêtre et, là, des justes antédiluviens. Au Christ, qui ne s'est pas arrogé de "*devenir* Grand-prêtre" , correspond Noé, qui est "*devenu* héritier de la justice" (5,5b et 11,7e). En plein centre , une semblable connotation de la *résurrection*, ici, dans l'exaucement de la prière du Christ à "Celui qui pouvait le sauver de la <u>mort</u>" et, là, dans le transfert d'Hénoch "pour ne pas voir la <u>mort</u>" (5,7c et 11,5a) - transfert lié lui aussi à un *pouvoir*, celui de la foi. Lié à ce contexte c'est aussi "l'*offrir*", ici, des prières par le Christ souffrant et, là, du sacrifice d'Abel assassiné (5,7bd et 11,4ab). Par ailleurs, le"*salut* éternel" mérité par le Christ à ceux qui lui obéissent ("sa maison", cf. 3/3,6b) universalise et accomplit la geste de Noé "pour le *salut* de sa maison"; la même attitude religieuse de révérence est attestée ici du Christ et là de Noé (5,7e. 9c: εὐλαβείας et 11,7bc: εὐλαβηθεὶς). Enfin, la Série "αἰών, *siècle*" caractérise, ici, le sacerdoce du Christ "pour l'éternité" (litt. "pour le siècle")et son mérite d'un "salut éternel" - et, là, exprime l'univers spatio-temporel, "les siècles" (5,6b.9c et 11,3a).

Cette concentrie réciproque entre les Sections des Parties extrêmes se prolonge dans la concentrie entre les Sections de la Partie centrale jusqu'au coeur même de l'Epître (cf. § 17, 2.).

Nous arrêtons ici cette analyse des symétries de l'Epître aux Hébreux, sans la poursuivre comme il est théoriquement nécessaire par la comparaison des Parties deux à deux, à savoir de $P^{1 \cdot 2}$, $P^{2 \cdot 3}$ et $P^{1 \cdot 3}$. Cette analyse attesterait la similitude ou *isotopie* des trois Parties qui, nous l'avons indiqué, présentent une triple variante d'une semblable *Fresque historique*.

SYNOPSE STRUCTURELLE

ET ANALYSE DU TEXTE

A partir d'un "modèle pragmatique" notre recherche nous a permis d'établir scientifiquement la structure de surface de l'Epître aux Hébreux. L'Analyse structurelle a confirmé l'hypothèse de l'organisation de son texte sous forme d'*une Synopse*, à savoir d'une surface rédactionnelle *géométrique* structurée en sept Colonnes, elles-mêmes articulées en deux Sections chacune et regroupées en trois Parties. Nous estimons très solide cette structure: elle ne mérite sans doute que des retouches de détail (1).

Cette "Synopse structurelle" présente donc l'Epître aux Hébreux "dans la simultanéité d'un tableau". Elle visualise sous un même regard ses quatre niveaux de structuration que sont ses Sections, ses Colonnes, ses Parties et leur Ensemble. L'exposé précédent, si restreint soit-il à quelques séries de symétries, permet de tirer des conclusions sur l'utilité de l'Analyse structurelle et de la Synopse structurelle. Nous en envisagerons trois domaines: les procédés de structuration, la lecture du texte et l'interprétation de l'Ecriture.

1. Les procédés de structuration

En sa graphique géométrique notre Synopse visualise la distinction et l'intégration successive des unités rédactionnelles de ce texte prodigieux: Sections, Colonnes, Parties et leur Ensemble. Ces quatre instances hiérarchiques correspondent à des niveaux à la fois de "clôture", marquant la cohérence interne de l'unité rédactionnelle en jeu, et "d'ouverture" aux corrélations externes, finalement à la "circularité" totale de l'Epître. La découverte de cette structure graphique superficielle de l'Epître, simple en son principe et complexe en sa réalisation, nous permet de mieux déceler la variété des procédés de structuration mis en oeuvre pour la réaliser. Ces procédés sont plus nombreux ou plus larges que ceux relevés par A. Vanhoye, récapitulant ses prédécesseurs: les annonces du sujet, les mots-crochets, les genres littéraires, les termes caractéristiques et, surtout, les inclusions et structures symétriques (2).

Voici un aperçu des procédés marquant la structuration des quatre niveaux structurels.

Structuration des Sections

La symétrie concentrique sectionnelle est globalement constituée par la correspondance des deux ensembles de mots communs aux deux segments extrêmes. Cette concentrie est marquée par divers procédés caractérisant la distribution des mots de ces deux ensembles:

- les "inclusions" proprement dites: procédé très fréquent, utilisé aux différents niveaux de structuration, au point que les inclusions peuvent s'englober l'une l'autre;

- les "suites concentriques" de mots, notamment dans les Sections 1, 5, 6, 7 et 10;
- les "syntagmes caractéristiques" structurant, comme "Auquel des Anges a-t-il jamais dit ..." ou "offrir des dons et des sacrifices", etc (1/1,5a et 13a; 7/8,3ab et 9b avec inversion des éléments);
- les "inclusions internes", par exemple en 5/6,3 et 13a: "Dieu qui permet" avec "Dieu qui promet", etc.

Sans compter le prolongement éventuel de cette concentrie dans la concentrie du segment central, cas très fréquent.

Découverte originale due elle aussi à l'Analyse structurelle, les "bisegments sectionnels" sont constitués, l'initial, par les segments initial et central et, le final, par les segments central et final. Divers procédés marquent cette symétrie: les "inclusions" proprement dites, fait le plus marquant et constant; les "suites concentriques de mots"; les "syntagmes caractéristiques" structurant, comme "esprits serviteurs" avec "en service esprits" (1/1,7bc et14a); enfin, procédé ou fait nouveau, les "inclusifs/caractéristiques à la fois bisegmentaux et segmentaux", tel le /pâtir/ de Jésus (2/2,9b.10e et 18a).

La symétrie corrélationnelle sectionnelle se manifeste par l'extension du procédé du "mot-crochet", autre nouveauté, jouant sur la juxtaposition *graphique* des Sections (et pareillement des Colonnes) du début ou de la fin de l'une au début ou à la fin de l'autre. Ce phénomène est particulièrement notable entre les Sections Successives (Série SS) de la Partie centrale. A défaut de mot-crochet on rencontre le parallélisme d'un mot "caractéristique".

Structuration des Colonnes

La symétrie concentrique colomnale est à son tour marquée par divers procédés:
- les "inclusions" proprement dites: absolument strictes pour les Colonnes 2, 3 et 7, elles sont plus ou moins larges pour les autres Colonnes;
- l'identité des "syntagmes caractéristiques " structurant leur deux Sections: c'est une des marques les plus fortes de l'unité des Colonnes 1, 3 et 4, puis à un degré moindre de la 2ème, voire de la 7ème Colonne;
- la "concentrie" d'ensemble des segments de chaque Colonne;
- les "bisegments internes" à chaque Colonne, formés par les segments final de la 1ère et initial de la 2de Section: ils sont souvent marqués par des "inclusions" strictes (cas des Colonnes 2,3 et 4) ou par des mots "caractéristiques" (cas des Colonnes 6 et 7);
- les "inclusifs/caractéristiques à la fois colomnaux et sectionnels", tel le /souvenir/ (10,3.17b – 10,32), etc.

La symétrie corrélationnelle colomnale se manifeste, nous l'avons noté, par l'extension du procédé du "mot-crochet", jouant sur la juxtaposition *graphique* des Colonnes, du début ou de la fin de l'une au début ou à la fin de l'autre. Notamment dans les 2ème et 3ème Parties. Ou bien se rencontre le parallélisme de mots "caractéristiques".

Structuration des Parties

Ce troisième niveau de structuration met en jeu les symétries des Sections de leurs Colonnes Successives (Série CS) intégrantes, à savoir: pour P^1, $C^{1.2}$; pour P^2, $C^{3.4}$ et $C^{4.5}$; pour P^3, $C^{6\ 7}$. S'y ajoute pour P^2, les symétries de ses Colonnes extrêmes, les Colonnes Concentriques (Série CC) $C^{3.5}$.

Rappelons quelques éléments formels ou sémantiques, qui marquent l'unité de chaque Partie.

Les deux Colonnes de la Première Partie commencent par une comparaison entre, l'une, le Fils et les Anges et, l'autre, Jésus/Christ et Moïse; elles s'achèvent en deux bisegments où le thème de la /passion/ est à la fois bi-segmental et segmental (central), avec une affirmation finale sur la fonction de Jésus ou du Christ "Grand-Prêtre". Huit lieux typiques de citations se trouvent en même position concentrique en chacune des quatre Sections. Enfin, la concentrie très forte des bisegments initial et final de cette Partie est caractérisée par la /filiation/ du "Fils (de Dieu)".

Les Sections extrêmes (S^5 et S^{10}) de la deuxième Partie sont, cas unique, consacrées aux Chrétiens, et elles possèdent une très forte concentrie. Elles enserrent des Sections où prédomine le thème sacerdotal et sacrificiel, auquel s'ajoute un vocabulaire prédominant parfois jusqu'à l'exclusive: tout le thème de "l'Entrer dans le sanctuaire", sauf une seule et dernière mention en 14/13,12; toutes les occurrences de la Série "Tente", sauf deux concentriques en P^3; toute la Série "Alliance", sauf deux occurrences importantes en C^7; sauf ἀνομία en 1/1,9a, toute la Série "Loi, νόμος"; enfin, 12 sur 15 occurrences de la Série /enseigner-écrire/. Nous avons relevé la puissante marque d'unité que constitue l'*Icône Xristique* (p.115).

La troisième Partie marque son unité par sa prédominance descriptive de la vie historique des fidèles, antiques et chrétiens, au point que disparaît presque le thème christique. Ses quatre Sections font inclusion avec deux ver-tus ou équivalents, et leur quatre centres soulignent le thème de la /marche/: "la patrie dont ils étaient *sortis*" - "*courons* le combat" - "Vous vous êtes *approchés*" - "*Sortons* vers Lui".

N'oublions pas enfin de rappeler leur profonde unité sémantique, que cons-titue en toutes les trois Parties leur semblable développement d'une *Fresque historique*. Ce qui nous conduit au quatrième niveau de structuration.

Structuration de l'Ensemble de l'Epître

D'un point de vue structurel global, remarquons-le, la répartition des 7 Colonnes dans les 3 Parties - à savoir: 2 + 3 + 2 - équilibre déjà leur ensemble, dont les Parties extrêmes égales accentuent la situation et la prédominance de la Partie centrale. La similitude structurelle de composition des Parties - en Colonnes comportant chacune deux Sections, avec leur symétrie bi-segmentale - contribue à l'uniformité d'ensemble. Le nombre des Colonnes y participe par l'unité symbolique du chiffre *sept*. S'y ajoutent des éléments structurels de détail, sur lesquels nous reviendrons.

L'unité sémantique de l'Ensemble se manifeste par la triplication d'une Fresque historique, dont chacune envisage la totalité de l'Histoire du salut mais en accentuant l'une ou l'autre époque. On pourrait en détailler la suite avec leurs références en chacune des Parties. La très longue Analyse structu-relle de comparaison entre les trois Parties, que nous n'avons pas exposée ici, permet même de dégager un phénomène notable: une importante identité de vocabu-laire ou de thèmes entre respectivement les premières, les deuxièmes, les avant-dernières et les dernières Sections de chacune des trois Parties. Nous remarquons que chacune des *variantes* de la Fresque historique s'ouvre sur les Origines et se ferme sur l'Eschatologie. Les 1ère et 3ème Parties offrent des termes semblables d'inclusion avec la Série /αἰών/ qui y désigne l'être en sa création (τοὺς αἰῶνας = les siècles) ou en sa permanence éternelle ("cause de salut éternel" ou "sang d'Alliance éternelle", αἰωνίου) (1,3a avec 5,9c; 11,3a avec 13,20c). La Partie centrale présente une inclusion de temporalité sembla- ble avec la Série /temps/ qui y réfère la condition chrétienne depuis ses ori- gines (διὰ τὸν Χρόνον = avec le temps)jusqu'à son eschatologie (οὐ χρονιεῖ = il ne tarde pas) (5,12a avec 10,37b). Mais il y a dans les variantes un déplace- ment progressif des centres de gravité historique: la thématique des Origines prédomine dans la 1ère Partie; celle du sacerdoce du Christ, en référence au sacerdoce mosaïque, dans la 2ème Partie; celle de la condition chrétienne, dans la 3ème Partie. Le thème fondamental du "Sortir-Entrer" présente un dé- veloppement du même genre. En P[1], l'AT, sorti, n'a pas pu entrer; en P[2], le Christ sort (naît) et entre (au sanctuaire); en P[3], le NT sort, sûr d'entrer.

Cette isotopie sémantique des trois Parties peut se préciser par l'étude de quelques "isotopies sérielles", c'est-à-dire de la similitude d'emploi d'un même vocable ou d'une Série de vocables. Retenons ici la Série τελειοῦν, qui offre l'avantage de former un *axe structurel*: cet axe joint les segments centraux extrêmes de chaque Partie: 2,10e avec 3,14c - 7,11a(19a) avec 10,14b - 12,2a avec 12,23c. Sous réserve, que nous avons pris en 3/3,14c "jusqu'à la fin, τέλους" comme une expression analogue de"l'accomplissement", puisqu'il s'agit de persévérance·dans la foi. De plus les emplois de P[2] appartiennent à des biseg- ments qui se croisent au centre même de l'Epître, ce qui renforce la situation axiale de cette Série (cf. p.115). Cet axe est accentué par les nominations de : "Jésus" avec "Christ", en P[1]; de "Notre Seigneur" avec "Jésus-Christ", se croisant sur "Christ" au centre de l'Epître, en P[2]; de "Jésus" avec "Jésus", en P[3] (2,9b avec 3,14a - 7,14b avec 10,10b - 12,2a avec 12,24a). Le thème de la /marche/ y est lié en tous ces segments centraux: ici, Dieu "mène à la gloire" ses fils, notamment leur "Pionnier" (C.T.) ou bien c'est le contexte pérégrinal de l'Exode (C.T.); là, il s'agit de "l'introduction" d'une meilleure espérance ou bien de "l'entrée dans le monde" du Fils de Dieu; enfin, il s'agit de la "course" des chrétiens en imitation de leur "Pionnier" (C.T.) ou bien de "l'ap- proche" non du Sinaï (encore le contexte de l'Exode!) mais de la Jérusalem cé- leste (2,10cd avec 3,7ss.14; 7,19b avec 10,5a; 12,1d.2a avec 12,22a).

Mentionnons un *axe inverse* entre les segments centraux extrêmes. D'une part, en P[1·2], c'est la similitude de: "le Fils - Dieu" avec "le Fils de Dieu", puis "le Fils de Dieu" avec "le Fils de Dieu" (1,8a.9b avec 4,14b; 6,6c avec 10,29b). D'autre part, en P[2·3], c'est la similitude eschatologique de: "le siècle à venir" avec "le feu à venir", puis "le lieu (Ville) à venir" avec "la Ville à venir" (6,5b avec 10,27b; 11,8b.16c avec 13,14b). On notera, par ailleurs, qu'en P[1] "trône éternel" avec "trône(céleste) de la grâce" corres- pond en P[3] précisément à "Ville (céleste)" avec "Ville (pas d'ici-bas)" (1,8b avec 4,14a.16b; 11,16ac avec 13,14ab)!

On le remarquera, le croisement de ces deux axes forme en chaque Partie comme des axes christiques, en "χ" : les nominations de P[1] annoncent en fait celles de l'*Icône Xristique* de P[2];on en retrouverait les équivalents en P[3] , à condition de prendre en 11,17b "le fils unique" (Isaac) avec 13,12a "Jésus".

Quoi qu'il en soit, les trois Parties sont aussi unies entre elles par les symétries de leurs "Colonnes de jonction", C[2·3] et C[5·6], que nous n'avons pas indiquées ici. Qu'il suffise, pour en donner une idée, de relever comment les quatre pôles de l'axe christique - voire de l'Icône Xristique - de P[2] se rattachent aux Parties extrêmes, P[1] et P[3]. En voici le tableau, réduit à des termes caractéristiques:

[1] jusqu'à la fin	jusqu'à la fin	/obéissance/ /offrande/	/obéissance/ /offrande/ [3]
[2] selon la similitude	selon la similitude	... sang	jusqu'au sang [4]

Reprenons ces quatre pôles: 1. les chrétiens doivent maintenir "le commencement de la réalité jusqu'à la fin" ou "l'épanouissement de l'espérance jusqu'à la fin" (3/3,14 et 5/6,11); 2. Jésus "Grand-prêtre" a été éprouvé "selon la similitude" sauf le péché ou Notre-Seigneur "selon la similitude de Melchisédech" s'élève "Prêtre", hors une hérédité charnelle (4/4,15 et 6/7,15); 3. Jésus-Christ naît "pour faire la volonté de Dieu" et il "offre" son corps en offrande puis en sacrifice - ou Abraham "obéit" et sort, puis "il offrit" son fils unique (9/10, 5-14 passim; 11/11, 8.17); 4. le chrétien pécheur méprise "le Fils de Dieu" et "le Sang de l'Alliance" ou, au contraire, le chrétien fidèle regarde "Jésus" et lutte contre le péché "jusqu'au sang" (10/10,28-29 et 12/12,1-4).

Ces connexions, nous le savons, se développent dans la *concentrie générale* de toute l'Epître (cf. supra).

L'Analyse structurelle nous a donc permis d'enrichir la liste des procédés de composition. Le plus important sans conteste est le procédé de *la Synopse,* avec ses divisions structurelles hiérarchisées que sont les Sections, les Colonnes et même les Parties, pour autant qu'elles sont précisément constituées par les unités précédentes. Dans les Sections nous avons décelé: 1. "les suites concentriques de mots", "les syntagmes caractéristiques" structurant, "les inclusions internes; 2. les "bisegments sectionnels", marqués par des "suites concentriques de mots", des syntagmes caractéristiques" structurants ou des"inclusions" propres; 3. les "mots-crochets" sectionnels. Dans les Colonnes nous avons relevé : l'identité de "syntagmes caractéristiques" structurants, l'existence de "bisegments" internes colomnaux, les "inclusifs/caractéristiques" à la fois colomnaux et sectionnels, les "mots-crochets" colomnaux. Tous procédés qui s'ajoutent aux procédés des "inclusions" ou des "symétries", parallèle ou concentrique: mais ces derniers comme les autres apparaissent au service de la *structure synoptique.*

2. La lecture du texte

"La description scientifique des textes devrait permettre l'élaboration de techniques de lecture ..." (3). En quoi l'élaboration ou l'utilisation d'une "Synopse structurelle" peut-elle contribuer à la lecture de son texte ?

La découverte de la structuration *en Synopse* de l'Epître aux Hébreux - sur la base de 14 Sections structurellement égales, regroupées en sept Colonnes puis en trois Parties - a pour conséquence heureuse de mieux *proportionner* son texte et d'en *restructurer* les diverses divisions, majeures et mineures, proposées par notre meilleur modèle, celui de A. Vanhoye.

Effet de proportionnement. Les diverses divisions de A. Vanhoye sont très disproportionnées. En voici le Tableau du nombre des mots par section, compte-tenu de l'assimilation indispensable du Préambule et de l'Exhortation de sa IIIème Partie à une section (4) :

1 P.	2 P.	3 P.			4 P.	5 P.
570	538	377	787	259	633	575
	193	456		291	228	

Notre répartition fondamentale en Sections structurelles atténue cette disproportion, comme on peut en juger par ces nouveaux chiffres :

1 P.			2 P.			3 P.	
256	379	377	455	259	496	246	
314	352	456	332	291	365	329	

Au rééquilibrage des Sections s'ajoute celui des Parties.

L'effet de proportionnement se double d'un effet de restructuration. On l'aura remarqué, nos divisions littéraires mineures, sauf de très rares exceptions (5), ne diffèrent pas des siennes. Mais les petites unités littéraires sont regroupées autrement dans la surface de base qu'est notre Section, où elles trouvent un nouvel équilibre, interne et externe. A partir de cette unité de base de composition et de structuration qu'est notre Section, nous étendons plus loin l'analyse et la découverte des rapports symétriques. En plus de la structure interne à nos 14 Sections, segmentale et bisegmentale, nous décelons:

. les symétries entre les Sections Successives (SS);
. les symétries entre les Colonnes Successives (CS);
. le regroupement en *trois Parties* au lieu de cinq, et nous manifestons en conséquence la symétrie concentrique propre à la 1ère et à la IIIème Partie, comme Vanhoye l'avait déjà entrepris pour la Partie centrale;
. l'isotopie ou similitude entre ces trois Parties (Séries $_3P^1$, $_3P^2$ et $_3P^3$);
. enfin la Concentrie générale de toute l'Epître (CC), déjà amorcée par Vanhoye.

Chacune de ces symétries est analysée selon les trois symétries théoriques de distribution: parallèle, concentrique et triangulaire (6).

L'exposé très réduit que nous avons donné permet, espérons-nous, d'avoir une idée suffisante des avantages que procure une telle Analyse pour la lecture du texte. Cette Analyse offre les avantages d'une lecture *totale* et *spatiale* du texte.

Une lecture totale. La construction d'une Synopse oblige à une lecture du texte en son entier, c'est-à-dire dans la totalité du texte superficiel et dans la totalité de ses niveaux structurels. Le principe de la recherche postule que tous ses instruments - Fichiers, Tableaux et Diagrammes, et éminemment la "Synopse" du texte - considèrent la totalité du texte. Tous, en effet, offrent leurs éléments de lecture par rapport à un "modèle pragmatique" de l'ensemble du texte: le vocabulaire sériel des deux Fichiers ou le vocabulaire symétrique des divers Tableaux (des Séries de combinaisons des Colonnes ou Sections) est toujours *situationnel*, localisé dans la totalité du texte.

"Littéralement", au terme de l'Analyse, le texte aura été lu "dans tous les sens" (7). Tous les segments, un à un, auront été lus avec tous les autres: leurs corrélations verbales, et donc idéales, auront été appréciées et notées. Les divers Tableaux regrouperont l'une ou l'autre Série de combinaisons des Sections, Séries qui correspondent en quelque sorte à autant de *sens de lecture* : des Sections, par exemple, lues les unes à la suite de l'autre, telles qu'on pourrait les imaginer écrites dans le <u>rouleau</u> de l'Epître; des Colonnes lues les unes à la suite de l'autre, telles que notre Synopse les présente <u>décryptées</u>; ou bien lues concentriquement, etc. Même en l'absence de ces Tableaux qui mémorisent les symétries de tel sens de lecture, la Synopse offre son Tableau global à la découverte des symétries de tel sens de lecture. Et, pour qui en a le courage et la curiosité, à la totalité de ces sens de lecture.

Une lecture spatiale. La Synopse et ses Annexes sont les instruments privilégiés d'une lecture totale du texte, dans la mesure où ils se présentent comme des *constructions graphiques*, c'est-à-dire *spatiales* du texte. La Synopse s'offre idéalement à la "lecture sémiotique", dont C. Chabrol affirmait:

> *"Elle dispose le texte devant elle comme s'il était donné dans* la simultanéité d'un tableau" (8).

La Synopse et ses Annexes fait jouer, nous l'avons noté dès le début, les propriétés visuelles de la représentation graphique et ses niveaux de lecture, élémentaire, moyen et total. En réalité cette *spatialisation* du texte de l' Epître n'est pas un pur artifice au service de la lecture: la Synopse n'en sert si efficacement la lecture, que parce qu'elle est manifestation de la structure du texte. La Synopse et ses Tableaux annexes justifient déjà, au niveau de la surface, la remarque de A.J. Greimas:

> *"Le discours, dont le caractère linéaire laisserait, à première vue,* *prévoir la formulation algébrique, appelle plutôt, une fois décrit,* *une* visualisation géométrique *et pluridimensionnelle"* (9).

Réponse aussi et instrument pour la problématique de cette spatialisation du texte soulevée par L. Marin:

> *"Que signifie ce type de lecture qui ne respecte plus les principes* *temporels de la linéarité ou de l'irréversibilité du récit, qui les* *transpose ou les transforme dans* les formes spatiales - en quoi con= siste peut-être proprement un texte - *d'enveloppement, d'intégration* *et de subordination hiérarchique (intratextuelle) ?"* (10).

L'Epître aux Hébreux n'est-elle point un de ces textes-maîtres où triomphent les formes spatiales d'enveloppement, d'intégration et de subordination hiérarchique?

La caractéristique de cette Méthode d'Analyse est son procédé *topologique*. Le texte y est considéré comme s'inscrivant sur une surface rédactionnelle. Les instruments d'analyse qu'en sont les Fichiers des Séries radicales ou thématiques du vocabulaire y sont rédigés selon l'inscription du texte sur une surface, fût-elle au début du moins purement *pragmatique*. Ce procédé permet de déceler trois *formes* possibles de structuration de surface.

La première forme n'est *pas marquée* par des procédés littéraires de manifestation de la structuration du texte (inclusions, symétries, etc.). L'analyse dans ces cas se montre déjà fructueuse par la localisation des corrélations verbales et idéales même des plus fines.

La deuxième forme est *marquée* par de tels procédés littéraires de manifestation de la structuration du texte. "La structure littéraire de l'Epître aux Hébreux" proposée par A. Vanhoye nous donne un exemple de cette forme.

La troisième forme enfin est marquée par le procédé *en Synopse* de structuration proprement géométrique de la surface du texte, qui assume, elle, des procédés littéraires fort nombreux et variés comme nous l'avons montré. "La Synopse structurelle de l'Epître aux Hébreux" serait l'exemple-type de cette forme plus élaborée. Au dossier de la *Sémantique biblique* il faudra désormais ajouter ce procédé capital d'écriture " en Synopse ", où la structuration du texte emprunte à une surface géométrisée ses structures, ses corrélations et sa lisibilité.

3. L'interprétation de l'Écriture

Situons brièvement ces premiers éléments d'une "Méthode d'Analyse structurelle" et cette présentation de la "Synopse structurelle de l'Epître aux Hébreux" par rapport au texte de l'Ecriture, à savoir: l'Exégèse, l'Analyse structurale et la Théologie.

L'Exégèse

En ce qui concerne l'Epître aux Hébreux le résultat le plus spectaculaire de son Analyse structurelle est évidemment le texte structuré de la "Synopse structurelle". Elle apparaît comme un méta-texte, une relecture graphique, où transparaît la structure de surface de l'Epître: ses trois Parties, regroupant ses sept Colonnes, articulées en deux Sections chacune.

Cette Analyse confirme l'*unité du texte* de l'Epître, tout d'abord jusqu'à et y compris sa Doxologie. Le chapitre 13 n'est nullement un "Appendice" suivi d'un "épilogue" (11), mais il fait partie intégrante du développement normal de l'Epître. Nous renforçons les éléments de preuve apportés par A. Vanhoye, suivi par la T.O.B., en manifestant plus abondamment l'unité de (12,14 - 13,21), qui constitue notre 7ème Colonne et forme avec la sixième Colonne (11,1 - 12,13) notre IIIème Partie: sa structure concentrique soude indissolublement ses deux Colonnes en une seule et solide unité littéraire.

Si nous n'apportons aucun élément à la question de l'identité de l'<u>Auteur</u> de l'Epître, nous estimons avoir donné des preuves en faveur de l'identité d'auteur *et* de l'Epître *et* du Billet d'envoi. Identification qui incline à considérer ce texte si travaillé comme un écrit, une sorte de traité théologique tout imprégné de pastorale, ni "lettre" ni "homélie" proprement dite.

L'Analyse structurelle offre aussi un élément de compréhension au phénomène du *dédoublement* de citations, comme nous l'avons rencontré en 1,8b et 8c-9 ou en 2,13a et bc. Dans le premier cas, en plus de la recherche éventuelle du symbolisme de sept citations en faveur du Fils, l'isolement de 1,8b: "Ton trône, Dieu, est établi à tout jamais", accentue sa place centrale dans la Section; cette place isolée modifie le contenu du verset et autorise son extension à l'éternité du Fils, déjà affirmée précédemment: "Ce Fils est resplendissement de sa gloire...". Dans le second cas est réalisée la concentrie structurelle des trois citations ainsi obtenues en (2,11-13) avec les trois citations de (1,5-6).

Pareillement, nombre de cas d'apparents *déplacements* d'unité dans un texte, en raison d'un manque présumé de logique (cas de 3/3,12-14 ou de 11/11,13,16), trouvent une solution élégante dans l'établissement exact des symétries internes du texte à la suite de son analyse structurelle. Celle-ci pourrait apporter ses lumières sur d'autres problèmes exégétiques: emploi de sources documentaires, présence de doublets, additions ou variantes ...

La constitution de *Vocabulaires synoptisés* des livres de l'Ecriture - fût-ce en un premier temps par rapport à une surface rédactionnelle au découpage pragmatique, selon l'esprit "topologique" de notre Méthode - fournirait de précieux instruments de travail et de lecture de ces textes.

L'Analyse structurale

L'Analyse structurelle et l'Analyse structurale constituent deux formes complémentaires d'analyse, qui se distinguent par leur niveau: la première étudie la structure de surface et, la seconde, la structure profonde *du* texte (plan de la *compétence*) ou *d'un* texte (plan de la *performance*). Cette distinction est empruntée aux grammaires génératives transformationnelles, de Chomsky par exemple, où "structure de surface" et "structure profonde" désignent les deux niveaux extrêmes de la *phrase*. Analogiquement, à propos d'un *texte* – un ensemble plus ou moins étendu de phrases diverses – on parlera de "structure de surface" et de "structure profonde". Au singulier ou au pluriel. Le pluriel indiquera la multiplicité possible de structures de même niveau ou la diversité possible des niveaux à l'intérieur de l'une et/ou de l'autre structure. Le singulier désignera la singularité ou la généralité des unes et/ou des autres.

Le structurel concerne la structuration séquentielle, successive et corrélative du texte – diachronique du récit ou topologique du discours. Le structural concerne la structuration noétique, actantielle et poétique du texte – achronique du récit ou atopologique du discours (12).

Des problèmes théoriques se poseront donc: 1. à propos des corrélations ou transformations requises entre les structures de surface et les structures profondes du *texte*, problèmes analogues à ceux qui se posent à propos de ces structures dans la *phrase*; puis 2. en conséquence, à propos des corrélations entre les transformations relatives au *texte* et les transformations relatives aux *phrases*, en liaison avec les structures superficielles et profondes de l'un et des autres. Notamment entre les structures de surface du texte et les structures de surface de ses phrases, voire de ses unités; et, d'autre part, entre les structures profondes du texte et les structures profondes de ses phrases, voire de ses unités.

Les structures de surface se réalisent en utilisant la mobilité des structures phrastiques et la multiplicité des connexions transphrastiques. L'auteur utilise ce *jeu*, intérieur et extérieur aux phrases, pour constituer de petits ensembles structurés en eux-mêmes et entre eux (13).

Evidemment l'Analyse structurelle se fonde elle aussi sur le *contenu* des vocables, comme elle se fonde sur leur situation dans le texte. Ainsi dans l'Introduction de l'Epître, le contenu des affirmations: "qu'il a placé héritier de tout et par qui il a fait les siècles", est considéré dans son ordre d'expression, qui est l'inverse de l'ordre chronologique; le contenu, ensuite, de: "portant tout par la parole de sa puissance" (1,2c et 3b), est perçu comme correspondant au couple de totalité implicite dans les deux expressions précédantes, puisqu'il se rapporte à l'*entre-deux* des deux *pôles* que sont la Création et la Fin du monde. L'équivalence est soulignée structurellement par la position concentrique de ces deux versets, marquée par le même emploi de "tout", autour du verset central consacré au rayonnement éternel de la gloire du Fils. L'analyse structurale, au contraire, rétablirait l'ordre chronologique, indépendamment de la place de ces versets dans le texte et noterait comme contenu: Création – permanence – héritage. De plus cette expression de l'activité du Fils comme Dieu s'insère au centre d'une description temporelle elle-même centrée sur l'activité du Fils comme Fils d'homme. L'analyse structurale unifierait ces deux schémas de données temporelles – "structure profonde", partielle encore, du "code temporel" de l'Auteur de l'Epître:

L'analyse structurelle vise de préférence la *totalité* du texte. Aussi peut-elle contribuer à la solution du premier et difficile problème d'un juste *découpage* du texte, présupposé nécessaire à une analyse structurale équilibrée (14). Alors toute forme d'analyse peut tenir compte du tout et des parties, de chaque partie dans le tout. Aussi, en précisant mieux les structures littéraires superficielles, l'analyse structurelle *prépare-t-elle* le texte à l'analyse structurale. Elle permet une meilleure appréciation des éléments significatifs pour l'analyse structurale: par exemple, nombre d'éléments utilisés dans les fonctions d'annonce, de développement ou de rappel peuvent ne signaler qu'un même élément de corrélation structurale.

Compte-tenu de la réserve précédante, il reste évident que les symétries structurelles, comme tout autre procédé d'écriture (15), sont au service de l'exposé et donc, en définitive, au service des corrélations et des transformations structurales. L'Epître aux Hébreux nous fournit nombre d'exemples de ce cas (16). Nous en relèverons les conséquences en Théologie.

A vrai dire, l'analyse structurelle n'atteint la plénitude de sa force et de sa signification, que par son prolongement dans l'analyse structurale: ces deux formes d'analyse se corroborent et s'éclairent l'une l'autre. Cette complémentarité se manifestera concrètement dans la mesure où l'analyse structurale demeurera très proche du texte et de ses transformations, attentive à la *singularité* de ce texte, sans s'en abstraire excessivement par la recherche de méta-structures ou l'application réductrice de modèles par trop universels.

Cette singularité pourrait être approchée en un premier temps par une structuration synthétique des *schémas corrélationnels* de l'usage de chaque vocable ou Série radicale. Cette structure synthétique pourrait être ensuite travaillée structuralement, mais avec le souci constant de sa singularité. Il est possible que le développement structural conduise à telle ou telle conséquence, sans que l'auteur l'ait perçue ou exprimée. Or, l'Histoire de la pensée, du sentiment ou de l'art, attache une grande importance à ces "écarts" entre la structure exprimée et la structure exprimable: ces "écarts" ouvrent et délimitent dans l'Histoire le champ du développement (17).

Ce souci du singulier préservera l'analyse structurale d'une possible *déperdition de "substance" sémantique*, redoutée par Louis Marin, et préparerait *le mariage entre l'analyse structurale et la méthode historique*, souhaitée par Pierre Grelot (18).

En leur statut de plein épanouissement "Analyse structurelle" et "Analyse structurale" ne formeraient guère que les deux faces d'une unique et nécessaire Méthode d'analyse des textes.

La Théologie

Quels aperçus théologiques pouvons-nous déjà retirer de cette analyse de l'Epître aux Hébreux dont l'objet principal était, non d'en exposer la théologie, mais d'en manifester les structures de surface, sa "Synopse structurelle"?

Nous dirons: la Théologie d'un texte s'exprime par l'ensemble de sa structure, c'est-à-dire par sa structure profonde *et* par sa structure de surface. La structure de surface est, en effet, un moyen d'expression et de valorisation de la structure profonde de la Théologie de l'auteur.

Des réserves sont certes exprimées (19).

En réalité les symétries structurelles sont souvent, nous l'avons souligné plusieurs fois au cours de cette étude, au service de symétries structurales: aussi concourent-elles à la mise en relief de ces dernières.

Les *lectures connotatives*, que suggèrent parfois les symétries structurelles, révèlent une cryptographie typologique. Exemple: le "sacrifice" qu'est la mort d'Abel est en correspondance symbolique et concentrique, dans sa Section 11 avec "l'aspersion du sang" de la Pâque et dans sa Partie avec "le Sang d'Alliance éternelle" de Notre Seigneur Jésus, comme lui Pasteur et martyr.

La *répétition* est un important moyen de valorisation de la pensée. Cette valorisation est renforcée par sa situation caractéristique dans la structure de surface. L'exemple majeur en est ici la triplication des "Fresques historiques": cette triplication ajoute à la simple répétition la force de son symbolisme numérique et elle s'inscrit, parfaitement polarisée par la création et l'eschatologie, dans la triplication structurelle des Parties de l'Epître.

A l'intérieur de cette triplication et comme un de ses éléments constitutifs, on remarque la répétition de synthèses historiques fortement polarisées, qui s'expriment de préférence par des "couples de totalité". Or, ces couples de totalité ou constituent des unités structurelles (petites unités ou segments) ou s'inscrivent dans des lieux privilégiés de la surface du texte (cf. l'axe fondamental *teleioun*). L'isotopie générale entre ces divers couples de totalité accentue l'expression fortement bipolaire et totalitaire de la pensée théologique de l'auteur.

Du fait de cette unification structurale de la pensée et de sa mise en valeur structurelle, l'argumentation théologique ne peut ni ne doit se baser sur le contenu d'expressions "isolées", démembrées de leurs rapports structurels ou structuraux. L'argumentation peut et doit légitimement se fonder sur des rapports structurels (structure de surface d'une unité ou symétrie de deux unités) ou bien sur des rapports structuraux (schémas historiques ou biographiques, notamment les schémas actantiels des Couples de totalité).

Prenons l'exemple de l'unité centrale de la Section 9 : elle présente une synthèse biographique de Jésus Christ, polarisée par le "Je suis venu ..." et le "il s'est assis ..." ou équivalemment par "offrande" et "sacrifice". C'est donc l'ensemble de cette structure qui fait argument, et non pas l'un ou l'autre de ses éléments pris séparément. Aussi réduire le sacerdoce du Christ à sa seule mort –session est impossible: son "sacrifice" (sanglant) est l'achèvement d'une "offrande" (non sanglante) commencée dès l'incarnation: "l'une fois pour toutes" de la dédition dès l'incarnation assure l'unité d'une vie polarisée par "une unique offrande" et "un unique sacrifice" (10,4-14) !

La situation structurelle d'un passage - son "Sitz im Text", si l'on veut - participe à l'expression et à la valorisation de la théologie de l'auteur. Tout progrès dans l'élaboration de la structure de surface est donc un progrès *radical* dans l'élaboration de sa théologie.

L'optimum d'expression de la structure profonde par la structure de surface se réalise par la graphie ou *la structure "iconale"* du texte. C'est-à-dire quand la structure graphique est une "icône" de la structure sémantique.

Cette possibilité se fonde sur la virtualité iconale de la structure de surface, surtout géométrisée . La structuration géométrique d'une surface rédactionnelle offre en effet tout un jeu de lieux stratégiques en appel de sens (20).

En fait nous relevons dans l'Epître aux Hébreux les structures suivantes de caractère iconal:

1. L'équilibre symétrique des Ière et IIIème Parties (de 2 Colonnes) accentue l'importance et la valeur centrale de la IIème Partie (de 3 Colonnes), notamment de sa Colonne centrale et donc de toute l'Epître - Colonne où est développé le "Point capital" du changement d'Alliance qui marque le centre de ses deux Sections: "Voici l'Alliance par laquelle je m'allierai ..." et "Voici le sang de l'Alliance que prescrivit Dieu ..." (8,10 et 9,20).

2. Le nombre *sept* des Colonnes valorise le symbolisme important de l'exemplaire divin de la "semaine créatrice" et du "repos" du septième jour. La répartition du nombre des Sections dans les trois Parties, *quatre + six + quatre* , expression gématrique du nom de "David" (cf. 4,7a et 11,32c), pourrait souligner le thème royal associé au sacerdoce du Fils de Dieu (cf. 1,8-9; 7,2bc; 12,28).

3. *"L'Icône Xristique"* récapitule et accentue la structure iconale de l'Epître. Le titre de "Xrist", nommé en plein centre structurel de l'Epître, étend sur la Partie centrale l'immense griffe iconale de son "χ", que pointent sur une branche la double mention du "Fils de Dieu" et sur l'autre branche la mention dédoublée de "Notre Seigneur / Jésus Christ".

Cette "Icône Xristique" dévoile la structure cryptographique des 7 Colonnes de l'Epître, puisque son "χ" n'apparaît que lorsque ses 14 Sections sont "adaptées" en 7 Colonnes, pour reprendre une expression chère à l'auteur. L'Icône atteste la valeur centrale de la IIème Partie dont sa griffe puissante enserre l'unité.

Signe de l'écriture de l'auteur, elle porte des affirmations capitales de sa théologie. Ses deux branches réfèrent explicitement aux deux pôles de la vie de Jésus, attestant l'importance de sa vie terrestre: l'une réfère à sa *Passion*: sa "croix" et son "Sang"; et l'autre, à son *Incarnation*: sa naissance "de Juda" et son "Corps". Nous avons ainsi un exemple central de l'écriture polarisée en "couples de totalité" de l'auteur. Et doublement, d'un couple de totalité biographique, naissance-croix, et d'un couple de totalité *eucharistique*, "Corps-Sang" (10,10a.29c). Exemple encore en cela de l'isotopie de couples de totalité: le couple eucharistique est l'équivalent du couple biographique, c'est-à-dire que l'Eucharistie est sacrement de toute la vie du Christ. Par ailleurs, le "Fils de Dieu" est nommé dans la Trinité et corrélativement ce Fils d'homme est déclaré faire le changement d'Alliance: le "lever" de Notre-Seigneur est "introduction" de la nouvelle Alliance, tandis que "l'entrée" dans le monde de Jésus Christ est "enlèvement " de l'ancienne.

Enfin, cette "Icône Xristique" a valeur d'icône pour le phénomène littéraire de l'*inversion*, une des manifestations de la "circularité",si fréquente dans l'Epître. La branche,finale et négative, de la Passion méprisée par le pêcheur est, en effet, citée *avant* la branche, initiale et positive, de l'Incarnation assumée par le Sauveur. Cette inversion reflète en plein centre l'inversion du thème pérégrinal des Parties extrêmes, où prédomine en la première "l'Entrer", final et négatif, refusé aux israélites pêcheurs - et en la dernière le "Sortir", initial et positif, entrepris par les justes fidèles.

Tous traits qui attestent de l'Auteur de l'Epître aux Hébreux, la maîtrise littéraire et le raffinement artistique d'un puissant théologien et d'un génial architecte du texte !

→ → →

OUVERTURE

La *Synopse structurelle* offre désormais au groupe-lecteur ecclésial
en sa structure géométrique et symbolique, une lecture renouvelée de l'Epître
aux Hébreux. Un maître a accompagné notre cheminement, A. Vanhoye: il nous
avait présenté le meilleur modèle de départ, étape déjà avancée de la structuration de l'Epître. Nous lui adressons nos remerciements, comme lui-même
les avait adressés à ses maîtres, L. Vaganay et F. Thien (1). En cette tradi-
tion, chacun a personnalisé sa lecture et marqué son *écart*, lui par rapport
à eux et nous par rapport à lui. Tous enrichis et enrichissants. Peut-être
cette *Synopse* ralliera-t-elle ceux qui restaient réservés sur la structuration de A. Vanhoye (2).

Après cette recherche de la "structure de surface" toujours à affiner,
se présente maintenant la recherche de la "structure profonde" de l'Epître
et de la Théologie qui sourd de leur unité textuelle.

Nous permettra-t-on un souhait ambitieux: que s'ouvre une ère nouvelle
dans la présentation des textes bibliques ! Que cette *Synopse structurelle* de
l'Epître aux Hébreux soit suivie des *Synopses structurelles* des Evangiles,
des Actes des Apôtres, de l'Apocalypse - que nous pressentons de semblable
structure synoptique - et, pour autant qu'ils s'y prêteraient, d'autres
Livres de la Bible (3) ! Synopses où la Liturgie trouverait des péricopes à
l'exacte découpe - et l'Ecriture, ses articulations structurelles en leur
transparence graphique !
Synopses qui offriraient comme tout texte *"une infinité de lectures"*
- tel un diamant ou un vitrail l'infinité de leurs feux, rayonnements mobiles
de leur immobile structure, habitée par la Lumière ...

Paris, 4 octobre 1979
32 rue Boissonade   75014

NOTES

INTRODUCTION

[3](1) Les références les plus fréquentes se font aux deux ouvrages suivants de
A. VANHOYE :
   1. *La Structure littéraire de l'Epître aux Hébreux.* Collection "Studia
neotestamentica. Studia 1 ". Desclée de Brouwer, Paris-Bruges, 1963, 285 pp.
Une deuxième édition a été publiée chez le même éditeur, hors Collection,
en 1976. Elle comporte désormais 331 pp. A part quelques légères modifications, elle reproduit jusqu'à la page 260 la pagination antérieure. S'y
ajoutent: des *Notes* plus importantes, réunies en *Appendice*, pp. 261-269;
et le *Texte grec structuré*, pp. 271-303, indiqué plus loin. Nous ne préciserons donc l'édition, d'ordinaire la deuxième, que lorsque le premier
texte a été revu ou augmenté. Nous siglons cet ouvrage: S L E H .
   2. *Situation du Christ. Hébreux 1-2.* Collection "Lectio divina", n° 58.
Paris, Cerf, 1969, 403 pp. Nous siglons: S d C .

[3](2) SLEH, p. 50.

[3](3) SLEH, pp. 50-52 et 225-258.

[3](4) Dans la Préface à cet ouvrage, p. 8.

[3](5) Presque tous déjà signalés dans SLEH[2], p. 310. A savoir:
New Catholic Encyclopedia, art. "Hebrews, Epistle to the" (C.H.GIBLIN), VI
(1967) 978-981 – *Manual Biblico*, "Carta a los Hebreos" (M.A. PATTON), vol.4
(Madrid 1968) – *Traduction Oecuménique de la Bible, Epître aux Hébreux,*
Paris (1969) 19-20; *Nouveau Testament,* Paris (1972) 668 – *A New Catholic
Commentary on Holy Scripture*, CODY A., Londres 1969, pp. 1220-1239 –
SMITH J., *A Priest for ever*, Londres et Sydney 1969 – ANDRIESSEN P. – LENGLET
A., *De Brief aan de Hebreeën,* (Het Nieuwe Testament), Roermond 1971 –
SCHMID J., dans A. Wikenhauser – J. Schmid, *Einleitung in das Neue Testament,*
Fribourg-en-Br., etc., Herder 1973[6].

[4](6) Cette ligne de clivage correspond à la séparation entre:
   - le Préambule et la première section (A), pour notre Colonne 3 ;
   - les paragraphes 1 et 2 de la 2ème section (B), pour notre Colonne 4 ;
   - la troisième section (C) et l'Exhortation, pour notre Colonne 5.

[4](7) Les deux sections (A) et (B) de la 2ème Partie (3,1 – 4,14 et 4,15 – 5,10)
comptent 538 et 193 mots; les deux sections de la 4ème Partie (11,1-40 et
(12,1-13) en comptent 633 et 228 !

[4](8) A vrai dire nous avions déjà utilisé l'essentiel du procédé pour notre
"Synopse structurelle de l'Evangile de s. Jean", mais c'est avec son application à l'Epître aux Hébreux que nous l'avons développé, précisé et théo-
risé en Méthode générale.

[5](1) N. MOULOUD, en collaboration à l'Article "Modèle", dans *Encyclopaedia Universalis*, Vol. 11, 1971, p. 132.

[6](2) Albert VANHOYE, sj., *Traduction structurée de l'Epître aux Hébreux*, Institut Biblique Pontifical, Rome, 1963, 37 pp. Et: *Epître aux Hébreux. Texte grec structuré*, ib., 1967, 39pp.

Au plan méthodologique, l'emploi que nous faisons d'un texte déjà structuré se légitime par la valeur que nous lui donnons ainsi d'une *étape*, possible et valide, qui aurait été atteinte par une mise au point progressive d'une première structuration qui, théoriquement, aurait été établie à partir du texte à l'état brut.

[6](3). Ainsi un même élément de phrase - comme la citation: "Tu es mon Fils, moi aujourd'hui je t'ai engendré" - sera-t-il divisé en un ou deux stiques (en 1,5 et 5,5) en raison de l'équilibre structurel interne ou externe de l'unité littéraire en cause. Pour satisfaire pareillement cet équilibre, une unité rédactionnelle, comme (1,7-12) ou (3,12-19), sera disposée de façon apparemment ex-centrique dans la surface rédactionnelle pour y placer vraiment au centre les versets réellement centraux dans la structure de la Section, à savoir 1,7-9 ou 3,12-14.

[7](4) C'est l'édition avec laquelle nous avons commencé nos recherches et calculé nos statistiques. L'emploi d'une édition critique plus récente - comme celle de K. ALAND, etc., *The Greek New Testament* (United Bible Societies), 1977[3] - aurait entraîné nombre de modifications de vocabulaire ou de ponctuation, dont quelques unes importantes: cet emploi cependant n'aurait en rien changé la structuration de notre Synopse.

[7](5) Cf. *Concordance de la Bible. Nouveau Testament...* Ed. du Cerf - Desclée de Brouwer, 1970, pp. XXIII-XXIX.

[8](6) F. RASTIER, "Systématique des isotopies", dans *Essais de Sémiotique Poétique*, en collaboration. Paris, Larousse, 1972, p. 82. L'Analyse structurelle tient compte à la fois de la *forme* et du *contenu*, tout en n'étant pas structurale. Le principe d'analyse exprimé par J. SWETNAM lui convient parfaitement: *"Rather than establish form on purely formal principles, it would seem preferable to establish form on formal principles but in light of content, just as content should be studied on the basis of content but in the light of form"*, dans "Form and Content in Hebrews 1 - 6", *Bib.* 53 (3,1972) 369.

[9](7) La "trichotomie" apparaît comme le *minimum optimal* théorique de la division d'une unité rédactionnelle permettant la symétrie fondamentale *concentrique*, relation de deux extrêmes autour d'un centre. Elle peut aussi être considérée comme la réduction d'une division plus complexe, en cinq par exemple: c'est le développement de l'analyse qui permet de le préciser. En fait, la trichotomie est souvent postulée par la division littéraire du texte de l'Epître et ne pose pas de problème en nombre de cas. Cependant dans notre première Partie la répartition des unités en trois segments structurels crée des difficultés de frontière: on les résout pragmatiquement jusqu'à meilleure solution. Remarquons à ce propos que des Méthodes d'Analyse structurale présentées par des auteurs récents se basent sur une organisation théorique *ternaire* du texte et de ses composantes: ainsi Antoine DELZANT, *La communi-*

cation de Dieu, Cerf (Cogitatio Fidei, 92), 1978, pp. 331-353 - Guy LAFON, *Esquisses pour un christianisme*, Cerf (Cogitatio Fidei, 96), 1979, pp. 119-131.

[10] (8) Dans une unité littéraire continue, la symétrie parfaitement concentrique est celle qui possède un centre littéraire réel. Il n'est pas nécessaire cependant, semble-t-il, de forcer la distinction entre la symétrie concentrique qui n'a pas de centre réel littérairement distinct (schéma: a b c : c'b'a') et la symétrie concentrique qui en possède un (schéma: a b c ✦ c'b'a'). L'une et l'autre symétrie en effet peuvent être considérée comme le *cas limite* de l'autre. Ainsi la première est le cas limite de la seconde, lorsque ✦ y est *nul*; à l'inverse, la seconde est le cas limite de la première, lorsque c et c' y comprennent un élément *identique* central isolable ✦ .

[10] (9) La première formule ci-dessus (a b a : b' a' b') est en effet le *cas limite* de la seconde formule (a bc d : b' a'd' c'), à savoir quand les deux lettres des centres sont identiques, c'est-à-dire quand c = b et d' = a', et que par conséquent d = a et c' = b'.

(10) Pour cette analyse de toutes les combinaisons possibles, cf. Louis DUSSAUT, *Synopse structurelle de l'Epître aux Hébreux. Approche d'Analyse structurelle*. Thèse de Doctorat de Théologie, Institut Catholique de Paris, 1978.

(11) Cf. les réflexions de Jean-Paul SARTRE sur la "différence énorme entre la parole et l'écriture", du fait que "ce qu'on écrit, on le relit ..."; notamment: *"... le travail du style ne consiste pas tant à ciseler une phrase qu'à conserver en permanence dans son esprit la totalité de la scène, du chapitre et, au-delà, du livre en entier. Si vous avez cette totalité, vous écrivez la bonne phrase. Si vous ne l'avez pas, votre phrase détonnera ou paraîtra gratuite"* (nous soulignons): dans "Ce que je suis ", *Nouvel Observateur*, du 23 au 29 juin 1975, pp. 67-70.

(12) J. BERTIN dans l'article "Graphique (représentation)" de l'*Encyclopaedia Universalis*, Vol. 7 (1970) p. 956. Voir Roger BELLONE, "Le mythe de l'objectif normal", dans *Science et Vie*, sept. 1975, pp. 119-121.

(13) A. VANHOYE emploie ces artifices dans son livre-maître *La structure littéraire de l'Epître aux Hébreux*, dans sa traduction courante et dans son résumé, pp. 53-58, puis dans ses traductions structurées, citées ici à la note (2). J. RADERMAKERS l'a imité dans : 1. *Au fil de l'Evangile selon s. Matthieu*. 2 vol. T.I: Texte, 96 pp.: T.II: Lecture continue, 400 pp. Institut d'Etudes Théologiques. Louvain, 1972 - 2. *La Bonne Nouvelle de Jésus selon s. Marc*. 2 vol. T.I: Texte, 80 pp.; T.II: Lecture continue, 448 pp. Ib., Bruxelles, 1975. D'autres ont suivi, comme F. ROUSSEAU, "La femme adultère. Structure de Jn 7,53 - 8,11." *Bib.* 59 (4,1978) 463-480, notamment pp. 465s et 478s. - Philippe ROLLAND, *Epître aux Romains. Texte grec structuré*. Roma (P.I.B.), 1980.

[19] (1) Précisons la signification des indications statistiques. La statistique n'a en rien contribué à la structuration de notre *Synopse*. Celle-ci achevée, nous avons comparé les données statistiques avec les divisions synoptiques. D'où les constatations *a posteriori* à valeur d'indications pour d'autres recherches: la densité verbale des Sections est très inégale; les péricopes ou les segments sont fréquemment équilibrés dans leur Section; ici une Section dense suit une Section faible très régulièrement, en *quinconce*.
   Cf. Annexe : Vocabulaire caractéristique.

[19] (2) SLEH, p. 65 : A. Vanhoye cite l'opinion de F. Blass et A. Debrunner.

[20] (3) C. SPICQ, T. II, p. 2. Sous le nom de cet auteur sera indiquée sa volumineuse étude: *L'Epître aux Hébreux*. T.I: Introduction, 445 pp.; T.II: Commentaire. Collection "Etudes Bibliques". Paris, Gabalda et Cie, 1952 et 1953. Une édition résumée vient d'être publiée: *L'Epître aux Hébreux. Traduction, notes critiques, commentaire*. Id., 1977, 236 pp.

[20] (4) L'Introduction compte 72 mots: ils se répartissent de façon égale (31 + 31) de chaque côté de la définition centrale (10 mots). Cf. SdC, 13 (4).

[20] (5) Cf Louis DUSSAUT, *L'Eucharistie, Pâques de toute la vie. Diachronie symbolique de l'Eucharistie*. Collection "Lectio Divina, n° 74". Paris, Cerf, 1972, chapitre premier, pp. 15-21. L'Epître aux Hébreux est le texte du N.T. qui utilise le plus ce genre littéraire du "couple de totalité".

[20] (6) Sdc, p. 61.

[20] (7) En faveur d'un emprunt à un Hymne citons, entre autres: G. BORNKAMM, "Das Bekenntnis im Hebra"erbrief", *Theol.Blätter* 21 (1942) pp. 56-66; repris dans *Studien zu Antike und Christentum*, München, Kaiser Verlag, 1963, pp. 188-203 - R. DEICHGRAEBER, *Gottes hymnus und Christus hymnus in der frühen Christenheit*, G"ottingen, 1967, pp. 137-140 - J.T. SANDERS, *The New Testament Christological Hymns. Their Historical Religious Background*. New York London, Cambridge University Press, 1971, pp. 19s, 92-94.
   En défaveur: H. LANGKAMMER, "Problemy literackie i genetyczne w Hbr 1,1-4 (Literarische und genetische probleme in Hbr 1,1-4)", *Roczniki Teologiczno - Kanoniczne* 16 (1969) 77-112 - D.W.B. ROBINSON, "The Literary Structure of Hebrews 1 : 1-4 ", *Aus.Journ.Bib.Arch.* 2 (1,1972) 178-186 - M. GOURGUES, *A la droite de Dieu. Résurrection de Jésus et actualisation du Psaume 110:1 dans le Nouveau Testament*. Etudes Bibliques. J. Gabalda et Cie, 1978, pp. 106-11

[20] (8) Il y a sept citations ou huit, si l'on tient compte du dédoublement de Ps 45,7-8 en He 1,8b.8c-9. Sur cette "chaîne", cf. J.W. THOMPSON, "The Structure and Purpose of the Catena in Heb 1:5-13 ", *Cath.Bib.Quart.* 38 (3,1976) 352-363.

[21] (9) SdC, pp. 152-169. Cf. A. VITTI, "Et cum iterum introducit primogenitum in orbem terrae (Hebr 1,6) ", *Verb.Dom.* 14 (1934) 306-316, 368-374 et 15 (1935) 15-21 - P. ANDRIESSEN, "De Beteknis van Hebr. I,6 ", *Stud.Cath.* 35 (1960) 2-13 - A. VANHOYE, "L'οἰκουμένη dans l'Epître aux Hébreux", *Bibl.* 45 (1964) 248-253 - G. JOHNSTON, " OIKOYMENH and ΚΟΣΜΟΣ in the N.T.", *New Test.Stud.* 10 (3,1964) 352-360 - P.C.B. ANDRIESSEN, "La teneur Judéo-chrétienne de HE I 6 et II 14 B - III 2 ", *Nov.Test.* 18 (4,1976) 293-313.

[22] (10) La remarque de P. LACAN, osb, sur la symétrie concentrique due à l'alternance de la 3ème personne (eux) et de la 2ème personne (Toi) - cf. SLEH[2],

p. 264 (p.73*) - peut encore être précisée par l'alternance des futurs et
des présents, comme suit :

    1,11a Futur (eux) - présent (Toi)
       b   futur (eux) ὡς
     12a   futur (Toi) ὡσει
       b   futur (eux) ὡς
       c   Présent (Toi) - futur *(Toi)*

[23] (11) L'expression *"placé héritier"*, unique dans la N.T. et la LXX, est manifestement inspirée par *"place(ra) tes ennemis en escabeau…"*. Elle souligne
l'intention de concentrie, d'autant que ce sera en "plaçant les ennemis"
sous les pieds du Fils que Dieu le "placera" "héritier de tout" (2/2,8).

[24] (12) Cf. Annexe : Vocabulaire caractéristique.

[24] (12bis) L'expression "commencement reçu" réfère vraisemblablement à la Genèse
(1,1 et 2,3). Cf. A. VANHOYE, SdC, p. 242 - A. FEUILLET, "Le 'commencement'
de l'Economie chrétienne d'après He ii. 3-4; Mc i.1 et Act i.1-2 " *New Test.
Stud.* 24 (2,1978) 163-174. Le Seigneur est le commenceur de l'Eglise comme
il est le commenceur de la première création (1,10 et 2,3b).

[25] (13) cf. SLEH, p. 76. Repris par P. AUFFRET, "Note sur la structure littéraire
d' HB II. 1-4 ", *New Test.Stud.* 25 (2,1979) 166-179.

[26] (14) SdC, pp. 274 s.

[26] (15) *"Il faut tenir compte de la métaphore de la marche évoquée par* ἄγω, *qui
signifie à la fois 'conduire, guider', puis avec l'idée d'autorité 'gouver-
ner, commander', et au figuré à propos d'éducation 'diriger, former, élever'
(…) La traduction obvie de* τελειοῦν *'achever, compléter' doit, elle aussi,
s'adapter à la métaphore de l'* ἀρχηγὸν, ἀγαγόντα : *'par les souffrances,
Jésus est conduit au point final de sa vie' (cf. Lc 13,32)".* C. SPICQ, T.II,
p. 39 - M. GOURGUES, *A la droite de Dieu* …, pp. 242s , estime que le titre
d'*Archégos* est le plus apte à remplacer le symbole de la "Session à la droite
de Dieu"; opinion que critique F.-D. BOESPFLUG, "Il est assis à la droite
de Dieu", *Foi et Langage* 3 (2,1979) 111-124.

[26] (16) Sur la variante "sans/sauf Dieu", cf. SdC, pp. 295-299. En faveur de cette
leçon *difficilior*, cf. O'NEIL, "Hebrews II.9", *Journ.Theol.Stud.* 17 (1,1966)
79-82 - J.K. ELLIOTT, "When Jesus was Apart from God : an Examination of
He 2 : 9.", *Exp.Times* 83 (11,1972) 339-341.

[27] (17) L'expression, unique dans le N.T., de τὸ πάθημα τοῦ θανάτου permet la concentrie: a. interne au segment central, avec l'expression plus large "par
les souffrances": la souffrance(passion) de la mort est la dernière d'une
série, celles de la vie, parvenue désormais à son terme qui est sommet ;
b. interne au bisegment final, où est finalement encore évoqué "ce qu'a
souffert" Jésus Grand-prêtre.

[27] (18) L'expression ἐξ ἑνὸς πάντες est malaisée à préciser, cf. SdC, pp. 331-334.
Une interprétation globale serait conforme à la mentalité de l'Auteur de l'
E p î tre:Dieu est l'origine, comme créateur de l'humanité (Adam)qu'assume
Jésus - et comme fondateur de l'Alliance (Abraham) qu'amène à sa perfection
Jésus; en raison de l'évocation de la "sainteté" on peut aussi penser à Dieu,
principe de sanctification, comme l'explicitera 12/12,10d. Ainsi s'unifie en
Dieu, origine et fin, les divers aspects, corporels et spirituels, de la destinée
de toute l'Humanité dont Jésus est constitué l'*Archégon*.

[27] (19) SLEH, p. 80 (1).

[30] (20) SdC, pp. 350-352.

[31] (21) Le vocable "Anges" est employé 6 + 5 = 11 fois en cette Colonne sur 13 occurrences de l'Epître, auxquelles il faut ajouter, ici encore en 2,14e , l'hapax "Diable" et, en 7/9,5a au centre de l'Epître, l'hapax "Chérubins".

[31] (22) Par ce qualificatif de *"quadripolaire"* nous caractérisons des vocables qui se trouvent, comme le vocable "Anges" en ces deux Sections, comme aux *quatre coins* de la surface formée par la confrontation de deux Sections.
    SLEH, p. 38 (2), note l'inclusion "plus stricte" entre 1,5 et 1,13 et entre 2,5 et 2,16 mais sans relever cette valeur caractéristique.

[33] (23) Cf. Annexe : Vocabulaire caractéristique.

[33] (24) A propos de ces versets que nous plaçons au centre, A. Vanhoye remarque : "de lui (du verset 3) tout l'ensemble dépend" et "le v. 4 forme la charnière de l'argumentation" (SLEH, P. 89s et 265² (p. 88*). Sur cette péricope, cf. P. AUFFRET, "Essai sur la structure littéraire et l'interprétation de He 3,1-6", *New Test.Stud.* 26 (3,1980) 380-396.

[33] (25) A. VANHOYE, "Jesus 'fidelis ei qui fecit eum' (Heb. 3,2)", *Verb.Dom.* 45 (5-6,1967) 291-305; repris dans SLEH², p. 264 (p. 38*). Mieux sans doute : "accrédité" parce que "fidèle" en toute son existence.

[34] (26) Cf. A. VANHOYE, "Longue marche ou accès tout proche ? Le contexte biblique de He 3,7 - 4,11", *Bibl.* 49 (1,1968) 9-26 : l'évènement envisagé en 3,8b-9 ne serait pas "Massah et Méribah" mais "le refus d'entrer en Canaan"; l'auteur "ne situe pas les chrétiens en plein désert mais au contact de la terre promise. Le thème de la pérégrination n'apparaît pas" (ib., p. 24). Cet article n'est pas mentionné dans SLEH² (1976), mais il l'est dans *Introduction à la Bible* (1977), T. III, vol. 3, p. 226. Cette interprétation nous paraît par trop restrictive.

[34] (27) SLEH, p. 93.

[34] (28) "... il faut alors expliquer pourquoi l'auteur a modifié de la sorte son texte. On se perd en conjectures " (SLEH, p. 93).

[35] (29) C. SPICQ, II, p. 78. Cité dans SLEH, p. 94 et (3).

[36] (30) SLEH, p. 95.

[36] (31) Nous développons légèrement l'exposé de SLEH, p. 98.

[37] (32) La correspondance est soulignée par l'emploi de πάντα et de πάντων, d'autant que c'est là l'unique emploi du qualificatif "toutes" avec "oeuvres" dans l'Epître.

[38] (33) Remarquer l'usage "quadripolaire" de verbes composés en κατα- : κατανοήσατε - κατάσχομεν + καταλειπομένης - κατάπαυσίν . Cet usage est renforcé au centre, ici, par les trois occurrences de κατασκευάζειν et, là, par les deux de κατάπαυσίν !

[38] (34) La précision "au temps de l'exaspération" de 3,15c est placée dans le premier tercet et non pas dans le deuxième comme en 3,8b pour obtenir et manifester la similitude structurelle entre les trois tercets suivants: leur premier stique comporte la question et le deuxième les pécheurs en cause.

[39] (35) Cf. Annexe : Vocabulaire caractéristique.

[39] (35 bis) La suggestion de A. Vanhoye que "Celui qui entra dans son repos" désignerait le Christ est intéressante, cf. SLEH, pp. 98-100. Pourtant l'inhabituel singulier pour désigner les chrétiens ayant accès à Dieu s'explique fort bien par la comparaison avec Dieu, personne singulière, et par l'application immédiate au "peuple de Dieu", singulier collectif. A l'inverse l'Auteur utilise, avec le singulier, le pluriel pour désigner les éventuelles défaillances de chrétiens (cf. 2,3a; 6,6acd; 12,25ade; 13,4).

[40] (36) D'après P. PROULX - L. ALONSO-SCHÖKEL, "He 4,12-13. Componentes y estructura", *Bibl* 54 (1973,3) 331-339. Utilisé aussi par A. VANHOYE, "La Parole qui juge, He 4,12-13", *Assemblées du Seigneur 59*, Paris, Cerf, 1974, pp. 36-42. Voir aussi L.E. KERK, "The presence of God Through Scripture", *Lex.Theol.Quart.* 10 (3,1975) 10-18.

[40] (37) Sur la diversité des positions des Commentateurs concernant la répartition et le rôle de ces versets, cf. SLEH, p. 104 (3). Notre "Synopse" aborde ces problèmes dans une perspective renouvelée.

[41] (38) A. Vanhoye, qui isole 4,14, a pourtant reconnu la forte unité littéraire de 4,14-16: "La ressemblance de ton entre 4,14 et 4,15-16 est telle que l'on passe d'un sujet à l'autre sans presque s'en apercevoir"; à propos des vv. 15-16, il remarque: "leur structure reproduit, en l'amplifiant, celle du v. 14.", SLEH, p. 105. Aussi, dans sa deuxième édition, concède-t-il: "On peut, si on le préfère, considérer 4,14-16 comme un court paragraphe de transition entre les deux Sections de la deuxième Partie...", SLEH[2], p. 264 (p. 41*).

[41] (39) SLEH, p. 109. Voir aussi: A. VANHOYE, "Situation et signification de Hébreux V,1-10.", *N.T.Stud.* 23 (1977) 445-456.

[42] (40) Sur la position des Commentateurs concernant le rapport des deux citations et sur la position de A. Vanhoye, pour qui "la seconde citation ... constitue seule ... l'argument scripturaire", cf. SLEH, pp. 111-113.

[42] (41) "δέησις et ἱκεσία est de style dans les pétitions à l'empereur ou à un haut fonctionnaire"; προσαγορεύω, hapax du N.T., avec le sens de "décerner un titre". C. SPICQ, II, pp. 112 et 119.

[42] (42) Cf. A. FEUILLET, "L'évocation de l'agonie de Gethsémani dans l'Epître aux Hébreux (5,7-8)", *Esp.Vie* 86 (5,1976) 49-53. S'oppose à P. ANDRIESSEN, "Angoisse de la mort dans l'Epître aux Hébreux", *Nouv.Rev.Théol.* 96 (3,1974) 282-292, qui soutient la traduction: "exaucé *après* avoir enduré l'angoisse".

[43] (43) Le seul autre usage de πρός avec λαλεῖν se rencontre en 11/11,18, sa Section concentrique; comme ici en 5,5c il s'agit d'une naissance; ici, du Christ, là, d'Isaac. Constatation curieuse! les six occurrences de *dire, parler* et *parole*, sont concentriques dans cette Section:

λέγων - ἐλάλει - ὁ λόγος - ὁ λόγος - ὁ λαλήσας - λέγει.
Relevons aussi la concentrie des deux hapax du N.T. que sont διϊκνούμενος (un usage dans la LXX) et ἱκετηρία (deux usages dans la LXX).
Par ailleurs, les segments initial et final composés par ces péricopes, (4,6-13) et (5,5-10) présentent de si nombreux éléments de symétrie parallèle, qu'on se doit de les signaler fût-ce sans commentaire:

- ici : λέγων … καθὼς - σήμερον / ἄλλης ἐλάλει …
    ἐνεργὴς … διϊκνούμενος … τε καὶ / πάντα …
- là : ὁ λαλήσας … - σήμερον / καθὼς … ἐν ἑτέρῳ λέγει …
    τε καὶ ἱκετηρίας … ἰσχυρᾶς … / πᾶσιν … …

Ces éléments de symétrie renforcent la similitude et par suite la concentrie globale des segments extrêmes qui se poursuit dans le segment central.

[44] (44) Les deux syntagmes καθὼς λέγει et καθὼς… λέγει sont des éléments caractéristiques de la concentrie, comme le seront dans les péricopes centrales de la Colonne καθὼς εἴρηκεν et καθὼς προείρηται, en 4,3b et 7b: tant les verbes que leurs temps sont en concentrie, et ce sont les seules fois avec cette particule. Le seul autre emploi de cette particule se fait avec κεχρημάτισται, en 8,5b .

[45] (45) Εὐαγγελίζειν est un doublet occurrentiel: il est utilisé d'abord pour les chrétiens ("nous comme eux", 4,2a), puis pour les israélites ("les premiers …", 4,6b). Cf. note précédente.

[47] (46) τετραχηλισμένα comporte l'idée de soumission, du vaincu ou de la victime dont le cou est exposé.

[49] (47) La crainte de la mort est connotée par le v. 7c ou, selon l'opinion de certains favorisée par ce parallélisme, exprimée par le mot εὐλαβεία : cf. note (42).

[49] (48) Si l'on fait jouer en βοηθῆσαι (2/2,18b) l'idée de venir en aide à quelqu'un qui *crie au secours*, on obtient une complémentarité, en fin de ces deux Sections et donc de Colonnes, avec προσαγορευθεὶς (4/5,10a) où Dieu *proclame* le Fils Grand-prêtre, cause de salut.

[50] (49) "jours": les deux seuls usages au pluriel, juste aux extrêmes, sur sept occurrences en cette Partie, dont six dans la deuxième Colonne.

[50] (50) "siècle, αἰων" : avec 1,8b et 5,6b (triangulaires dans ces mêmes Sections 1 et 4), les 4 seuls usages de ce vocable dans la Ière Partie s'y trouvent donc aux extrêmes de celle-ci et, pour le contenu, concentriques entre eux. Ils se rapportent tous les quatre au Fils, Christ.

DEUXIÈME PARTIE

[54] (1) A l'intérieur de ces segments notre structuration est parfois différente, comme différente est parfois notre interprétation structurelle de certains regroupements. Ainsi A. Vanhoye regroupe en un 1er § les deux premiers segments de cette Section, en raison de l'inclusion manifeste de 5,11b avec 6,12a par le mot νωθροί; le 3ème segment constitue son second § . Dans la Section suivante, à l'inverse, le premier segment constitue le 1er § de sa Section A, tandis que les deux autres segments sont groupés en un second §, en raison de l'inclusion manifeste de 7,11a et de 7,28d avec les mots τελείωσις et τετελειωμένον. Nous constaterons pourtant, entre autres, qu'une inclusion lie pareillement le 3ème segment de S⁵ et le 1er segment de S⁶, c'est-à-dire 6,13a et 7,9a avec le mot "Abraham" ! Les premières inclusions constituent pour nous les bisegments initial ou final de leur Section, et la troisième, le bisegment interne à leur Colonne.
    Cf. Annexe: Vocabulaire caractéristique.

[54] (2) A. Vanhoye arrête sa première subdivision pareillement en 6,3 "malgré l'absence d'indice littéraire évident" (SLEH, p. 116). Nous constaterons pourtant une inclusion entre διδάσκαλοι et διδαχῆς (5,12a et 6,2a).

[55] (3) Ces deux derniers mots sont équivalents: leur distinction maintient la dualité d'emploi des autres vocables.

[55] (4) C. SPICQ, I, p. 421 et II, p. 147.

[55] (5) Dans la Synopse nous n'avons pas isolé l'incise "car c'est un enfant": on donne de la sorte la place centrale à l'affirmation: "Des parfaits est la nourriture solide" (5,14a); comme nous la donnerons à l'affirmation: "Vous avez, en effet, besoin d'endurance" (10,36a). Nous obtenons aussi un parallèle avec le centre du premier segment de la Colonne concentrique, dont l'affirmation utilise le même thème: "La Loi jamais ne peut ... conférer l'accomplissement" (10,1e: τελειῶσαι).

[56] (6) SLEH, p. 120. Nous ne suivons pas la subdivision proposée: vv. 4-6/7-8/9-12, ni le schéma (à rectifier comme suit): B /A'B'/ A. En effet, le v. 9 doit être rattaché au v. 7 (cf. H. von SODEN et H. STRATHMANN), et donc référé à l'image de la terre fertile. La place centrale de B' dans notre schéma sera d'ailleurs confirmée par le segment central de la Section 10, concentrique et consacré au jugement.

[56] (7) Y ajouter la semblable formule en chaque péricope: εἰς μετάνοιαν, εἰς καῦσιν et εἰς τὸ ὄνομα. D'autant que cette dernière formule, sans parallèle dans la LXX, ne se retrouve qu'en Jn 1,12 et 2,23 pour désigner la foi au Christ (C. SPICQ, II, p. 157).

[57] (8) La valeur d'inclusion du verbe "devenir" est attestée par la situation de ses occurrences et leur importance thématique. Ce même verbe, nous l'avons vu, est inclusif du segment central. Il paraît un terme inclusif de la première Colonne de chaque Partie.

[57] (9) Ce rôle d'inclusion du verbe ἔχειν est confirmé par ce même rôle dans la Section 10, concentrique, et encore en jeu à propos des chrétiens, tandis que dans la Section suivante 6 l'inclusion jouera à propos du Fils de Dieu. L'idée de *solidité* est exprimée au début par "la nourriture solide, στερεὰ" et à la fin par "l'ancre, ἀσφαλῆ τε καὶ βεβαίαν" (5,12e.14a et 6,19a).

[58] (10) Pour le détail, cf. SLEH, p. 125 (1).- Cf. Annexe: Vocabulaire caractéristique.

[59] (11) "jours" et "vie" expriment une durée en relation à la vie humaine du Christ, dont l'existence de Melchisédech est le type. Ce couple de totalité, expressif de l'éternité, convient parfaitement à Jésus, Fils de Dieu et Fils d'homme.

[59] (12) ᾧ καὶ δεκάτην Ἀβραὰμ ἔδωκεν ... - ὁ δὲ ... δεδεκάτωκεν Ἀβραὰμ : cette inlusion, où Melchisédech et Abraham sont immédiatement en relation, nous paraît plus forte que cette proposée par A. Vanhoye (SLEH, p. 127) entre 7,4b (ci-dessus) et 7,9ab: δι''Ἀβραὰμ καὶ Λευὶ ... δεδεκάτωται ..., où Lévi est en cause, pour marquer l'unité de 7,4-10.

[60] (13) En cette péricope en effet le changement s'exprime par μετατιθεμένης et μετάθεσις, aux extrémités des deux stiques centraux (7,12ab), eux-mêmes encadrés par "autre prêtre" et une "tribu autre" (7,11d.13a). Dans la seconde péricope on trouve seulement: "prêtre autre" et "abrogation, ἀθέτησις" (7,15c et 18a).

(14) La seule autre citation entière se trouvait à la fin de la 1ère Partie, en 4/5,6 : elle est introduite précisément en référence au thème de l'*autre* ("selon ce qui est dit dans un autre endroit"), qui est un thème de notre segment.

(15) Ces deux derniers syntagmes font partie d'une construction concentrique particulièrement remarquable:

- 16a: ... κατὰ νόμον ἐντολῆς σαρκίνης γέγονεν
- b: ... κατὰ δύναμιν ζωῆς ἀκαταλύτου.

- 18a: ἀθέτησις γίνεται προαγούσης ἐντολῆς
- b: ... ἀσθενὲς καὶ ἀνωφελές.

Les deux premiers versets, 16a et 18a, sont négation de l'ancien régime. Le terme ἐντολή possède une certaine ambiguïté: si le premier usage ici vise immédiatement la loi héréditaire sacerdotale, la précision κατὰ νόμον, en référant ce commandement à la Loi dont elle constitue un article fondamental, permet d'entendre le deuxième usage dans un sens global visant à la fois la loi héréditaire et la Loi elle-même (cf. 8/9,19a.20). Trois termes sont concentriques en ces versets: *entolè* - charnelle - devenu ✦ devient (de 1a) - précédante - *entolè*. Le qualificatif de "charnelle" joue ainsi pour la loi héréditaire sacerdotale et pour la Loi elle-même (cf. 7/9,10b). Les seconds versets sont, l'un, positif pour le nouveau régime et, l'autre, encore négatif pour l'ancien: on trouve l'opposition de "puissance" avec "faible", et de "indestructible" avec "inutile".

(16) Ces deux derniers termes, en effet, se rejoignent par leur racine ἄγειν, qui fait jouer l'idée de *marche* et d'*entrée* (cf. 2,10). Le second terme, hapax biblique, qui peut s'entendre de l'introduction d'une autre femme dans sa maison, "autorise à interpréter ἐπί (sur, à la suite) comme soulignant la relation du nouvel ordre à l'ancien. Il s'agit d'une substitution" (C. SPICQ, II, p. 194). Joue donc ici l'opposition, inclusive de la Section, de πρῶτον (ou πρότερον) - ἔπειτα (7,2bc et 27bc).

On notera la semblable opposition entre les mots ἐντολῆς et ἐλπίδος. Le Christ est cette espérance personnifiée: elle *entre* avec son *introduction* (7,19 et 10,5 : concentriques) en ce monde, et comme lui *entre* au-delà du Voile au ciel (6,19-20 et 10,19-20 : concentriques). Voilà encore une formulation de totalité: de son incarnation à sa session le Christ est déjà notre espérance.

(16 bis) ἀνιστάναι : faire lever ou se lever. Très fréquemment, comme "sortir", au sens de commencer à agir (Mc 7,24; Lc 4,38; Jn 11,31; Ac 1,15 et 5,34), notamment se manifester en public (Ac 5,36 7,18 etc.; Rm 15,12). Le sens de ressusciter fait, fût-ce implicitement, jouer le couple de totalité "se coucher - se lever", comme fin du repos de la mort ou début d'une nouvelle vie (Mt 12,41; Mc 8,31 9,9.31 etc.; Lc 9,8 16,31; Jn 6,39.44.54 11,23; etc.). La "session" du Christ au ciel, en tant que repos après l'activité terrestre (He 1,3.13 8,1 10,11-13 et 12,2), se réfère à un couple semblable, inverse: "se lever - s'asseoir".

Par ailleurs, "ἀνατολή (Lc 1,78; Jr 23,5; Za 3,8 6,12) et ἀνατέλλω (Nb 24,17; Is 45,8; Ml 4,2)sont des termes messianiques" (C. SPICQ, II, p. 190). En Nb 24,17 et Jr 23,5 est en même temps utilisé ἀνιστάναι, employé seul en Is 11,10 (cf. Rm 15,12). La naissance du Messie, alors souvent signifiée comme celle d'un *rejeton*, laisse soupçonner le rapprochement entre 7,14 et 6,7-8 (concentriques colomnaux).

[61] (17) Manifestement lié à παραμένειν, ἀπαράβατον (hapax biblique) doit recevoir "un sens dérivé qui n'est pas attesté par ailleurs", remarque C. SPICQ, II, p. 196. Il traduit "intransmissible"; A. Vanhoye, "indépassable"; la TOB, "exclusif".

[62] (18) Pour les diverses interprétations, cf. C. SPICQ, II, pp. 201-202. En réalité καθ᾽ ἡμέραν et ἐφάπαξ s'opposent ici, pensons-nous, non pas comme une durée à un moment ("un seul acte de Jésus","son unique montée sur la croix", comme s'exprime C. SPICQ, ib., p. 203), mais comme la multiplicité à l'unicité, c'est-à-dire pour le Christ: l'unique offrande de toute sa vie, comme il est dit en 9/10,4-14 (on retrouve aux vv. 10-11 notamment les deux mêmes termes selon la même opposition). Ainsi L. SOUBIGOU: "le v.26 englobe toute la courbe de cette destinée ... Lorsqu'il vivait sur la terre parmi les hommes, il fut une démonstration de la sainteté la plus élevée (...) à l'égard de Dieu (sanctus), du prochain (innocens) et de lui-même (impollutus)" ("Le Chapitre VII de l'Epître aux Hébreux", *Année Théol.*7 (1946) 79-80).

[62] (19) Au lieu de prendre pour l'inclusion le terme "prestation de serment" au v. 20a - comme le faisait L. SOUBIGOU, repris par A. Vanhoye, SLEH, p. 129(1) - nous préférons prendre ce terme au v. 21a , qui fournit alors une inclusion plus riche de deux termes concentriques au lieu d'un seul, voire de trois si l'on accepte μετὰ en dépit de la différence de cas.

[62] (20) Se reporter au deuxième alinéa du § 9.

[63] (21) La distinction des verbes et des termes accentue le contraste, puisque ces termes désignent exactement, le premier, "la fonction sacerdotale" et, le second, "le sacerdoce comme institution" (cf. C. SPICQ, II, p. 186). Jésus personnalise à soi seul tout son sacerdoce, institution et fonction. La leçon de *D* ἱερατεύαν, en 7,24b , souligne la concentrie mais atténue le contraste.

[63] (22) ζωή: doublet occurrentiel. Peut-être pourrait-on retenir aussi l'inclusion entre "prêtre de Dieu" et "nous approchons de Dieu", en 7,1b et 19c.

[5] (23) Le rapprochement est d'autant plus fondé que dans Gn 3,18 - la référence de 5/6,8 - la LXX emploie le même verbe ἀνατελεῖ, qui est utilisé en 6/7,14b. Cf. la note [61] (16bis).

[6] (24) Sur les divisions proposées par les auteurs, cf. SLEH, p. 138, notes 1 et 4. On notera le changement de position de A. Vanhoye qui rattache désormais 8,6 à sa première subdivision, c'est-à-dire notre premier segment (cf. ib., p. 142 et sa Note 1). Ce changement de position aurait dû entraîner pareillement le rattachement, dans la Section suivante, de 9,15 à 9,11-14. Voir aussi notre note [73] (32), ci-dessous.
Cf. Annexe : Vocabulaire caractéristique.

[66] (25) A propos de ces deux sens du mot:
"On ne peut dire toutefois que la traduction (des Targums) marque à coup sûr un progrès: ainsi dans le cas de la version torah-νόμος, *la signification de* révélation *biblique se vit restreinte au sens trop légaliste de code d'observance religieuse. Par contre l'équivalent* berît-διαθήκη, *établie par la Septante apportera la nuance nouvelle de disposition testamentaire que mettra à profit l'auteur de l'Epître aux Hébreux (9,15-17)"*: A. JAUBERT, *La notion d'Alliance dans le Judaïsme aux abords de l'ère chrétienne.* Paris, Seuil, 1963, pp. 311-315. Cf. R. LE DEAUT, *Liturgie juive et Nouveau Testament. Le témoignage des versions araméennes.* Rome, Institut Biblique Pontifical, 1965, 91 pp.

[66] (26) Le vocabulaire de la *Tente* est très bien situé. Il apparaît dans cette Colonne centrale, à laquelle il est limité en cette IIème Partie: 8/10 occurrences. Deux fois il s'agira de la Tente christique, en 7/8,2a et en son parallèle 8/9,11b; six fois il s'agit de la Tente mosaïque, dont une fois de la "seconde". Les deux autres usages se rencontrent dans la IIIème Partie: ils y sont concentriques, en 11/11,9b et 14/13,10b; mais la première fois il s'agit des "tentes" sous lesquelles vécurent les patriarches.

[67] (27) L'interprétation de cette *"Tente véritable"* est "un casse-tête de l'exégèse passée et présente", selon la remarque de J. SWETNAM, "The greater and More Perfect Tent. A Contribution to the Discussion of Hebrews 9,11", *Bibl.* 47 (1966) p. 91. En référence à A. VANHOYE, "Par la plus grande et plus parfaite ... Héb 9,11", *Bibl.* 46 (1965) 1-28, il voit cette Tente dans le Corps ressuscité, voire dans le Corps eucharistique; dernière extension que rejette A. Vanhoye, SLEH[2], p. 267 (p. 157*).

Quoi qu'il en soit des précisions à donner à l'interprétation de la "Tente véritable" — pour qu'elle soit compréhensive des deux étapes de l'existence du Christ, en correspondance avec les deux parties de la Tente — il est impossible que "le Seigneur" (8,2b) puisse, en dépit de l'usage de l'article chez l'Auteur, désigner le Christ: c'est Dieu qui "a façonné son corps" (au Christ) à l'incarnation et qui encore "(l'a) ramené des morts" à la résurrection (He 9/10,5c et 14/13,20a). Contre J. SWETNAM, ib., pp. 101-102 avec 102(1).

[67] (28) Parmi les changements apportés par l'Auteur au texte de la LXX notons:
- συντέλεσω au lieu de διαθήσομαι, pourtant maintenu au v. 10a: cet "accomplissement" de la nouvelle Alliance permet la correspondance avec "l'accomplissement, συντελεία, des temps" où elle se réalise (9,26b);
- ἐπὶ τὸν οἴκον au lieu de τῷ οἴκῳ, pourtant maintenu encore en 10a: accentue l'idée d'autorité et d'emprise personnelle, comme dans le changement du verbe simple en ἐπιγράψω en 10d. Sont aussi renforcées les correspondances avec 3/3,6a et 10/10,21a;
- ἐποίησα au lieu de διεθέμην: peut-être atténuation polémique de la valeur de la première Alliance?
- λέγει Κύριος au lieu de φησὶ Κ., pourtant maintenu en 5c: unifie fortement le segment central, qui fait inclusion sur ce λέγειν divin (8,8a et 13a), et sans doute le présente comme le "point capital des choses à dire" ou tout au moins un élément capital de son contenu (8,1a)

[69] (29) Le mot "jour" fonde ces distinctions temporelles: l'origine de l'ancienne Alliance, "le jour où ... - la totalité de sa durée, "après ces jours-là ..." - la totalité de la durée de la nouvelle Alliance, "des jours viennent ...". La fin de cette dernière totalité sera indiquée en 10,25c , "... vous voyez s'approcher le Jour".

[69] (30) Aux deux parties l'Auteur donne curieusement le nom de "Tente". Au lieu de les désigner par "le Saint" et "le Saint des Saints", comme beaucoup de commentateurs dont la TOB, l'interprétation de A. Vanhoye semble préférable, qui voit dans ἀγία et ἀγία ἀγίων non des substantifs (ἄγια) mais des qualificatifs (ἀγία). Atténuation polémique de la valeur des réalités anciennes, dont on retrouve encore un exemple dans l'emploi de εἰσίασιν, 9,6b : εἰσέρχεσθαι est réservé au Christ, sauf en 9,25b.

[73] (31) A. Vanhoye a excellemment souligné la valeur positionnelle de ce titre qui en cette Colonne centrale apparaît pour la première fois, et sera inclusif de sa seconde Section. Cf. SLEH, p. 140. Bien plus, nous manifesterons que ce titre se situe au croisement de ce que nous appellerons *"L' Icône Xristique "*, p. 115.

[73] (32) Voici les subdivisions de A. Vanhoye avec leurs unités internes:
A) 9,11-14: vv. 11-12 et 13-14   (SLEH, p. 149);
B) 9,15-23: vv. 15-17. 18-22 et 23 (ib., pp. 152 et 154);
C) 9,24-28: vv. 24. 25-26 et 27-28 (ib., pp. 154-155).
   Sauf l'isolement du v. 15, nous retrouvons nos divisions avec leurs unités internes. L'isolement par cet exégète du v. 23 (comme du v. 24) corrobore pourtant notre division des vv. 15 et 16-17: ils en sont les concentriques. Cf. la note[66](24). - Cf. Annexe: Vocabulaire caractéristique.

[3] (33) "Le Christ entre en scène à un moment décisif de l'histoire, comme venant d'un autre monde et il vient jouer son rôle" (C. SPICQ, II, p. 255).

[3] (34) "pas de cette création": par métonymie, parce que l'état final de notre Grand-prêtre, parfait et éternel en sa résurrection, appartient à la nouvelle création; voire en raison de sa filiation divine qui, dès son incarnation, le constitue Fils qui domine la création.

[4] (35) A. Vanhoye présente un parallélisme légèrement différent:
a') le sang de boucs   a) le sang du Christ
b') aspergeant les souillés   b) se présentera sans tache
c') pureté de la chair   c) purifiera nos consciences
Cf. SLEH, p. 149. Notre parallèle nous paraît plus fondé du fait qu'il oppose les deux verbes, "sanctifie" et "purifie", dont le sang est le sujet.

[4] (36) Pour la signification, "les souillés" se rapporte tant à "sanctifie" qu'à "aspergeant". Ainsi, avec le premier verbe, "purifie" se trouve en parfaite concentrie, comme il l'est sous un autre aspect avec le participe: ils sont tous deux en tête de verset. Noter que la précision "les oeuvres mortes" correspondent parfaitement à "souillés" qui, lié immédiatement à "la cendre de génisse", évoque l'impureté contractée jadis par le contact des "morts" (Nb 19,11-16).

[4] (37) 9,12c et 15b : et non pas "Christ", retenu par A. Vanhoye, pp. 148-149, et qui motive sa subdivision excluant le v. 15 (9,11-14).

[75] (38) *"Une large évocation présente sans les distinguer la cérémonie* inaugu-
rale *de l' alliance mosaïque et les rites* quotidiens *du culte juif.* La
Tente et les objets de la liturgie *sont englobés dans l'instauration de
l'alliance, et les purifications de tout genre semblent plus ou moins
assimilées à celles-ci"* (SLEH, pp. 153s: nous soulignons les qualificatifs).

[75] (39) Le texte de Mt 26,28 inspire vraisemblablement.la formule τοῦτο τὸ αἷμα
au lieu de celle de la LXX ἰδοὺ τὸ αἷμα, ainsi que le néologisme αἱματεκ-
χυσίας, l'emploi de ἄφεσις en 9,22c et la mention des πολλῶν ... ἁμαρτίας
en 9,28b.

[76] (40) SLEH, pp. 154-155. A strictement parler le verbe *entra* est placé entre
"non fabriqué" et "sanctuaire". La raison en est que cette péricope reprend ce qui est dit de la Tente christique, dans la péricope initiale:
"pas fabriqué" (9,11d) et, trois versets après, "entra dans le sanctuaire"
(9,12).

[81] (41) TOB, *note a*, sur 9,13 avec renvoi à 9,11-12.

[82] (42) Si le syntagme "offrir des dons et des sacrifices" est un terme concentrique caractéristique de S[7], ont doit noter que la correspondance entre "ait
quelque chose Celui-là aussi qu'il offre" et "non sans du sang qu'il offre"
y est plus parfaitement concentrique; elle joue aussi comme correspondant
du syntagme caractéristique de S[8] "s'offrir soi-même".
Ici et là nous rencontrons une suite semblable de raisonnements:
- εἰ μὲν ... οὐδ' ἂν ... - νυνί δὲ ... ὅσῳ καὶ   ...
- οὐδ'ἵνα ... ἐπεὶ ... - νυνί δὲ ... καὶ καθ'ὅσον ...
Ce sont les deux seuls usages dans l'Epître de νυνί, encore que le premier
en 8,6a soit contesté, mais cette concentrie est en faveur de la leçon
retenue.

[82] (43) "Le temps de redressement, καιροῦ διορθώσεως", annoncé au terme de S[7] et
donc strictement *au milieu* de la IIème Partie — si on le rapproche des encouragements de 12,12-13 (ἀνορθώσατε), prononcés au terme de S[12] et donc
strictement *au milieu* de la IIIème Partie — pourrait aussi évoquer le thème
de la marche.
A. VANHOYE avait déjà relevé une partie de ces symétries concentriques
entre nos segments extrêmes (SLEH, p. 156), centraux (pp. 152-153) et intérieurs (pp. 150-151).

[83] (44) *"L'auteur a soigné tous les détails de ce court exposé et les correspondances entre les phrases sont ici encore si nombreuses qu'il est difficile
d'en démêler l'écheveau"*: SLEH, p. 162. La note (1) y donne l'état de la
question sur les divisions.

[84] (45) Cf. Annexe: Vocabulaire caractéristique.

[84] (46) SLEH, p. 163.

[84] (47) Avec nombre de commentateurs, dont C. SPICQ, II, p.302, il faut lier
"à perpétuité" avec "ils offrent". Position que confirmera, dans la péricope (10,11abcd), la distinction entre la perpétuité du service quotidien
et son incapacité à purifier. Κατ' ἐνιαυτὸν = tout au long de l'année:
"tout le cycle liturgique annuel" (C. Spicq, ib.).

[84] (48) En faveur de la leçon de P[46] καὶ αὐτὴν, cf. SEN F. "Se recupera la verdadera lectura de un texto muy citado, cuyo sentido cambia substancialmente
(Hb 10 : 1)", *Cult.Bibl.* 23 (214, 1967) 163-168.

[86] (49) La constatation que ce verset contribue si parfaitement à la structure concentrique de l'ensemble qu'il forme avec les versets suivants (9ab-10ab) nous a amené à le détacher des versets précédants (8abcd), bien qu'il concerne lui aussi l'A.T. De la sorte l'unité centrale comporte l'opposition fondamentale en cette Section entre l'A.T. et le N.T.

[86] (50) En fait on ne trouvera en cette Section qu'une seule mention de "prêtre", comme une seule de "sang" (vv. 11a et 4a). Jusque là la référence au sacerdoce demeurait implicite: les sacrifices anciens étaient référés à la Loi ou bien à un indéterminé "ils offrent" (v. 1d), comme Jésus d'ailleurs était indiqué dans l'indéterminé "Il dit…" (v. 5a).

[86] (51) les jeux de correspondance s'expliquent par la formule de ce type de construction symétrique, à savoir :

$$a \quad b \quad c \quad - \quad C \quad B \quad A \quad - \quad A' \quad B' \quad C'$$

L'ensemble intermédiaire (CBA) y participe à deux symétries concentriques: (abc + CBA) et (C B A + A'B'C'), l'une avec l'unité précédente et l'autre avec l'unité suivante. De telle sorte que les unités extrêmes présentent une symétrie parallèle (abc ..... A'B'C')

Dans notre cas la formule est une variante, de schéma: abc -CB A B'C', c'est-à-dire qu'il y a contraction de A et A', modification qui unifiant les deux dernières unités aboutit à la division binaire des péricopes que nous avons en fait constatée.

[87] (52) Nous voyons donc réalisée, réduite et mixte, la structure parallèle dont parlait la note précédente. A ne considérer que les verbes des propositions principales, nous constatons le schéma parallèle: ac = AC'. Les sigles a = A correspondent au couple "se lever - s'asseoir", dont l'entre-deux est "être debout". La distinction du sujet entre a et c met en relief, comme précédemment, l'*altérité* cultuelle entre le prêtre et son sacrifice; tandis que l'unification du sujet de A et C' met en relief l'*identité* personnelle du Prêtre et de son sacrifice.

[87] (53) A vrai dire "souvent offrant" est le doublet de "chaque jour faisant-le-culte", c'est-à-dire "offrant plusieurs fois chaque jour les mêmes sacrifices": on ne peut mieux exprimer leur innombrable *multiplicité*. La similitude et concentrie de C et C' est accentuée par la semblable mise en évidence, au début de leur verset, de "un seul … sacrifice" et de "une seule … offrande".

[89] (54) Notons-le aussi: le second élément qui exprime là l'efficacité salvatrice du Christ τετελείωκεν… τοὺς ἁγιαζομένους, en le rattachant à la "session", se rencontre pareillement dans le premier paragraphe, à son terme et au centre même de la Section, ἡγιασμένοι ἐσμέν, mais en le rattachant à "l'incarnation".

[90] (55) Si le verbe ἀφαιρεῖν (10,4b) insinue l'impression de "fardeau" qu'est le péché, le verbe περιελεῖν évoque l'image d'une réalité qui "entoure", nous dirions d'une "ambiance" de péché; nous trouvons là une présentation du péché analogue à celle de 12/12,1c : le péché y est décrit comme un "fardeau, ὄγκον" et une "ambiance fascinante, εὐπερίστατον". Cf. note [123] (16).

Remarquons comment le verbe ἀναιρεῖν, au centre même de l'unité, relie verbalement les deux versets extrêmes des péricopes intérieures. D' ἀνώτερον ou de περιελεῖν, il possède en commun le même préfixe ἀν- ou le même radical αὔρειν. Ce préfixe ἀν- implique le mouvement d'élévation, de bas en haut, et son emploi permet des corrélations variées, verbales ou idéales. Ainsi dans notre segment il participe au contraste impliqué dans l'application du couple "se lever – s'asseoir" (cf. note [87]52), qui va caractériser la capacité des deux cultes: l'ancien est inefficace, car son prêtre est toujours "debout" et ne parvient jamais à "s'asseoir"; le nouveau est efficace, car son Prêtre est présenté "à perpétuité assis", après qu'il se fut lui aussi "levé" au jour de son incarnation.

Par ailleurs, contribue pareillement à l'unité de ce segment central la répétition , d'une part, de "tu n'as pas voulu…" et, d'autre part, de "nous avons été sanctifiés" avec "ceux qu'il sanctifie" (10,5b.8d et 10a.14c).

[91] (56) Cf. Annexe: Vocabulaire caractéristique.

[92] (57) Le rattachement de ces deux participes est controversé: on rattache les deux soit à "avançons" soit à "maintenons", ou bien chacun au verbe proche (Cf. SLEH, pp. 175-177; G.M.M. PELSER, "A translation problem – Heb. 10: 19-25", *Neotestamentica* 8 (1974) 43-53). L'unité centrale est unifiée par ses trois verbe ou participes en tête de leur verset. La longue préposition introductive influence en réalité les trois impératifs: *avançons …, maintenons …, faisons-attention …*

[92] (58) Deux Personnes divines sont clairement indiquées: le Fils de Dieu et l' Esprit-Saint; le Père est sous-entendu, croyons-nous, dans la mention de l'Alliance dont il est le Destinateur. L'Auteur obtient ainsi une indétermination qui correspond à l'indication précédante de "deux ou trois témoins". De toute façon le segment s'achève sur la mention du "Dieu vivant". Les Personnes divines sont en fait "témoins" du péché dont elles sont juges (cf. 4/4,12-13).

[92] (59) La première citation est plus proche de l'hébreu que de la LXX, tandis que la seconde est donnée selon la LXX, traduisant alors exactement l'hébreu : en ceux-ci le second texte est une maxime de miséricorde, texte que l'Auteur utilise au contraire comme annonce de châtiment.

[94] (60) Cf. T.W. LEWIS, "… And if he schrinks back", *N.T.Stud.* 22 (1,1975) 88-94.

[94] (61) Remarquons-le, dans les deux cas où la vertu théologale – espérance et charité – se trouve sous-entendue, la correspondance est accentuée par la même forme impérative de l'exhortation. Cette correspondance de la forme ne se rencontre pas dans le seul cas précisément où la vertu théologale – la foi – est explicitement mentionnée. Cette explicitation unique de la "foi" a aussi valeur d'*annonce* du sujet principal de la Colonne suivante.

[95] (62) Le problème se pose d'autant plus que le segment central réduit à (10,8-11) offrirait une meilleure trichotomie statistique. La formule de S^9 : 52 + 46.67.36 + 58 deviendrait alors: 52.46 + 67 + 36.58; soit en totalisant: 98 + 67 + 94. Cette formule correspondrait mieux à celle de S^{10} : 92 + 89 + 110. En réalité la distinction très nette des sujets en S^9 nous oblige à maintenir complet le segment central.

[98] (63) Ces mots caractéristiques sont: "participants" pour $S^{3.5}$ et "ombre" pour $S^{7.9}$; en chaque cas l'une des deux occurrences se trouve d'ailleurs en tête même de Colonne.

[105] (64) χωρὶς οἰκτιρμῶν : si "le pluriel correspond à l'hébreu" (C. SPICQ, II,

p. 323), il reste que la LXX ignore cette expression et dit: "ton oeil sera impitoyable, οὐ φείσεται ..." (Dt 13,8 et 19,21). Ce syntagme est donc unique.

[05] (65) ζῆν : dans cette IIème Partie le thème ne se rencontre que dans les Sections inférieures ou paires, dans les trois segments des Sections 6 et 10 mais seulement dans les deux premiers segments de la Section centrale 8. Dans nos deux Sections, les thèmes de la "vie" et du "sacrifice" sont concentriques.

[06] (66) Le qualificatif πολλὴν semble faire écho aux πολλῶν, dont les péchés sont enlevés par le Christ (9,28b). Nous rencontrons aussi ici et là les trois seuls usages en cette Partie de la SR παθεῖν, si abondante dans les deux bisegments finaux des Sections parallèles 2 et 4.

[06] (67) Voici déjà deux termes "quadripolaires": "Dieu" et la "grandeur", avec les termes inclusifs ici de ὑψίστου- ὑψηλότερος, et là de μέγαν et μεγάλην (7,1b.26d et 10,21.35b).

[06] (68) Trois autres termes "quadripolaires": "jour/s", "vie" et "avoir" (cf. 10,19a). Noter ici et là le même usage de τοῦτ' ἔστιν, qu'on trouve pareillement parallèle au début de la Section, en 8/9,11c. Dans ces trois premiers paragraphes se rencontre aussi une mention de la ou des "promesses".

[06] (69) "Moïse" est mentionné en cette IIème Partie dans les trois segments centraux des Sections inférieures, et une autre fois mais dans le segment initial de la Section supérieure centrale, en 7/8,5b - ἀθέτησις se trouve aussi en 8/9,26c , seul autre usage de cette racine, à propos de la rédemption du péché.

[07] (70) πολύς possède les deux sens d'intensité et de fréquence (cf. C. SPICQ, II, p. 328), que souligne bien l'expression "*lourd* combat de souffra*nces*". Nous en trouvons un parallèle en 8/9,28b: πολλῶν ... ἁμαρτίας.

[07] (71) Signalons aussi les deux usages de πρότερον (7,27b et 10,32a): ce sont les deux seuls usages au comparatif dans cette Partie; le premier et seul autre usage se trouve en 4/4,6b. L'usage de S[5] est structurel concentrique en cette Section; l'usage de S[10] l'est en sa Colonne.

[08] (72) SLEH, pp. 45 (1) et 225-230.

[09] (73) Le participe expressif de cette attitude se trouve, en effet, ici *avant* et là *après* le nom de la Personne divine. Ce sont les deux seules mentions directes du "Fils de Dieu" en cette Partie, car la troisième est indirecte: en 6/7,3c il s'agit de Melchisédech, "assimilé au Fils de Dieu". Sur l'indication, là, du Père, cf. note [92] (58).

[0] (74) κλίνειν peut avoir le sens de détourner du droit chemin, s'égarer, errer, en parlant d'un *navire* (A. BAILLY, *Dictionnaire Grec-Français*, s.v., III, 3). Pour autant que l'adjectif ἀκλινῆ retiendrait cette signification, il constituerait un correspondant parfait de ἀσφαλῆ, qui concerne pareillement l' espérance ici comparée à une *ancre* de navire.

[0] (75) Cf. L. DUSSAUT, *L'Eucharistie, Pâques de toute la vie* ..., chap. II, pp. 23-39.

[0] (76) En raison du contexte abrahamite cette expression, en effet, pourrait connoter une référence au salut de Lot (cf. notamment Gn 22,20).

[112] (77) Si l'on fait abstraction du caractère implicite ou explicite des mentions des trois vertus théologales, on remarquera qu'elles sont citées selon le schéma indiqué à la note [86](51) à propos de la structure du § (10,11-14): a b c - C B A - A'B'C' (a/charité - b/espérance - c/foi).

[112] (78) ἀνατέλλειν et ἀναιρεῖν sont deux hapax; ἀνιστάναι et ἱστάναι: il y a deux usages du premier ici et du second là, les seuls emplois de l'Épître. Cf. note [61](16 bis). Le préfixe ἀν — des trois verbes employés ici, rappelons-le, se retrouve là en ἀνώτερον et ἀναιρεῖν, cf. note [90](55).

[113] (79) Le sens péjoratif de "charnel", hapax relatif, se retrouve dans l'emploi de "chair" en relation aux rites juifs (9,10b.13c).
La déclaration ici "Tu es prêtre …"(6/7,17 avec 21) correspond là aux mentions du "Toi" divin (9/10,5-9): seuls endroits en cette IIème Partie de la réciprocité dialogale entre Dieu et le Fils; ce qui corrobore la concentrie des Sections.

[113] (80) Cette constatation appuie le choix du segment central complet (10,4-14) de préférence au segment réduit que serait (10,8-11). Ajoutons la semblable mention de "selon la Loi", à propos de la loi héréditaire sacerdotale ici et de l'offrande des sacrifices là (7,16a et 10,8e).

[113] (81) A part 13,8 ("Jésus Christ") on ne trouve l'une et l'autre titulature que dans la conclusion finale de l'Épître, en 13,20-21: "Notre Seigneur Jésus " et "Jésus Christ". L'incomplet de la première titulature a surpris et des *Mss* ont ajouté "… Christ". A tort, car dans la Section oùse rencontre en 7,14b "Notre Seigneur", nous trouvons aussi et seulement "Jésus" au v. 22b. La conclusion reprend donc équivalemment les deux titulatures de nos Sections 6 et 9 , en référence immédiate à l'incarnation.

[113] (82)Ce sont les deux emplois au pluriel du syntagme "ceux qui-s'approchent"; le troisième et dernier emploi du syntagme, en 11/11,6b au début de la IIIème Partie, est au singulier. Noter aussi l'opposition de πάντοτε (cf. ib. παντελὲς), *toujours*, avec οὐδέποτε (redoublé: 10,1e.11d , les deux seuls de l'Épître), *jamais*.

[114] (83) Autour de ce troisième contraste, intermédiaire, dont les éléments sont parallèles, les éléments des 1er et 2è contrastes sont concentriques, et dans leur unité et entre ces deux unités: cette très forte concentrie de leurs éléments souligne ainsi et renforce la concentrie de leur situation.

[115] (84) Le centre de S[11] est le seul autre cas d'une telle absence de nomination du Christ en un segment central (cf. note [109]73). Par ailleurs, les deux mentions de "Jésus", en 5:6,20a et 10/10,19b - concentriques elles aussi - superposeraient comme une branche (presque) horizontale au " χ " christique.

TROISIÈME PARTIE

[116] (1) SLEH, p. 183.

[116] (2) Cf. Annexe: Vocabulaire caractéristique.

[118] (3) Cette totalité s'exprime aussi dans le contenu de la foi: foi en Dieu créateur (v. 3a) - en l'existence éternelle de Dieu (v. 6c au début) - foi en Dieu rémunérateur (v. 6c suite). A l'instar de 1/1,3abc , la mention de

l'éternel est au centre entre deux mentions du devenir temporel: par la parole de Dieu le visible est devenu, γεγονέναι - Dieu "est", ἔστιν - pour ceux qui le recherchent Dieu rémunérateur deviendra, γίνεται (1,3b.6c).

[18](4) A. Vanhoye, SLEH, pp. 185-189, distingue cinq subdivisions: vv. 8-10, 11-12, 13-16), 17-19 et 20-22. Personnellement, nous détachons les deux versets initial 8 et final 22 pour en faire deux unités à part: nous suivons ainsi les sept mentionsde πίστει, sauf pour l'unité 20-21 qui en compte deux. L'unité centrale tranche sur cette succession en s'ouvrant par κατὰ πίστιν.

A l'inclusion très forte sur le "Sortir" s'ajoute, trait mineur, l'opposition entre, au début, "obéir" et, à la fin, "donner-des-ordres" (11,8a.22c).

[19](5) Il y a paronomase manifeste entre εἰς καταβολῆ et ἐν παραβολῆ, renforcée par καὶ αὐτὴ et αὐτὸν καὶ (11,11a et 19b). L'étrangeté de l'expression à propos de Sara, unique dans le N.T. (cf. C. SPICQ, II, pp. 348s), s'atténue si on lui donne le sens imagé de "fondation" d'une race, sens préparé par le verset précédent (v. 10).

A propos de cette concentrie, notons encore: 1. La réciprocité entre, ici, Abraham qui met à l'épreuve Dieu, τὸν ἐπαγγειλάμενος (cf. Gn 15,8) et, là, Dieu qui met à l'épreuve Abraham, ὁ τὰς ἐπαγγελίας ἀναδεξάμενος. 2. Les mentions ici relatives à la postérité d'Abraham (vv. 12bc) se réfèrent à deux promesses divines: l'une, avant la naissance d'Isaac: "dénombre les étoiles si tu peux les dénombrer" (Gn 15,5); l'autre, après l'offrande d'Isaac: Dieu "jura": "Je multiplierai ta postérité comme les étoiles du ciel et comme le sable qui est sur le bord de la mer" (Gn 22, 17). Il est remarquable que l'Auteur unit les deux promesses: en effet, à propos des étoiles, il utilise le verbe πληθυνῶ de la 2è promesse, le transformant en τῷ πλήθει; à propos du sable (mention propre à la 2è promesse), il utilise le verbe ἀρίθμησον ... ἐξαριθμῆσαι de la 1ère promesse, le transformant en ἡ ἀναρίθμησος. Cette citation implicite participe ainsi à la concentrie de ces deux unités: elle rend présent ici une citation qui en partie concerne l'événement là évoqué, le sacrifice d'Isaac. 3. Le jugement exprimé par l'hapax λογισάμενος - outre sa valeur de concentrie avec celui exprimé ici par ἡγήσατο (11,11b.19a) - évoque à la fois l' ἐλογίσθη de Gn 15,6: Yahwé le lui *compta* comme justice", et le thème du *nombre*, de la multitude comme ici (11,12bc).

[19](6) Le schéma de couple de totalité, qui a le même pôle initial - la "sortie" d'Abraham -, n'a pas le même pôle final: auparavant il s'agissait de l'Exode terrestre, ici il s'agit de la Ville céleste.

Notons que les deux mots caractéristiques - (μὴ)κομισάμενοι et πόλιν - aux extrémités de la péricope centrale, se trouvent, annonçant ou annoncé, en πόλιν de 10a et en ἐκομίσατο de 19b.

[9](7) A. Vanhoye distingue seulement deux subdivisions: 11,23-27 (qui présente une forte inclusion: "virent - ne craignirent pas ... roi + pas craint ... roi - voyant") et 11,28-31. Une autre division nous paraît devoir s'imposer. Cependant nous intégrons à notre Synopse les éléments de concentrie décelés par ce même exégète entre les vv. 11,24b-26d, cf. SLEH[2], p. 296.

[0](8) "Il quitta l'Egypte" (11,27a): ce départ ne peut être identifié avec celui qui suivi le meurtre de l'Egyptien (Ex 2,11ss; Ac 7,29); car on ne peut concilier le μὴ φοβηθείς de notre texte avec l' ἐφοβήθη d'Ex 2,15: c'était alors par peur que Moïse se retirait. Le procédé d'écriture concentrique, cher à l'Auteur, permet au contraire - en considérant les vv. 27-29 comme une seule unité littéraire - d'y voir la sortie d'Egypte. La concentrie de cette unité est marquée par la concentrie des termes extrêmes: κατέλιπεν Αἴγυπτου... ... οἱ Αἰγύπτοι κατεπόθησαν, avec au centre la célébration de la Pâque.

[120] (9) Nous relevons cette connotation à titre d'exemple de l'apport d'une *"lecture connotative"* à la manifestation ou à l'enrichissement des symétries.

[120] (10) Autre exemple de "lecture connotative": il est dit ici que Noé obtint le "salut de sa maison" (11,7c), mais Raab aussi "ne périt pas" ainsi que "sa maison", au dire de l'Ecriture (11,31a; cf. Jos 2,12 et 6,17).

[121] (11) En effet, dans le premier cas, c'est l'Auteur qui explicite le texte de Gn 5,24, en particulier de "ne pas voir la mort", et qui transforme le ὅτι de la LXX en διότι; dans le second cas, l'Auteur inverse les propositions de la phrase de Ex 2,2 et transforme le simple ἰδόντες δὲ... en διότι εἶδον... Ce sont aussi les deux seuls emplois de διότι.

[121] (12) La "lecture connotative" offre d'autres correspondances. Abel offrait les "premiers-nés" de ses troupeaux; là sont épargnés les "premiers-nés" d'Israël; la Mer Rouge "se fendit" comme une "terre sèche" (Ex 14,21-22.29) et jadis "la terre ouvrit sa bouche" pour recevoir le sang d'Abel (Gn 4,11).

[121] (13) Autre exemple. "L'Arche", κιβωτὸν, "bitumée", ἀσφαλτώσεις ... τῇ ἀσφάλτῳ (Gn 6,14), où se sauve Noé, est évoquée par la "corbeille", θῖβιν, "bitumée", ἀσφαλτοπίσσῃ (Ex 2,3), où sera sauvé Moïse.

[122] (14) Cf. Vocabulaire caractéristique.

[122] (15) Dans cette forme d'énumération le chiffre 7 suit le 5, du fait qu'il n'y a pas de 8 qui, s'il existait, suivrait le 5. Que signifie cette forme, qui donne l'impression d'une énumération *"en roue"*, tournoyante? Ne constitue-rait-elle pas une inclusion imagée avec τροχιὰς qui, remarque A. Vanhoye (SLEH, p.47 note 2), dérive de τροχός, roue; ou aussi avec κυκλωθέντα, à propos de Jéricho dont les israélites "firent le tour" pendant *sept* jours (11/11,30)? Y a-t-il par ailleurs influence de l'ordre de description des campements "autour, κύκλῳ" de la Tente de Réunion: les points cardinaux sont indiqués dans le sens des aiguilles d'une montre - Est, Sud, Ouest et Nord (Nb 2,2-3.10.18.25)? Cette forme est-elle une *icône* de la *circularité*, procédé marquant de l'écriture de l'Auteur, d'énumération *inverse* de si nombreux couples de totalité?

$$2 \quad 1 \quad 4 \quad 3 \quad 6 \quad 5 \quad (8) \quad 7 \quad ...$$

[123] (16) Cette dernière expression est unique dans le N.T.
    Avec A. VACCARI, "Hébr. 12,1 : lectio emendatior", *Bib.* 39 (1958) 471-474, A. Vanhoye lit ἁπαρτίαν au lieu de ἁμαρτίαν, et traduit: "nous étant délestés même de la charge qui-bien-s'arrange" (SLEH, p. 197 note 1). Nous ajouterions: ὄγκος - ayant parfois une nuance péjorative de grosseur ou de lourdeur - pourrait faire contraste avec εὐπερίστατον, et ainsi former une sorte de couple de totalité: il faut se décharger de "tout", encombrant ou non ! Cependant la forte concentrie du texte, entre autres, favorise la leçon attestée ἁμαρτίαν: il s'agit de "l'ambiance fascinante" du péché. Cf. note [90](55). J. KUDASIEWICZ, "Circumstans peccatum", *Coll.Theol.* 46 (Ed. spéciale, 1976) 127-140, soutient les leçons: ἁμαρτίαν, commune, et εὐπερίσπαστον, de P[46].

[123] (17) On conserve à ἀντί le sens premier et fréquent de "au lieu de", sens que corrobore la comparaison avec les chrétiens qui doivent renoncer à quelque

chose, et à l'attitude de Moïse qui "renonce à la filiation" pharaonique (11,24-26a). D'autres, retenant de l'attitude de Moïse "le regard fixé sur la récompense" (11,26d), traduisent "en échange, pour la joie, la récompense future qui lui était proposée".

   Cf. "La joie du Christ. Deux traductions de *Hébreux 12,*2b : "C'est en vue de la joie que Jésus endura la croix". P.-E. BONNARD "Renonçant à la joie qui lui revenait". P. ANDRIESSEN, O.S.B. *Nouv.Rev.Théol.* 97 (5,1975) 415-423 et 424-438.

[127] (18) Cette opposition est liée à un autre rapprochement verbal: "Celui qui a enduré une *telle* opposition, τὸν τοιαύτην ὑπομεμενηκότα " évoque les patriarches, "ceux qui disent de *telles* choses, οἱ τοιαῦτα λέγοντες", leur confession de foi pérégrinale (12,3a et 11,14a).

[127] (19) Même *considération de foi* d'Abraham éprouvé (λογισάμενος, 11,19a) et des chrétiens sur l'épreuve du Christ, leur modèle (ἀναλογίσασθε, 12,3a) : compréhension qui inclut la certitude de la *résurrection*. Ces deux verbes sont deux hapax.

[129] (20) Sur la position des commentateurs, cf. SLEH^2, pp. 205 (1) et 268 (p. 205*). A. Vanhoye a déjà donné de fortes preuves en faveur de l'unité de cet ensemble et de ses correspondances avec ce qui constitue notre première Colonne, cf. SLEH, pp. 214-215 et 233-235. - Cf. Annexe: Vocabulaire caractéristique.

[129] (21) A propos de la "racine amère" qui évoque "l'exaspération" au temps du désert, remarquons-le, c'était le seul détail sur trois dont l'Auteur n'avait pas fait l'application aux chrétiens, en 3/3, 12-14.15-19. Il leur avait appliqué: 1. l'incrédulité (3,12 et 18-19), et 2. la peccabilité (3,13 et 17). Il restait à leur appliquer l'attitude de l'exaspération, dont il parlait en 3,8.15-16.

[130] (22) Pour autant qu'on considère comme une seule réalité, en 12,22 , la montagne de Sion et la Jérusalem céleste.

[130] (23) A propos de l'interprétation de ce syntagme, cf. SLEH^2, pp. 208-209 et 268 (p. 209*), et C. SPICQ, II, p. 413.

[132] (24) Cf. Annexe: Vocabulaire caractéristique.

[132] (25) La première citation s'inspire de Jos 1,5 et surtout de Dt 31,6.8 (dont la 3ème personne est citée à la 1ère personne): le peuple ou Josué sont assurés de la présence divine pour la conquête de la Terre promise, du "repos". La seconde citation reprend tel quel le Ps 118,6 selon la LXX.
   Notre division, mais pour d'autres raisons, est semblable à celle de J. THUREN, Das Lobopfer der Hebräer ... , Abo, 1973, p. 208. La critique qu'en fait A. VANHOYE, "La question littéraire de Hébreux 13,1-6", *N.T. Stud.* 23 (1977,2) 121-139, à savoir de séparer le v. 5a des versets 5b-6, ne porte pas contre notre structuration. Cette dernière considère l'équilibre structurel transphrastique des phrases ou de leurs éléments, et non la division littéraire des phrases selon leur contenu.

[132] (26) Leur "sortie, ἔκβασιν " : l'action de sortir, de débarquer, comme l'achèvement de la traversée spirituelle de la Mer Rouge, et conséquemment du désert. Cf. Jos 4,16.17.18: le "sortir, ἐκβαίνειν, du Jourdain".

[132] (27) Sur les couples de totalité d'*être* ou d'*action,* cf. L. DUSSAUT, *l'Eucharistie, Pâques de toute la vie,* p. 17.

→ → →

→ → →   "C'est le seul cas dans la Bible où ζῷα désigne les victimes sacrifiées,
nommées partout ailleurs d'après leur race: boucs, taureaux, etc." (C. SPICQ,
II, p. 427). Ce choix unique d'un terme qui signifie "tout être vivant" correspond à l'argumentation de l'Auteur: il sous-entend l'application personnelle au Christ et aux chrétiens de cette liturgie rituelle; pareillement
il parlera du "corps" des victimes, alors que Lv 16,27 parle de "leur peau,
de leur chair (κρέα), etc.". Si nous parlons ici d'un couple de totalité
"Sortir-Entrer", c'est en raison de l'application personnelle du rite décrit.

[134] (28) Deux unités de cinq versets: le premier verset comprend une invitation:
"Obéissez … - Priez …"; le deuxième, une explication: "car … - car …";
le "pour vous" du 2è verset ici trouve son correspondant là dans le "pour
nous" du 1er verset. Le troisième verset complète l'explicative par une
participiale: "devant rendre compte … - voulant …". Les deux derniers versets contiennent la même idée de "faire cela" (veiller ou prier) et une
proposition finale: "afin que … - afin que …". Ces deux unités font inclusion sur le "vous" ou le "nous" pronominal des interlocuteurs.

[134] (29) Cf. C. SPICQ, II, p. 31 et SLEH, p. 220 avec SdC, p. 33.

[136] (30) A vrai dire, si l'Auteur était lui-même un higoumène - ce que rien nous
oblige à exclure, d'autant que sa "parole d'exhortation" inviterait à lui
reconnaître cette autorité - , le "nous" n'exprimerait nullement un pluriel
littéraire mais un pluriel collectif. L'emploi du "Je" manifesterait, après
l'intention collective pour tous les higoumènes, l'intention personnelle
pour la prière recommandée.
    Si l'on s'en tient au "Billet d'envoi", les trois segments de S^{14} ont
cette particularité d'utiliser le "vous" au moins aux extrémités, et le
"nous" à l'intérieur des segments (au moins une fois).

[139] (31) Cette remarque met encore en jeu le Billet d'envoi, puisque c'est avec lui
que s'opère l'inclusion de la Colonne par le syntagme "avec tous". Ajoutons
encore la symétrie entre, ici, "vous savez, ἴστε" et, là, "sachez, γινώσκετε" (12,17a et 13,23a).

[140] (32) εὑρίσκειν:sur 4 occurrences, les deux seules de cette Partie.- ἐκζητεῖν:
doublet occurrentiel; mais on trouve en 11,14 et 13,14b , concentriques, les
deux occurrences doublettales de ἐπιζητεῖν.

[141] (33) Les formules des segments sont légèrement différentes:
    (S^{12}): AT.NT ✦ NT.Xt.NT ✦ NT   et (S^{14}): NT/AT ✦ AT.Xt.NT ✦ NT
comme est diverse l'utilisation du "vous/nous" chrétien: ici, la première
moitié utilise le "nous" et la seconde moitié le "vous"; là, les deux phrases extrêmes utilisent le "vous" et les phrases intermédiaires, le "nous".

[142] (34) "Paix" et "sainteté" ont ici valeur d'*annonce* de ces termes inclusifs de
la Colonne 7, l'un "paix" avec la Doxologie et l'autre "sainteté" avec le
Billet d'envoi.
    Si le rapprochement entre ποιήσατε avec ποιῶν (12,13a et 13,21c) n'est
pas manifeste, ce rapprochement concernant l'activité divine l'est:
    - εἰς τὸ μεταλαβεῖν τῆς ἁγιότητος αὐτοῦ (12,10d);
    - εἰς τὸ ποιῆσαι τὸ θέλημα αὐτοῦ (13,21b).

[143] (35) Ces deux seuls usages de ἀλλὰ en ces deux Sections, tous deux au centre,
soulignent la même opposition entre la condition terrestre et la condition céleste. - ὁμολογεῖν:doublet occurrentiel, qui rappelle en cette

Partie l'ὁμολογία évoquée dans la Ière Partie (3,1c et 4,14b) et à la fin de la IIème . – ἐπιζητεῖν : cf. note [140](32); les deux occurrences y sont liées d'ailleurs à l'ὁμολογεῖν .– πόλις : ses quatre occurrences se rencontrent en cette seule Partie et dans le segment central de leur Section; l'hapax πολίτην, qui ouvre ce thème, se trouve en 7/8,11a.

Le thème du *"Sortir"* est prédominant en ces deux segments centraux: ici, aux extrêmes et au centre du segment et, là, un usage du verbe et trois de ἔξω;soit, ici et là, quatre usages du thème. On ne le retrouve en toute cette Partie qu'en 14/13,7c pour indiquer la mort des higoumènes (cf. note [132]26), mais encore proche du centre. Phénomène littéraire remarquable, les autres composés de ἐκ-, qui n'appartiennent pas à la sous-Série Radicale "Sortir", se trouvent presque tous… dans cette IIIème Partie! Par contre, celle-ci ne contient qu'une seule occurrence de la Série Thématique "Entrer" (εἰσ-) en 14/13,11a , alors que cette Série est prédominante dans la Ière Partie!

[45](36) Trait mineur: la "nuée, νέφος" des témoins que sont ici les justes de l'A.T. et, là, "l'obscurité et les ténèbres, γνόφῳ καὶ ζόφῳ" accompagnant la révélation sinaïtique (12,1b et 18b).

[45](37) Notons les deux seuls usages en cette Partie de εἶτα avec μετέπειτα, marquant le passage à une situation meilleure ici ou pire là (12,9a et 17a).

SYNOPSE STRUCTURELLE

[152](1) Le point majeur d'incertitude demeure l'étendue des segments centraux des trois premières Sections, ce qui ne modifie en rien d'ailleurs l'équilibre structurel des unités littéraires de ces Sections. En dépit de son apparence composite, le segment central de la Section 12 (11,39 – 12,7b) est confirmé par ses très fortes corrélations avec les trois autres segments centraux de cette IIIème Partie. Perfectionnements possibles en 7/9,1-10 et 12/11,32-38 ?

[152](2) Sur la variété des procédés de structuration de la surface d'un texte: A. SCHOEKEL, "Poésie hébraïque", *DBS* fasc. 42, col. 47-90 – P. BEAUCHAMP "Quelques faits d'écriture dans la poésie biblique", *RSR* 61 (1973) 127-138: cf. aux pp. 132-134, les "Formes des 'symétries verbales'" – *Essais de Sémiotique Poétique*. Larousse (Collection L) 1972, pp. 239 – Charles H. TALBERT, *Literary Patterns, Theological themes, and the genre of Luke – Acts*. Society of biblical literature and Scholars Press, 1974. Misoula, Montana 59812: analyse ces procédés dans l'antiquité, en son chap. V : The Patterns in the light of the Lucan milieu, pp. 67-88.

[156](3) François RASTIER, "Systématique des isotopies", dans *Essais de Sémiotique Poétique*. Larousse (Collection L), 1972, p. 96.

[156](4) En plus de la disproportion numérique des mots, la correspondance numérique des Sections du Plan de A. Vanhoye recèle une part d'artifice. Il est certes satisfaisant pour l'esprit de noter que la Ière Partie contient une Section, la IIème Partie deux Sections, la IIIème trois Sections, puis la IVème Partie deux Sections et enfin la Vème Partie une seule Section. L'artifice apparaît en ce fait que deux espaces rédactionnels importants, appartenant à la IIIème Partie (5,11-6,20 et 10,19-39), ne sont pas intégrés dans ce décompte des

Sections, mais appelés Préambule et Exhortation. L'architecture des nombres est alors trompeuse.

[157] (5) Par exemple, différence de regroupement des versets: 2,9; 4,14; 5,1ss; 9,15; 12,4.

[157] (6) Cet apport de l'Analyse structurelle à la découverte et localisation de très nombreuses symétries n'est pas suffisamment manifeste dans ce livre du fait que l'exposé pour des raisons de publication a été fortement réduit. Nous avons cependant donné un aperçu pour l'une ou l'autre symétrie de situation, voire de vocabulaire:
– pour la Série des Sections Successives (SS): la symétrie concentrique de toute la suite SS "impaires-paires" (soit: $SS^{1 \times 2 \quad 3 \times 4 \quad 5 \times 6 \quad 7 \times 8 \quad 9 \times 10}_{\quad 11 \times 12 \quad 13 \times 14}$). Un exemple est donné de symétrie parallèle avec $S^{7=8}$.
– pour la Série des Colonnes Successives (CS): la symétrie parallèle des Sections parallèles et la symétrie concentrique des Sections concentrique (soit, d'une part: $S^{1=3 \quad 2=4 \quad 5=7 \quad 6=8 \quad 7=9 \quad 8=10 \quad 11=13 \quad 12=14}$; et d'autre part: $S^{1 \times 4 \quad 2 \times 3}$ et $S^{11 \times 14 \quad 12 \times 13}$).
– pour la Série des Colonnes Concentriques (CC): la symétrie concentrique des Sections concentriques des Parties extrêmes (soit: $S^{1 \times 14 \quad 2 \times 13 \quad 3 \times 12 \quad 4 \times 11}$), pui de la Partie centrale (soit: $S^{5 \times 10 \quad 6 \times 9}$). Nous y ajoutons pour cette même Partie centrale la symétrie parallèle des Sections parallèles (soit: $S^{5=9 \quad 6=10}$). Un exemple est donné, unique, de symétrie *triangulaire* ($S^{5 \triangle 10}$).

Cette limitation de l'exposé supprime la prise de conscience du problème que soulève l'intégration dans une même Section, en elle-même ou en combinaison, l'intégration des trois symétries de vocabulaire: parallèle, concentrique et triangulaire. Et, d'une façon plus générale, de la prodigieuse technique littéraire de l'Auteur de l'Epître ...

[157] (7) Cf. Jean-Paul DUMONT, "Littéralement et dans tous les sens ...", dans *Essais de Sémiotique Poétique"*, pp. 126-139.

[158] (8) Claude CHABROL ..., *Le récit évangélique*. Aubier (BSR), 1974, p. 51.

[158] (9) A.J. GREIMAS, *Sémantique structurale*. Larousse, 1966, p. 139. Nous soulignons.

[158] (10) Claude CHABROL - Louis MARIN, *Le récit évangélique*. Aubier (BSR), 1974, p. 51. Nous soulignons.

[159] (11) Partagent cette opinion, par exemple: A. STROBEL, ... *Der Brief an die Hebräer*. Goettingue, 1975[11]; C. SPICQ, *L'Epître aux Hébreux* ... Gabalda et Cie, 1977, p.

[160] (12) "L'analyse structurale du récit vise à construire la forme a-chronique des relations existant entre les éléments du récit" : L. MARIN, dans *Sémiotique de la Passion*. Aubier, 1971, p. 218(23). Nous disons "a-topologique", au sens où nous envisageons le texte comme une surface rédactionnelle , où chaque occurrence ou unité est topologiquement située.

[160] (13) Sur ce jeu varié des constructions, on peut considérer les unités:
1. (1/1,1-4): phrase unique de 72 mots;
2. (9/10,12-14): deux phrases, l'une développée et l'autre non: SPS' - P'.
La concentrie de μίαν/μιᾷ est soulignée par l'inversion de εἰς τὸ διηνεκὲς par rapport aux deux verbes principaux, ἐκάθισεν et τετελείωκεν;
3. (10/10,19-22.23.24-25): dans cet ensemble de trois phrases, la seule subordonnée, introductive à la première phrase, est aussi importante que les deux autres phrases réunies, 36 et 37 mots;   → →

4. (13/12,22-24): phrase d'accumulation de compléments, ne comportant qu'un seul article.

[161] (14) "... la délimitation de la séquence pose un problème méthodologique difficile" : Louis MARIN, "Jésus devant Pilate. Essai d'analyse struturale", dans *Sémiotique narrative: récits bibliques". Langages*, n°22 (juin 1971) pp. 63-65, II. - Le problème de la séquence.

[161] (15) A propos des symétries verbales, P. BEAUCHAMP parle d'*"un phénomène d'édition ou d'écriture dans l'écriture, qui diffère d'un découpage en strophes, par ex., en ce qu'il est interne au discours: il lui apporte des 'marques' ou indicateurs de composition"*. Dans "Quelques faits d'écriture dans la poésie biblique", *RSR* 61 (1973) p. 131.

M.C. CHEVALIER remarque pareillement: *"Certaines symétries dans la structure littéraire font apparaître comme probables des relations profondes qui autrement resteraient hypothétiques"*. Dans " 1 Pierre 1,1 à 2,10. Structure littéraire et conséquences exégétiques", dans *Rev.Hist.Phil.Relig.* 51 (1971) p. 140.

[161] (16) Dès le début nous avons souligné la concentrie et complémentarité structurale entre les trois citations de (1,5-6) et les trois citations de (2,11-13; cf. ici p. 27). Dans le parallélisme de P^1 et de P^3, l'*Archégon* est "mené à la perfection" en 2/2,10 , mais "meneur à la perfection" en 12/12,2 ; les chrétiens doivent maintenir "jusqu'au terme" en 3/3,14 , mais on les prévoit "arrivés au terme" en 13/12,23.

Dans la concentrie de P^2, pour ne prendre que deux exemples: "ceux qui s'approchent" sont en 6/7,25 les chrétiens dont l'approche de Dieu par Jésus est efficace, tandis que ce sont les israélites en 9/10,1 dont l'approche de Dieu par la Loi est inefficace. Les chrétiens pécheurs, qui en 5/6,4-6 avaient "goûté" les dons divins pour leur vie, se verront finalement en 10/10,27 menacés d'être "mangés" par le feu divin pour leur mort éternelle.

[161] (17) La classification périodique des éléments chimiques par MENDELEÏEV lui permit de tracer un Tableau à la fois réel et virtuel: réel, pour les éléments déjà connus de son temps et, virtuel, pour les éléments encore à découvrir. Les "écarts" successifsentre le réel et le virtuel, d'ailleurs indéfini, sont les marques de l'Histoire sur une structure intelligible.

[161] (18) *"Est-ce que l'utilisation constante de ce modèle structural narratif (de A.J. Greimas) n'aboutit pas à une déperdition telle de 'substance' sémantique que la spécificité des récits considérés disparaît également, rendant d'autant plus difficile la constitution des codes sous-jacents à ce discours narratif déterminé. Or c'est bien ce discours qui m'intéresse, et non le modèle général abstrait dont il serait l'émergence sélective et combinatoire"*: Louis MARIN, "Les Femmes au tombeau. Essai d'analyse structurale d'un texte évangélique", dans *Sémiotique narrative : récits bibliques, Langages*, n° 22 (juin 1971) p. 48, Note critique I.

"Le mariage entre l'analyse structurale et la méthode historique reste toutefois à l'état de projet: l'avenir dira comment il peut se conclure": P. GRELOT, "L'exégèse biblique au carrefour", II. Les questions posées par la linguistique, dans *NRT* 98 (1976) p. 506.

Les structures profondes concrètes et leur modèle structural sont en fait marqués par la situation historique de l'auteur de ce texte. Une étude historique des modèles structuraux effectivement réalisés et de leurs variantes est donc possible et souhaitable. On doit louer l' *Analyse sémiotique des Textes* ... , publiée par le Groupe d'Entrevernes, 1979, d'avoir fortement insisté sur la "particularité" de tout texte, qui est le dernier mot de cet ouvrage.

[161] (19) *"... autant il est valable au plan littéraire de détecter des structures apparentes, autant une déduction théologique à partir des phénomènes relevés reste, à nos yeux, extrêmement aléatoire, surtout si on entend la situer au niveau de 'l'auteur' du texte en cause. Distinguons toujours nettement les démarches littéraires et herméneutiques."* Ch. PERROT, "La lecture d'un texte évangélique (Mc 10,13-16)" dans *Recherches actuelles, II.* (Coll. "Le Point théologique"). Beauchesne, 1972, p. 66.

[162] (20) Jacques GENINASCA a excellement soulevé ce problème: *"Existe-t-il un système de positions, un 'espace', définissable indépendamment de tout investissement linguistique, par un certain nombre de traits positionnels et qui jouissent de propriétés sémantiques?"* - *"L'espace organisé par la grille taxique est susceptible de fonctionner à la manière d'une icône et de se trouver dans un rapport diagrammatique avec les éléments du contenu."* dans "Découpage conventionnel et signification", *Essais de Sémiotique Poétique,* pp. 45 et 47. Larousse (Collection L), 1972.

OUVERTURE

[164] (1) Cf. SLEH, p. 49.

[164] (2) De ce nombre on peut citer: J. BLIGH, "The Structure of Hebrews", *The Heythrop Journal,* 5 (1964) 170-177; et *Chiastic Analysis of the Epistle to the Hebrews,* Oxon, The Atheneum Press, 1966, II-33 pp. - G.W. BUCHANAN, *To the Hebrews. Translation, Comment and Conclusion.* (Anchor Bible, 36) Garden City, NY : Doubleday, 1972, XXX - 271 pp. - J. SWETNAM, "Form and Content in Hebrews 1-6", *Bibl.* 53 (3,1972) 368-385; et "Form and Content in Hebrews 7-13", *Bibl.* 55 (3,1974) 333-348 - J. THUREN, *Das Lobopfer der Hebräer. Studien zum Aufbau und Anliegen von Hebräerbrief 13.* Abo, 1973, 272 pp. - H. CONZELMANN & A. LINDEMANN, *Arbeitsbuch zum Neuen Testament.* Tubingue, J.C.B. Mohr, 1975, XVI - 440 pp. - A. STROBEL dans J. Jeremias - A. Strobel, ... *Der Brief an die Hebräer.* Goettingue, 1975[11] - T. CORBISHLEY, *Good News in Hebrews ...,* Cleveland, 1976 - M. GOURGUES, "Remarques sur la 'structure centrale' de l'Epître aux Hébreux. A l'occasion d'une réédition", *Rev.Bibl.* 84 (1,1977) 26-37 - C. SPICQ, *L'Epître aux Hébreux. Traduction, Notes critiques, commentaire.* (Sources Bibliques). Gabalda et Cie, 1977.

[164] (3) Ce souhait correspond au désir exprimé par P. BEAUCHAMP :*"Il serait utile et économique que fut éditée, selon des principes exigeants, une collection de textes bibliques mettant en évidence leur distribution verbale",* dans *Rech.Sci.Rel.* 98 (8,1976) p. 535.

BIBLIOGRAPHIE

Une bibliographie générale est dressée par C.Spicq: fort détaillée dans *L'Epître aux Hébreux* (Gabalda, 1952, T. I., pp. 379-411) et complétée dans son article sur l'*Epître aux Hébreux. Supplément au Dictionnaire de la Bible,* VII, fasc. 36-37, Paris 1962, col. 272-279); ou plus succincte dans son récent résumé *L'Epître aux Hébreux* (Gabalda, 1977, pp. 44-54).

La bibliographie suivante regroupe les ouvrages et articles cités en cours de travail, auxquels est joint un choix d'ouvrages généraux concernant la linguistique et des analyses de structures. Les titres sont munis d'un numéro d'ordre auquel se réfèrera l'*Index des Auteurs,* pp. 191-192.

I. Références exégétiques et méthodologiques

1. VANHOYE A., *La Structure Littéraire de l'Epître aux Hébreux* (= SLEH). Collection "Studia Neotestamentica. Studia 1". Desclée de Brouwer, Paris-Bruges, 1963, 285 pp. – Deuxième édition, même éditeur, hors Collection, 1976, 331 pp.
- *Traduction structurée de l'Epître aux Hébreux.* Institut Biblique Pontifical, Rome, 1963, 39 pp.
- *Epître aux Hébreux. Texte grec structuré.* Institut Biblique Pontifical, Rome, 1967, 39 pp.
- *Situation du Christ. Hébreux 1 - 2.* Collection "Lectio Divina" n° 58. Paris, Cerf, 1969, 403 pp. (= SdC).
- "Discussion sur la structure littéraire de l'Epître aux Hébreux", *Bibl.* 55 (1974) 349-380.
- "L'οἰκουμένη dans l'Epître aux Hébreux", *Bibl.* 45 (1964)248-253.
- "Jesus 'fidelis ei qui fecit eum' (Heb. 3,2)"*Verb.Dom.* 45 (5-6,1967)291-305.
- "Longue marche ou accès tout proche ? Le contexte biblique de He 3,7 - 4,11", *Bibl.* 49 (1,1968)9-26.
- "La Parole qui juge, He 4,12-13", *Assem.Seign.* 59 (1974)36-42.
- "Situation et signification de Hébreux V,1-10." *New Test.Stud.* XXIII (1977) 445-456.
- "La souffrance éducatrice. Hé 12,5-7.11-13." *Assem.Seign.* 52 (1974) 61-66.
- "Par la tente plus grande et plus parfaite… He 9,11." *Bibl.* 46 (1965) 1-28.
- "La question littéraire de Hébreux 13,1-6." *New Test.Stud.* XXIII(1977) 121-139.
2. SPICQ C., *L'Epître aux Hébreux.* T.I. Introduction, 445 pp.; T.II. Commentaire, 457 pp. Collection "Etudes Bibliques". Paris, Gabalda et Cie, 1952 et 1953.
- *L'Epître aux Hébreux. Traduction, notes critiques, commentaire.* Id., Collection "Sources bibliques". 1977, 236 pp.
3. Von SODEN H., *Hebräerbrief.* Coll. "Handcommentar zum N.T.", Fribourg en Br., 1899[3].
4[1]. THIEN F., "Analyse de l'Epître aux Hébreux", *Rev.Bibl.* 11 (1902) 74-86.
4[2]. CLADDER H., "Hebr. 1,1 - 5,10" et "Hebr. 5,11 - 10,39", *Zeit.Kath.Theol.* 29 (1905) 1-27 et 500-524.
4[3]. BUECHSEL F., "Hebräerbrief", *Rel.Gesch.Geg.*[2] II. (1928) 1669-1673.
5. STRATHMANN H., *Der Brief an die Hebräer.* Coll. "Das N.T. Deutsch", 9, Goettingue, 1937.
6. VAGANAY L., "Le plan de l'Epître aux Hébreux", dans *Mémorial Lagrange,* Paris, 1940, pp. 269-177.

7. DESCAMPS A., "La structure de l'Epître aux Hébreux", *Revue Diocésaine de Tournay* 9 (1954) 251-258 et 333-338.

8. GYLLENBERG R., "Die Komposition des Hebräerbriefs", *Svensk Exegetisk Årsbok* 22-23 (1957-1958) 137-147.

9. GIBLIN C.H., art. "Hebrews, Epistle to the" dans *New Catholic Encyclopedia*, VI (1967) 978-981.

10. PATTON M.A., "Carta a los Hebreos" dans *Manual Biblico*, vol.4, Madrid, 1968.

11. *Traduction Oecuménique de la Bible*, *Epître aux Hébreux*, Paris, 1969 ou dans le *Nouveau Testament (T.O.B.)*, Paris, 1972.

12. CODY A., *A New Catholic Commentary on Holy Scripture*, Londres 1969.

13. SMITH J., *A Priest for ever*, Londres et Sydney, 1969.

14. ANDRIESSEN P. - LENGLET A., *De Brief aan de Hebreeën* (Het Nieuwe Testament), Roermond, 1971.

15. BUCHANAN G.W., *To the Hebrews. Translation, Comment and Conclusion* (Anchor Bible, 36) Garden City, NY: Doubleday, 1972, XXX-271 pp.

16. SWETNAM J., "Form and Content in Hebrews 1 - 6", *Bibl.* 53 (3,1972) 368-385; "Form and Content in Hebrews 7 - 13", *Bibl.* 55 (3,1974) 333-348.

17. THUREN J., *Das Lobopfer der Hebräer. Studien zum Aufbau und Anliegen von Hebräerbrief 13* (Acta Academiae Aboensis, Ser. A, vol. 47 nr 1). Abo, 1973.

18. SCHMID J., dans A. Wikenhauser - J. Schmid, *Einleitung in das Neue Testament*. Fribourg-en-Br., etc., Herder 1973[6].

19. CONZELMANN & A. LINDEMANN, *Arbeitsbuch zum Neuen Testament*. Tubingue, J.C.B. Mohr, 1975, XVI-440 pp.

20. GOURGUES M., "Remarques sur la 'structure centrale' de l'épître aux Hébreux. A l'occasion d'une réédition", *Rev.Bibl.* 84 (1,1977) 26-37 - *A la droite de Dieu. Résurrection de Jésus et actualisation du Psaume 110:1 dans le Nouveau Testament* (Etudes Bibliques). J. Gabalda et Cie, 1978, 270 pp.

21. STROBEL A., dans J. JEREMIAS - A. STROBEL, *Die Briefe an Timotheus und Titus. Der Brief an die Hebräer* (Das Neue Testament Deutsch, 9). Goettingue: Vanderbroeck und Ruprecht, 1975[11].

22. CORBISHLEY T., *Good News in Hebrews. The Letter to the Hebrews in Today's English Version*. Cleveland: Collins & World/Fount Books, 1976, 124 pp.

23. BLIGH J., *Chiastic Analysis of the Epistle to the Hebrews*. Oxon, 1966, The Athenaeum Press, II-33 pp.

24. THOMPSON J.W., "The Structure and Purpose of the Catena in Heb 1:5-13", *Cath.Bibl.Quart.* 38 (3,1976) 352-363.

25. BORNKAMM, "Das Bekenntnis im Hebräerbrief", *Theol.Blätter* 21 (1942) 56-66 - *Studien zu Antike und Christentum*, München, Kaiser Verlag, 1963.

26. DEICHGRAEBER R., *Gottes hymnus und Christus hymnus in der frühen Christenheit*. Goettingen, 1967.

27. LANGKAMMER H., "Problemy literackie i genetyczne w Hbr 1,1-4 (Literarische und genetische probleme in Hbr 1,1-4)", *Roczniki Teologiczno - Kanoniczne* 16 (1969) 77-112.

28. SANDERS J.T., *The New Testament Christological Hymns. Their Historical Religious Background*. New York - London, Cambridge University Press, 1971.

29. ROBINSON D.W.B., "The Literary Structure of Hebrews 1:1-4", *Aus.Journ.Bibl.Arch.* 2 (1,1972) 178-186.

30. VITTI A., "Et cum iterum introducit primogenitum in orbem terrae (Hebr 1,6)", *Verb.Dom.* 14 (1934) 306-316, 368-374; et 15 (1935) 15-21.

31. ANDRIESSEN P., "De Beteknis van Hebr. 1,6", *Stud.Cath.* 35 (1960) 2-13 - "La teneur Judéo-chrétienne de HE I 6 et II 14 B - III 2 ", *Nov.Test.* 18 (4,1976) 293-313.

32. JOHNSTON, " ΟΙΚΟΥΜΕΝΗ and ΚΟΣΜΟΣ in the N.T.", *New Test.Stud.* 10 (3,1964) 352-360.

33. FEUILLET A., "Le 'commencement' de l'Economie chrétienne d'après He ii. 3-4; Mc i. 1 et Act i.1-2", *New Test.Stud.* 24 (2,1978) 163-174.

34. AUFFRET P., "Note sur la structure littéraire d' HB II. 1-4", *New Test.Stud.* 25 (2,1979) 166-179.

35. O'NEIL, "Hebrews II.9", *Journ.Theol.Stud.* 17 (1,1966) 79-82.

36. ELLIOTT J.K., "When Jesus was apart from God : an Examination of He 2:9", *Exp.Times* 83 (11,1972) 339-341.

37. PROULX P. - ALONSO-SCHÖKEL L., "He 4,12-13. Componentes y estructura", *Bibl.* 54 (3,1973) 331-339.

38. KERK L.E., "The presence of God Through Scripture", *Lex.Theol.Quart.* 10 (3,1975) 10-18.

39. ANDRIESSEN P., "Angoisse de la mort dans l'Epître aux Hébreux", *Nouv.Rev. Théol.* 96 (3,1974) 282-292.

40. FEUILLET A., "L'évocation de l'agonie de Gethsémani dans l'Epître aux Hébreux (5,7-8)", *Esprit et Vie* 86 (n° 5, 1976) 49-53.

41. SOUBIGOU L., "Le chapitre VII de l'Epître aux Hébreux", *L'Année Théologique* 7 (1946) 69-82.

42. SWETNAM J., "The Greater and More Perfect Tent. A Contribution to the Discussion of Hebrews 9,11", *Bibl.* 47 (1966) 91-106.

43. SEN F., "Se recupera la verdadera lectura de un texto muy citado, cuyo sentido cambia substancialmente (Hb 10:1)", *Cult.Bibl.* 23 (214, 1967) 163-168.

44. PELSER G.M.M., "A Translation Problem - Hebr. 10:19-25", *Neotestamentica* 8 (1974) 43-53.

45. LEWIS T.W., "... And if he schrinks back", *New Test.Stud.* 22 (1,1975) 88-94.

46. VACCARI A., "Hebr. 12,1 : lectio emendatior", *Bibl.* 39 (1958) 471-477.

47. KUDASIEWICZ J., "Circumstans peccatum (Hbr 12,1)", *Coll.Theol.* 46 (éd. spéciale, 1976) 127-140.

48. BONNARD P.-E. / ANDRIESSEN P.: "La joie du Christ. Deux traductions de *Hébreux* 12,2b: "C'est en vue de la joie que Jésus endura la croix", P.-E. Bonnard / "Renonçant à la joie qui lui revenait", P. Andriessen, o.s.b., *Nouv.Rev.Théol.* 97 (5,1975) 415-423 / 424-438.

49. MERK A., *Novum Testamentum Graece et Latine. Apparatu critico instructum.* Roma, P.I.B., 1957[8].

50. ALAND K., etc., *The Greek New Testament* ... (United Bible Societies), 1977[3].

51. BLASS F. und DEBRUNNER A., *Grammatik des Neutestamentlichen Griechisch.* Goettingue, 1921[5], 1949[8].

52. BAILLY A., *Dictionnaire Grec-Français,* rédigé avec le concours de E. Egger. Edition revue par L. Séchan et P. Chantraine. Paris, 1950.

53. *Concordance de la Bible. Nouveau Testament* ... Ed. du Cerf - Desclée de Brouwer, 1970, 676 pp. (Index des racines grecques, pp. 613-618).

54. JACQUES Xavier, *Index des mots apparentés dans le Nouveau Testament. Complément des Concordances et Dictionnaires.* Rome, Biblical Institute Press, 1969, 124 pp. - *Index des mots apparentés dans la Septante. Complément des Concordances et Dictionnaires.* (Subsidia Biblica, 1). Id., 1972, 233 pp.

55. MORGENTHALER Robert, *Statistik des Neutestamentlichen Wortschatzes.* Gotthelf-Verlag Zürich. Frankfurt am Main, 1958, 188 pp.

56. JAUBERT A., *La notion d'Alliance dans le Judaïsme aux abords de l'ère chrétienne.* Paris, Seuil, 1963, 543 pp.

57. Le DEAUT R., *Liturgie juive et Nouveau Testament. Le témoignage des versions araméennes.* Rome, Institut Biblique Pontifical, 1965, 91 pp.

58. DUSSAUT L., *L'Eucharistie, Pâques de toute la vie. Diachronie Symbolique de l'Eucharistie*. Coll. "Lectio divina, n° 74". Paris, Cerf 1972, 329 pp.

59. MOULOUD N., en collaboration à l'article "Modèle", dans *Encyclopaedia Universalis* Vol. 11, 1971, 121-135.

60. BERTIN J., article "Graphique (représentation)", dans *Encyclopaedia Universalis*, Vol. 7, 1970, 955-965.

61. BELLONE Roger, "Le mythe de l'objectif normal", *Science et Vie*, sept., 1975, 118-125.

62. SARTRE Jean-Paul, "Ce que je suis", dans *Nouvel Observateur*, du 23 au 29 juin 1975, 66-88.

II. Références linguistiques et structurelles

63. BEAUCHAMP Paul, "Quelques faits d'écriture dans la poésie biblique", *Rech. Sci.Rel.* 61 (1973) 127-138.

64. ALONSO-SCHÖKEL L., article "Poésie hébraïque", dans *Supplément au Dictionnaire de la Bible*, VIII, facs. 42 (1967) col. 47-90.

65. RICHTER W., *Exegese als Literaturwissenschaft. Entwurf einer alttestamentlichen Literaturtheorie und Methodologie*. Goettingue, 1971, 211 pp.

66. FORBES J., *The Symmetrical Structure of Scripture*. Edimburg, T. & T. Clark, 1854.

67. LUND N.W., *Chiasmus in the New Testament. A Study in Formgeschichte*. Chapel Hill, University of North Carolina Press, 1942.

68. KRASOVEC J., *Der Merismus im biblisch-hebraïschen und Nordwestsemitischen*. Coll. Biblica et Orientalia, 33. Rome, Institut Biblique, 1977, XV-184 pp.

69. TALBERT Charles H., *Literary Patterns, Theological Themes, and the Genre of Luke-Acts*. Monograph series, 20. Society of Biblical Literature, Missoula, Montana 59801, 1974, 159 pp. Voir en particulier: Chap. V : "The Patterns in the Light of the Lucan milieu", pp. 67-88.

70. SIDER R.D., "On symmetrical Composition in Tertullian", *Journ.Theol.Stud.* 24 (2,1973) 405-423.

71. FITZGERALD , *Short stories: Absolution - May day - Babylon revisited*. (bilingue). Aubier, 1972, 306 pp. Introduction et notes par Le Vot, qui attire l'attention sur la construction concentrique des lieux de l'action de ces trois nouvelles, notamment pp. 42-45.

72. PERROT Charles, "La lecture d'un texte évangélique" (Mc 10,13-16), dans *Recherches Actuelles*, II. (Coll. "Le Point théologique"). Beauchesne, 1972, pp. 51-130.

73. GREIMAS A.J., *Sémantique structurale. Recherche de méthode*. Coll. "Langue et Langage". Paris, Larousse 1966, 262 pp.

74. RASTIER F., "Systématique des isotopies", dans *Essais de Sémiotique Poétique*. Collection L. Paris, Larousse 1972, pp. 80-106.

75. GENINASCA Jacques, "Découpage conventionnel et signification", dans *Essais de Sémiotique Poétique*. Id., pp. 45-62.

76. DUMONT Jean-Paul, "Littéralement et dans tous les sens", dans *Essais de Sémiotique Poétique*. Id., pp.126-139.

77. Groupe d'Entrevernes, *Analyse sémiotique des textes. Introduction.Théorie. Pratique*. Presses Universitaires de Lyon, 1979, 208 pp.

78. CHABROL Claude - MARIN Louis, *Le récit évangélique*. (B S R). Aubier ..., 1974, 251 pp.

79. FOSSION A., "Sémiotique du récit évangélique. Lecture de Louis Marin", *Nouv.Rev.Théol.* 97 (2,1975) 127-143.

80. GRELOT P., "L'exégèse biblique au carrefour, II", *Nouv.Rev.Théol.* 98 (6,1976) 481-511.
81. DELZANT Antoine, *La communication de Dieu.* (Cogitatio Fidei, 92). Cerf, 1978, 358 pp.
82. LAFON Guy, *Esquisses pour un christianisme.* (Cogitatio Fidei, 96). Cerf, 1979, 228 pp.

83. BEAUCHAMP P., *Création et Séparation. Etude exégétique du chapitre premier de la Genèse.* (B S R). Aubier ..., 1969.
84. GALBIATI Enrico, *La struttura letteraria dell'Esodo.* Ed. Paoline, Roma, 1956, 344 pp.
85. McCARTHY D.J., "Moses'Dealings with Pharaoh: Ex 7:8 - 10:27", *Cath.Bibl. Quart.* 27 (1965) 336-347.
    - "Plagues and Sea of Reeds: Exodus 5 - 14", *Journ.Bibl.Lit.* 85 (1966) 137-158.
86. PORTEN Bezalel, "The Structure and Theme of the Solomon Narrative", *Hebrew Union College Annual* 38 (1967) 93-128.
87. BERTMAN Stephen, "Symmetrical Design in the Book of Ruth", *Journ.Bibl. Lit.* 84 (1965) 165-168.
88. LACK R., *La Symbolique du Livre d'Isaïe. Essai sur l'image littéraire comme élément de structuration.* Coll. "Analecta Biblica, 59". Rome, Biblical Institute Press, 1973, 281 pp.
89. WRIGHT A.G., "The Structure of the Book of Wisdom", *Bibl.* 48 (1967) 165-184
    - "Numerical Patterns in the Book of Wisdom", *Cath.Bibl.Quart.* 29 (1967) 524-538.
90. GILBERT M., "La structure de la prière de Salomon", *Bibl.* 51 (1970) 301-331.
91. COULOT Claude, "Propositions pour une structuration du livre d'Amos au niveau rédactionnel", *Rev.Sci.Rel.* 51 (2-3, 1977) 169-186.
92. PESCH R., "Zur konzentrischen Struktur von Iona 1", *Bibl.* 47 (1966) 577-581.
93. LANDES George M., "The Kerygma of the Book of Jonah", *Interpretation* 21 (1967) 3-31.
94. WILLIS John T., "The Structure of the Book of Micah", *Svensk Exegetisk Arsbok* 34 (1969) 5-42.
    - "The Structure of Micah 3 - 5 and the Function of Micah 5:9-14 in the Book", *Zeit.Alt.Wiss.*
95. WALKER H.H. and LUND N.W., "The Literary Structure of the Book of Habakkuk", *Journ.Bibl.Lit.* 53 (1934) 355-370.
96. LAMARCHE Paul, *Zacharie IX-XIV. Structure littéraire et messianisme.* (Etudes Bibliques). Gabalda, 1961, 168 pp.
97. RADERMAKERS Jean, *La Bonne Nouvelle de Jésus selon s. Marc.* 2 vol. I. Texte, 80 pp.; II. Lecture continue, 448 pp. Institut d'Etudes Théologiques. Editions, Rue du Collège s. Michel, 60 - B 1150 Bruxelles, 1975.
98. LANG F.G., "Kompositionanalyse des Markusevangelium", *Zeit.Theol. Kirch.* 74 (1,1977) 1-24.
99. DIDEBERG D. and MOURLON BEERNAERT P., "Jésus vint en Galilée. Essai sur la structure de Mc 1,21-45", *Nouv.Rev.Théol.* 98 (4,1976) 306-323.
100. MOURLON BEERNAERT, "Jésus controversé. Structure et théologie de Marc 2,1 - 3,6", *Nouv.Rev.Théol.* 95 (2,1973) 129-149.
101. LAFONTAINE et Pierre MOURLON BEERNAERT, "Essai sur la structure de Marc 8,27 - 9,13", *Rech.Sci.Rel.* 57 (1969) 543-561.

102. CHABROL Claude, "Analyse du 'texte' de la Passion", dans *Langages* n° 22
(juin 1971) 75-96.
103. MARIN Louis, "Jésus devant Pilate. Essai d'analyse structurale", dans
Langages (juin 1971) 51-74.
- *Sémiotique de la Passion*. (B S R). Aubier ..., 1971, 252 pp.
- "Les Femmes au tombeau. Essai d'analyse structurale d'un texte évangélique", dans *Sémiotique narrative et textuelle*. Collection L Larousse,
1973, pp. 39-50.
104. RADERMAKERS Jean, *Au fil de l'Evangile de s. Matthieu*. 2 vol. I. Texte,
96 pp.; II. Lecture continue, 400 pp. Institut d'Etudes Théologiques, Editions. Louvain, 1972.
105. LOHR C.H., "Oral Techniques in the Gospel of Matthew", *Cath.Bibl.Quart.*
23 (1961) 403-435.
106. VANHOYE A., "Structure du Benedictus", *New Test.Stud.* 12 (1966) 382-389.
107. AUFFRET P., "Note sur la structure littéraire de LC I.68-79", *New Test.
Stud.* 24 (1978) 248-258.
108. DELORME Jean, "Lc V,1-12: analyse structurale et histoire de la rédaction", *New Test.Stud.* 18 (1971-1972) 331-350.
109. JEANNE D'ARC Soeur, "Un grand jeu d'inclusions dans 'les pélerins
d'Emmaüs' ", *Nouv.Rev.Théol.* 99 (1,1977) 62-76.
110. MEYNET R., "Comment établir un chiasme? " (pélerins d'Emmaüs), *Nouv.Rev.
Théol.* 100 (2,1978) 233-249.
111. BOISMARD M.-E., *Le Prologue de saint Jean*. Coll. "Lectio divina, n° 11".
Cerf, 1953, 185 pp.
112. LAMARCHE P., "Le Prologue de Jean", *Rech.Sci.Rel.* 52 (1964) 497-537.
113. DEEKS David, "The Structure of the Fourth Gospel", *New Test.Stud.* 15
(1968) 107-128.
114. TALBERT Charles H., "Artistry and Theology: An Analysis of the Architecture of John 1:19 - 5,47 ", *Cath.Bibl.Quart.* 32 (1970) 341-366.
115. VANHOYE A., "La composition de Jn 5,19-30 ", dans *Mélanges bibliques
B. Rigaux*. Gembloux, 1970, pp. 259-274.
116. MALATESTA E., "The literary Structure of John 17 ", (Two Folding Charts),
Bibl. 52 (1971) 190-214.
117. TALBERT Charles H., *Literary Patterns, Theological Theme and the Genre
of Luke-Acts.* Cf. n° 69.
118. MINGUEZ Dionisio, *Pentecostés. Ensayo de Semiotica narrativa en Hch 2.*
(Analecta Biblica, 75). Rome, Biblical Insitute Press, 1976, 217 pp.
119. BARTHES Roland, "L'Analyse structurale du récit. A propos d'Actes 10,1 -
11,18 ", *Rech.Sci.Rel.* 58 (1,1970) 17-38.
120. MARIN Louis, "Essai d'analyse structurale d'Actes X - XI ", *Rech.Sci.Rel.*
58 (1,1970) 39-62.
121. COLLINS J.J., "The 'ABA' Pattern and the text of Paul ", dans *Studiorum
Paulinorum Congressus Internationalis Catholicus*. Rome, Pontifical Institute Press, 1963.
122. DUPONT J., "Le problème de la structure littéraire de l'Epître aux
Romains", *Rev.Bibl.* 62 (1955) 365-397.
123. ROLLAND Philippe, *Epître aux Romains. Texte grec structuré.* Roma (P.I.B.), 1980
124. BAILEY K.E., "Recovering the poetic Structure of 1 Cor i 17 - ii 2.
A study in Text and Commentary", *Nov.Test.* 17 (4,1975) 265-296.
125. BLIGH John, *Galatians in Greek. A structural Analysis of St. Paul's
Epistle to the Galatians.* Detroit, University of Detroit Press, 1966, IV-239 pp.
- *Galatians. A discussion of St. Paul Epistle - Study guide to Galatians.*
London, St. Paul Publications, 1969, 568 et 30 pp.

126. CHEVALLIER M.A., " 1 Pierre 1,1 - 2,10. Structure littéraire et conséquences exégétiques ", *Rev.Hist.Phil.Rel.* 51 (1971) 129-142.
127. MALATESTA E., *The Epistles of St. John. Greek Text and English Translation
schematically arranged.* (P.U.G.) Rome, 1973.
128. VANNI U., *La struttura letteraria dell'Apocalisse.* Prefazione di A. Vanhoye. (Aloisiana, 8). Roma, Herder 1971, VIII-272 pp.
129. ROUSSEAU Fr., *L'Apocalypse et le milieu prophétique du Nouveau Testament.
Structure et préhistoire du texte.* Coll. "Recherches, 3". Paris-Tournai,
Desclée et Cie; Montréal, Bellarmin, 1971, 250 pp.

INDEX DES NOMS CITÉS

Dans cet *Index des Noms cités* au cours de l'ouvrage, les numéros qui les précèdent reproduisent ceux de la *Bibliographie*, pp. 191-197, où se trouvent les références complètes. Les nombres qui les suivent mentionnent la page et éventuellement la *note* de la citation.

50 **A**land K.: 7^4.
64 Alonso-Shökel L.: 40^{36}, 152^2.
14.31.39.48 Andriessen P.: 3^5, 21^9, 42^{42}, 123^{17}.
34.107 Auffret P.: 24^{13}, 33^{24}.
52 Bailly A.: 110^{74}.
124 Bailey K.E.
119 Barthes R.
63.83 Beauchamp P.: 152^2, 161^{15}, 164^3.
61 Bellone R.: 13.
60 Bertin J.: 13^{12}.
87 Bertman S.
51 Blass F.: 19^2.
23.125 Bligh J.: 164^2.
Boespflug F.-D.: 26^{15}.
111 Boismard M.E.
48 Bonnard P.E.: 123^{17}.
25 Bornkamm G.: 20^7.
15 Buchanan G.W. 164^2.
4 Büchsel F.: 3.
78.102 **C**habrol Cl.: $158^{8.10}$.
126 Chevallier M.A.: 159^{15}.
4 Cladder H.: 3.
12 Cody A.: 3^5.
121 Collins J.J.
53 *Concordance de la Bible:* 7^5.
19 Conzelmann H.: 164^2.
22 Corbishley T.: 164^2.
91 Coulot Cl.

51 **D**ebrunner A.: 19^2.
113 Deeks D.
26 Deichgraeber R.: 20^7.
108 Delorme J.
81 Delzant A.: 9^7.
7 Descamps A.: 3, 108.
99 Dideberg D.
76 Dumont J.P.: 157^7.
122 Dupont J.
58 Dussaut L.: 12^{10}, 20^5, 110^{75}, 132^{27}.
36 **E**lliot J.K.: 26^{16}.
33.40 **F**euillet A.: 24^{12}, 42^{42}.
71 Fitzgerald F.S.
66 Forbes J.
79 Fossion A.
84 **G**albiati E.
75 Geninasca J.: 162^{20}.
9 Giblin C.H.: 3^5.
90 Gilbert M.
20 Gourgues M.: 20^7, 26^{15}, 163^2.
76 Greimas A.J.: 158^9, 161^{18}.
80 Grelot P.: 161^{18}.
77 *Groupe d'Entrevernes:* 161^{18}.
8 Gyllenberg R.: 3.
54 **J**acques X.
56 Jaubert A.: 66^{25}.
109 Jeanne d'Arc, Soeur.
32 Johnston G.: 21^9.
38 **K**erk L.E.: 40^{36}.

68 Krasovec J.
47 Kudasiewicz J.: 123[16].
   Lacan, o.s.b.: 22[10].
88 Lack R.
82 Lafon G.: 9[7].
101 Lafontaine
96.112 Lamarche P.
93 Landes G.M.
98 Lang F.G.
27 Langkammer H.: 20[7].
57 Le Déaut R.: 66[25].
14 Lenglet A.: 3[5].
45 Lewis T.W.: 94[60].
19 Lindemann A.: 164[2].
105 Lohr C.H.
67 Lund N.W.
   Lyonnet St.: 3[4].
116.127 Malatesta E.
78.103.120 Marin L.: 158[10], 160[12], 161[14.18]
85 Mc Carthy D.J.
   Mendeleïev D.I.: 161[17].
49 Merk A.: 7[4].
110 Meynet R.
118 Minguez D.
59 Mouloud N.: 5[1].
55 Morgenthaler R.
99-101 Mourlon Beernaert P.
35 O' Neil : 26[16].
10 Patton M.A.: 3[5].
44 Pelser G.M.M.: 92[57].
72 Perrot Ch.: 161[19].
92 Pesch R.
86 Porten B.
37 Proulx P.: 40[36].
97.104 Radermakers J.: 14[13].
74 Rastier F.: 10[6], 156[3].
65 Richter W.
29 Robinson D.W.B.: 20[7].
123 Rolland Ph.: 14[13].
129 Rousseau F.: 14[13].

28 Sanders J.T.: 20[7].
62 Sartre J.P.: 13[11].
18 Schmid J.: 3[5].
70 Sider R.D.
43 Sen F.: 84[48].
13 Smith J.: 3[5].
41 Soubigou L.: 62[18].
2 Spicq C.: 20[3], 26[15], 35[29], 42[41], 55[4]
   56[7], 60[16], 61[16bis-17], 62[18], 73[33], 84[47]
   105[64], 107[70], 119[5], 130[23], 132[27],
   134[29], 158[11], 164[2].
5 Strathmann H.: 56[6].
21 Strobel A.: 159[11], 164[2].
16.42 Swetnam J.: 8[6], 67[27], 164[2].
69.114.117 Talbert Ch.: 152[2].
4 Thien F.: 1, 164.
24 Thompson J.W.
17 Thurén J. 132[25], 164[2].
   Tihon P.
11 *Traduction Oecuménique de la Bible:*
   3[5], 61[17], 69[30], 81[41].
46 Vaccari A.: 123[16].
   Vaganay L.: 3, 164.
1.106.115.128 Vanhoye A.: 3[1.2], 6[2], 14[13],
   24[12bis], 33[24.25], 34[26], 39[35bis], 40[36], 41[38],
   54[1.2], 59[12], 61[17], 63[21], 66[24], 67[27],
   73[31.32], 74[35.37], 75[38], 83[43.44], 92[57],
   108[72], 116[1], 118[4], 119[7], 122[15], 130[2]
   132[25], 156[4], 164[1].
128 Vanni U.
3 Von Soden H.: 56[6].
95 Walker H.H.
94 Willis J.T.
89 Wright A.G.

VOCABULAIRE CARACTÉRISTIQUE

Nous indiquons ci-dessous le vocabulaire caractéristique, c'est-à-dire prédominant, en chacune des Sections, très succinctement et sans référence à leur
situation. Les vocables indiquées entre deux barres signalent la Série Thématique, au lieu du vocable comme tel.

1ère Section: Anges - /filiation/ - héritage - royauté - Toi (Fils)= Moi (Dieu)
               tous.tout.

2ème Section: Anges - /filiation/ - soumission - /combat/ - /souffrir/ - mort -
               Moi (Jésus) = Toi (Dieu) - tous.tout .

3ème Section: Moïse - Entrer(repos) - Maison - /construire/ - Aujourd'hui et
               jour - écouter - voix - endurcir - coeur - /foi/ - /péché/ -
               Moi (Dieu) = vous .

4ème Section: entrer(repos) - Aujourd'hui et jour - /écouter/ - /voix/ - coeur
               sacerdoce - /souffrir/ - pouvoir - Moi (Dieu) = Toi (Fils).

5ème Section: Dieu - héritage - serment - promesse - /nourriture/ - devenir -
               avoir - nous=vous .

6ème Section: sacerdoce - Loi - /filiation/ - /personnes/ : Abraham, Melchisédech,
               Lévi ... - /vivre/ - serment - "pour l'éternité" - devenir - avoir -
               sans - royauté.

7ème Section: Tente - Alliance - Sanctuaire - /liturgie/ - offrir - premier =
               deuxième - nouveau = /vieux/ - maison - /construire/ - /nourriture/ .

8ème Section: Tente - Alliance - Sanctuaire - Entrer - Sang - mort - /offrir/ -
               /rédemption/ - /purification/ - éternel - sans - /unicité/ - Christ.

9ème Section: /offrandes=sacrifices/ - offrir - Péché - /rédemption/ - /unicité/ -
               vouloir.

10ème Section: nous=vous - /vivre/ - /souffrir/ - coeur - avoir.

11ème Section: /personnes=lieux/ - Foi - voir - Dieu - témoignage - /filiation -
               promesse - héritage - /mourir/ - Sortir - /mentions sacrificielles/ -
               /terre=ciel/ - mer - royauté.

12ème Section: /filiation/ - /souffrir/ - /combat/ - persévérance - correction
               nous=vous.

13ème Section: /terre=ciel/ - voix - /écouter/ - /unicité/ .

14ème Section: /impératifs/ - /souffrir/ - liens - /souvenir/ - Sortir - /mentions
               sacrificielles/ - Sang - Jésus - nous=vous - encouragement.

INDEX DES SIGLES

C	Colonne structurelle ($C^{1,2,3\cdots 7}$)
CC	Colonnes Concentriques
CS	Colonnes Successives
P	Partie structurelle (P^1, P^2 , P^3)
$P^{1.3}$	Isotopie entre P^1 et P^3
$_3P^1$	Isotopie entre la Colonne centrale et P^1 ou P^3
$_3P^2$	Isotopie entre les 1ères Colonnes des 3 Parties
$_3P^3$	Isotopie des Colonnes extrêmes de $P^{1.2}$ ou de $P^{2.3}$
S	Section structurelle ($S^{1,2,3\cdots 14}$)
SdC	*Situation du Christ*
SLEH	*La Structure Littéraire de l'Epître aux Hébreux*
SS	Sections Successives
SR	Séries radicales du vocabulaire
ST	Séries Thématiques du vocabulaire
UC	Unité des Colonnes
US	Unité des Sections
=	symétrie parallèle (vocabulaire/situation)
✗	symétrie concentrique (vocabulaire/situation)
△	symétrie triangulaire (vocabulaire)

TABLE DES MATIÈRES

Préface de Maurice Carrez

1-2   Introduction

3-12   MÉTHODE D'ANALYSE STRUCTURELLE

3   I. La "Synopse", "modèle pragmatique"
4   II. Le Fichier "sériel" et "situationnel"
6   III. Processus et Programme d'analyse
11   IV. Constructions graphiques et systèmes de codage

SYNOPSE STRUCTURELLE DE L'ÉPITRE AUX HÉBREUX

13 (I-XV)   Plan et Texte français

15-48   PREMIÈRE PARTIE

15   § 1er : Première Section (US): 1,1-14
20   § 2 : Deuxième Section (US): 2,1-18
26   § 3 : Unité structurelle de la 1ère Colonne (UC)
29   § 4 : Troisième Section (US): 3,1-4,5
35   § 5 : Quatrième Section (US): 4,6-5,10
39   § 6 : Unité structurelle de la 2ème Colonne (UC)
41   § 7 : Unité structurelle de la Ière Partie (CS):
              1. Structuration parallèle, 41
              2. Structuration concentrique, 45

49-110   DEUXIÈME PARTIE

49   § 8 : Cinquième Section (US): 5,11-6,20
53   § 9 : Sixième Section (US): 7,1-28
59   § 10 : Unité structurelle de la 3ème Colonne (UC)
61   § 11 : Septième Section (US): 8,1-9,10
68   § 12 : Huitième Section (US): 9,11-28
74   § 13 : Unité structurelle de la 4ème Colonne (UC)
78   § 14 : Neuvième Section (US): 10,1-18
86   § 15 : Dixième Section (US): 10,19-39
91   § 16 : Unité structurelle de la 5ème Colonne (UC)
93   § 17 : Unité structurelle de la IIème Partie :
              1. Structuration parallèle (CS), 93
              2. Structuration concentrique (CC), 103

111-140   TROISIÈME PARTIE

111   § 18 : Onzième Section (US): 11,1-31
117   § 19 : Douzième Section (US): 11,32-12,13
121   § 20 : Unité structurelle de la 6ème Colonne (UC)

123   § 21 : Treizième Section (US): 12,14-29
126   § 22 : Quatorzième Section (US): 13,1-21/25
132   § 23 : Unité structurelle de la 7ème Colonne (UC)
134   § 24 : Unité structurelle de la IIIème Partie (CS):
              1. Structuration parallèle, 134
              2. Structuration concentrique, 137

141-145   CONCENTRIE GÉNÉRALE DE L'ÉPITRE

146-157   SYNOPSE STRUCTURELLE ET ANALYSE DU TEXTE

146   1. Les procédés de structuration:
              des Sections, 146 - des Colonnes, 147
              des Parties, 147 - de l'Ensemble, 148
150   2. La lecture du Texte
153   3. L'interprétation de l'Ecriture:
              L'Exégèse, 153 - L'Analyse structurale, 154
              La Théologie, 155

158   Ouverture

159-184   N O T E S

185-191   BIBLIOGRAPHIE

191   Index des noms cités
193   Vocabulaire caractéristique des Sections
194   Index des Sigles

Achevé d'imprimer en février 1981
sur les presses de l'imprimerie Laballery et Cie
58500 Clamecy
Dépôt légal : 1er trimestre 1981
Numéro d'imprimeur : 19813
Numéro d'éditeur : 7341